# Introduction à l'analyse stylistique

CATHERINE FROMILHAGUE
ANNE SANCIER-CHATEAU

# Introduction à l'analyse stylistique

## Méthode et applications

**2e édition**

**ARMAND COLIN**

Ouvrage publié sous la direction
de Daniel Bergez

Conception de couverture : Hokus Pokus créations
Illustration de couverture : © Fotolia

Armand Colin est une marque de
Dunod Éditeur, 11 rue Paul Bert, 92247 Malakoff Cedex

ISBN 978-2-200-61474-4

# Table des matières

## Chapitre 2 - L'actualisation dans l'énoncé littéraire

## Chapitre 3 - Les mots dans l'énoncé                          59

## Chapitre 4 - Les détournements de sens : le sens figuré

## Chapitre 5 – La phrase

## Chapitre 6 - La caractérisation du substantif et du verbe

Si l'estimable public se montre incapable de comprendre telle
ou telle remarque, ce n'est pas seulement parce qu'il ignore
la Bible,
les langues anciennes,
l'histoire,
la mythologie,
les littératures classique et mondiale,
mais aussi parce qu'il ne possède pas les outils du langage,
la grammaire,
la métrique,
l'étymologie,
la magie des sons.

Ernst Jünger, *L'Auteur et l'Écriture*
Paris, C. Bourgois éd., 1982, p. 34

[…] et la stylistique !

Les auteurs

# Avant-propos

Le projet de ce livre est né d'une observation que nous avons faite auprès de nos étudiants-apprentis stylisticiens, et de remarques que ceux-ci nous ont adressées : l'acquisition de connaissances, de concepts isolés, n'est pour eux ni plus ni moins difficile en stylistique que dans d'autres disciplines techniques ; les cours, des ouvrages récents[1], les guident dans ce domaine ; en revanche, quand ils sont eux-mêmes confrontés à un texte (dans le cadre d'un commentaire ou pour l'étude d'une œuvre), un grand nombre d'entre eux reste démuni, ne sachant comment appliquer les concepts acquis.

Nous avons dans cet ouvrage simplement voulu mettre la plume à la main de l'étudiant et le guider pour lui permettre d'entrer dans la spécificité de l'analyse stylistique qu'il distingue mal à ses débuts de l'analyse littéraire, ou qu'il assimile à une technique pure, limitant alors ses commentaires à un «catalogue» de procédés.

La démarche adoptée ici est une démarche progressive et, comme telle, notamment en ses débuts, simplificatrice : elle s'attache à fournir à l'apprenti stylisticien des concepts opératoires tout en montrant par l'analyse d'exemples leur fonctionnement dans les énoncés littéraires.

Une réflexion préliminaire sur l'énoncé littéraire, a paru indispensable pour saisir les enjeux de notre discipline. Ce type

---

1. Voir bibliographie, p. 26.

de discours suscite en effet un univers de référence dont il est créateur. Les unités de langue fonctionnent comme médiateurs, c'est-à-dire qu'elles permettent la représentation mentale de l'univers évoqué ; ce mode de représentation et de communication a ses propres lois, que nous allons en tout premier lieu analyser.

# Chapitre 1
# Spécificité de l'énoncé littéraire

# Introduction

Les analyses linguistiques aujourd'hui classiques ont décrit le schéma de la communication d'une façon telle que le problème de l'appréhension du sens par le récepteur ne paraissait pas se poser. Le triangle sémiotique, c'est-à-dire qui restitue l'élaboration du sens, doit être ici évoqué :

Signifié Sé

Signifiant Sa

Référent
réel ou imaginaire

L'émetteur ou destinateur formule son message ou énoncé en choisissant dans la réalité linguistique des signifiants appropriés. Ceux-ci formulent les concepts, ou signifiés, qui sont alors rapportés par le récepteur ou destinataire à la réalité évoquée (présente ou imaginaire). Le double mécanisme d'encodage par l'émetteur et de décodage par le récepteur est donc constitutif de toute communication verbale.

La critique de ce schéma qui présuppose la transparence dans la communication, c'est-à-dire la maîtrise par l'émetteur

et le récepteur d'un code et d'une compétence[1] identiques,
fonde aujourd'hui maintes analyses linguistiques. Elle montre
en effet les difficultés de la communication et pose le problème
des fondements de l'interprétation. Car il est vrai que le même
message peut être interprété fort différemment selon la nature
et la situation des instances émettrices et réceptrices.

S'il n'est pas de notre propos de restituer ici la critique
détaillée du schéma traditionnel de la communication et de rappeler les nouvelles donnes qui le complètent[2], il paraît essentiel
de montrer comment l'analyse de l'énoncé littéraire doit s'en
trouver modifiée.

Les critiques récentes obligent en effet à nuancer l'idée
d'une définition unique et monolithique de l'énoncé littéraire
comme porteur d'un sens, et répondant à une intention d'auteur ;
c'est dans ce cadre que la stylistique a été comprise comme
l'étude des moyens que choisit l'auteur dans la langue pour
rendre son projet efficient.

Non que ces principes de recherche et d'approche doivent
être exclus de l'analyse stylistique... Mais ils ont besoin d'être
approfondis et complétés : d'autres concepts opératoires viennent heureusement éclairer les analyses premières.

Avant de les examiner, il convient à l'évidence de décrire
l'énoncé littéraire, d'en montrer sa spécificité.

Si tout discours peut être très généralement défini comme
prise de parole engageant un émetteur et un récepteur dans une
situation d'énonciation donnée[3], on peut rappeler, à partir de
ces indications, la spécificité de l'énoncé littéraire et ses difficultés d'approche. Il implique, en effet, le dédoublement des
instances émettrices et réceptrices en même temps qu'il crée
l'univers de référence, c'est-à-dire qu'il le fait surgir par le seul
pouvoir des mots.

---

1. «Nous appellerons "compétence d'un sujet", note C. Kebrat-Orecchioni, la
somme de toutes ses possibilités linguistiques, l'éventail complet de ce qu'il
est susceptible de produire et d'interpréter.» (*L'Énonciation. De la subjectivité dans le langage*, Paris, A. Colin, 1980, p. 16-17).
2. Voir C. Kerbrat-Orecchioni, *op. cit.*, p. 19.
3. On rappellera ici la définition que donne Benveniste : «L'énonciation est
cette mise en fonctionnement de la langue par un acte individuel d'utilisation», *cf.* «L'appareil formel de l'énonciation», *Langages*, 17 mars 1970,
p. 12.

Il faut rappeler ici qu'il est important de distinguer l'instance productrice (écrivain/scripteur) et l'instance émettrice à qui est confiée la responsabilité de l'énoncé (énonciateur ou narrateur dans la fiction narrative à la 1re ou à la 3e personne). Pour l'analyse stylistique, l'identification du statut énonciatif, c'est-à-dire le repérage des instances productrices de l'énoncé permet une première approche du genre propre au texte. On se propose de l'évoquer sommairement ici[1].

---

1. On aura une idée de la complexité du lien qui s'établit entre situation d'énonciation et genre littéraire en se reportant à l'ouvrage de D. Combe, *Les Genres littéraires*, Paris, Hachette, 1992.

# I. Le statut de l'énonciateur par rapport à l'énoncé

## 1. Voix du narrateur/voix du personnage

On part du principe que l'énonciateur/narrateur relate une histoire (diégèse) plus ou moins détachée du moment de son énonciation (temps de l'écriture [1]). Lorsque la rupture est complète, les repères marquant le temps, l'espace, les personnes, sont décalés par rapport au cadre énonciatif premier, par rapport donc au moment de l'écriture. Cet énonciateur peut user de procédés spécifiques qui témoignent de son intervention dans l'énoncé.

### A. *Non-intervention dans le narré*

Si la rupture avec le narré est complète, les facteurs qui créent cette distanciation (décalage spatio-temporel, jeu des personnes, choix des caractérisants) devront être perçus pour

---

1. Cette distinction temps du récit-temps de l'écriture paraît d'un maniement commode pour commenter les textes qui entrecoupent l'évocation d'un passé plus ou moins lointain d'une réflexion sur ce passé qui semble jaillir au fil de la plume et s'inscrit en effet dans le temps où le texte est écrit, celui de son énonciation.

qu'on reconnaisse le ton objectif. Ainsi dans ce court passage de *Madame Bovary* peut-on noter les formes linguistiques qui spécifient cette distance.

> *Ils reconnurent* la maison à un vieux noyer qui l'ombrageait. *Basse et couverte de tuiles brunes*, elle avait *en dehors, sous* la lucarne de son grenier, un chapelet d'oignons suspendu [...] Au bout de la barrière, *la nourrice parut*, tenant sur son bras un enfant qui tétait.

On notera, outre l'expression du jeu des personnes et des temps, la manière dont est décrit et structuré l'espace sans que le narrateur s'engage : absence de caractérisants affectifs (*agréable, pitoyable*) ou axiologiques (*beau, bon*).

## B. Immixtions du narrateur

Cette rupture est rarement complète : le plus souvent, le narrateur intervient plus ou moins explicitement dans le narré. Cette intervention peut prendre des formes multiples :

– le narrateur revient dans le moment où il écrit : personnes, espace, temps (le je-ici-maintenant) sont rapportés à cette situation d'énonciation. Sa voix dans le récit est principalement détectable :

• à la variation des temps : en particulier à l'irruption des imparfaits, dits «de commentaire», aux présents et futurs de vérité générale, au futur d'atténuation... ;

• à l'intervention de la première personne du singulier ou du pluriel. Cette dernière engage plus directement dans la diégèse le narrataire, cette instance réceptrice conçue par l'auteur-narrateur ;

• à la variation des modalités de phrase : impératifs, modalités interrogatives ou exclamatives attestent une prise de position du narrateur qui sollicite celle du narrataire. L'extrait de *Notre-Dame de Paris* qui suit illustre cette présence du narrateur :

> [...] Le public [...] s'était remis à écouter, non sans avoir perdu forces beautés, dans l'espèce de soudure qui se fit entre les deux parties de la pièce ainsi brusquement coupée.
> C'était en réalité un fort bel ouvrage dont *il nous semble* qu'on pourrait *encore fort bien tirer parti aujourd'hui* moyennant quelques arrangements. L'exposition [...] était simple, et

Gringoire, dans le candide sanctuaire de son forintérieur, en admirait la clarté [...] *Pauvre Grégoire* [...] *Ajoutons que* [...]

– Le narrateur peut encore interpréter le narré : jugements axiologiques (le caractérisant *fort bel*), ou modalisation de son propos (*il nous semble*).

## C. Immixtions de voix multiples dans le narré

Le narrateur peut encore faire entendre sous sa voix d'autres voix que la sienne. C'est ce qu'a montré M. Bakhtine dans son ouvrage *Esthétique et Théorie du roman* [1] : ce qui est propre au genre romanesque, selon lui, c'est le dialogisme de voix socio-culturelles multiples qui s'expriment à travers des niveaux de langue différents, des emprunts à des groupes professionnels variés, des néologismes... C'est cette mosaïque linguistique qu'il étudie par exemple dans l'œuvre de Rabelais. Plus la polyphonie est importante, plus il devient difficile d'identifier la voix de l'auteur. Le récit génère donc une séparation entre l'instance productrice (l'auteur) et l'instance émettrice (le narrateur) et un dialogue entre les deux :

> Chacun des moments du récit est perçu réellement sur deux plans : *au plan du narrateur*, selon la perspective objectale, sémantique et expressive, *puis à celui de l'auteur*, qui s'exprime de manière réfractée dans le récit et à travers lui [2].

## D. Les discours rapportés

Le narrateur peut vouloir relater les discours tenus par ses personnages (paroles prononcées ou monologues intérieurs). Il existe divers modes d'intégration dans le narré de ces discours rapportés.

### a) Le discours direct

Le personnage prend la parole ; le discours direct interrompt le narré et crée dans celui-ci un autre espace d'énonciation plus

---

1. M. Bakhtine, *Esthétique et Théorie du roman*, Gallimard, Paris, 1978.
2. *Id., ibid.*, p. 135. C'est nous qui soulignons.

ou moins nettement délimité. Les deux voix, celle du narrateur et celle du personnage, sont nettement distinguées, du moins lorsque le discours direct est nettement distingué du récit. Ses principaux marqueurs sont le détachement par les deux points et les guillemets, les tirets en cas d'échange dialogué, et généralement une lexie – verbe de communication le plus souvent – qui l'introduit ou le signifie lorsqu'elle est placée en incise (*dit-il…*). L'étude des formes linguistiques du discours direct sera menée dans le chapitre suivant.

### b) Le discours indirect

La voix du personnage est assimilée par celle du narrateur : il n'y a qu'un espace d'énonciation, celui du narrateur. Le discours indirect implique donc un repérage relatif des coordonnées du réel [1]. Le discours indirect pur est toujours clairement marqué dans le récit :

– il est en situation de dépendance syntaxique (complétive introduite par le *que* conjonctif dit «thétique», interrogative indirecte introduite par *quand, où, si…*, infinitif) ;
– c'est un verbe de communication qui le régit syntaxiquement (*il dit que/elle demanda si/il ordonna de*) ;
– il est de modalité assertive.

Les paroles du personnage étant rapportées, donc prises en charge par le narrateur, sont intégrées au récit. On remarquera qu'elles ne sont pas rapportées à la lettre, qu'elles peuvent être reformulées, interprétées par le narrateur qui n'en retient que l'esprit, comme dans cet extrait de *La Princesse de Clèves* :

> […] il dit à sa femme, mais d'une manière qui faisait croire qu'il ne le pensait pas, qu'elle avait sans doute quelque amant caché à qui elle avait donné ce portrait ou qui l'avait dérobé et qu'un autre amant ne se serait pas contenté de la peinture sans la boîte.

La clarté et la netteté des frontières ainsi marquées ont pour corollaire la lourdeur. Le narrateur est conduit, si le discours rapporté a une certaine ampleur, à multiplier les marqueurs de subordination ou les synonymes du verbe introducteur. On objectera que le choix du discours direct pallierait cet inconvénient. Mais la cohérence de la narration peut absolument

---

1. Voir chapitre suivant.

l'interdire (le personnage est absent, les pensées doivent rester secrètes, etc.). La lecture des romans du XVIIᵉ siècle révèle bien des difficultés inhérentes à la restitution des paroles (longues pages au discours indirect, histoires coupant le récit, etc.).

## c) Le discours indirect libre

Ses formes, à l'instar de celles du discours indirect, ont également été largement étudiées [1]. Il est un mixte des deux discours précédents auxquels il emprunte des marques : on peut parler d'espace énonciatif mixte.

– Il participe du discours direct en ce qu'il supprime toutes les formes qui rattachent ce discours à la narration, et notamment la subordination. Le verbe recteur disparaît en tant que tel. Lui est parfois substitué un terme de communication placé, comme dans le discours direct, en incise ou avant le discours rapporté : dans ce dernier cas, le lecteur est averti qu'un discours va être restitué. Ainsi dans cet extrait des *Mémoires d'outre-tombe* où Chateaubriand évoque la bataille de Waterloo (à laquelle il ne participe pas physiquement mais dont il entend les échos) :

> [...] mais seul sous un arbre dans la campagne de Gand[...] le poids de mes réflexions m'accablait : Quel était ce combat, était-il définitif ? Napoléon était-il là en personne ? [...]

– Il participe encore du discours direct en ce qu'il permet la restitution immédiate des modalités propres au discours du personnage (outre l'assertion, l'exclamation, l'interrogation et l'injonction).

– L'idiolecte du personnage est restitué comme dans le discours direct, avec toutes ses connotations, qu'elles soient socio-culturelles (*bagnole*, *manif*), ou affectives – appréciatives (*valetaille*, *jaunasse*).

– En revanche, il participe du discours indirect, intégré, rappelons-le, à la narration, par le jeu des personnes et des temps et fondé sur un repérage relatif : il implique l'emploi récurrent de la troisième personne pour désigner le personnage dont on rapporte le discours, l'emploi de l'imparfait qui place le propos hors de la situation d'énonciation et transcrit le présent, et l'emploi de la forme en -*rais* («futur du passé»), qui transcrit le futur : la brusque intervention dans le récit d'une forme en -*rais* à valeur temporelle de futur du passé est souvent

---

1. Voir notamment D. Maingueneau, *op. cit.*, p. 95-101, D. Cohn, *op. cit.* C'est ce qu'elle appelle «monologue narrativisé», p. 121 et *sqq.*

indice du passage au discours indirect libre, comme dans cet extrait de *Madame Bovary* :

> Puis elle abandonna la musique. Pourquoi jouer ? *Qui l'entendrait ?*

Il faut encore mentionner les transpositions habituelles des déictiques spatio-temporels qui compensent *l'ici* et *le maintenant* du personnage.

Le problème de la reconnaissance du discours indirect libre est lié à celui de ses frontières. Par exemple, les connotations de l'idiolecte propre au personnage paraissent assumées par celui qui rapporte le propos (L), en l'occurrence le narrateur : «L dispose des pensées ou des sentiments d'autrui comme s'ils étaient les siens propres : le discours indirect libre par nature, poursuit R. Martin, plonge dans l'ambiguïté[1].» Un bon exemple est apporté par ce court extrait de *L'Éducation sentimentale* :

> Il trouvait Louis-Philippe *poncif, garde-nationale* tout ce qu'il y avait de plus *épicier et bonnet de coton.*

Ces mots, à la mode en 1848, ne peuvent être prononcés que par le personnage, en l'occurrence Hussonnet, mais aucune marque linguistique explicite n'est là pour le signaler au lecteur (c'est nous qui avons introduit la mise en italiques). Seule une lecture attentive permet d'identifier la voix qui parle. On peut parler ici de brouillage énonciatif.

### d) Les formes nouvelles : le monologue intérieur propre au «roman du courant de conscience [2]»

Des formes nouvelles de discours rapporté, ne relevant d'aucune des catégories identifiées, ont été créées au XXᵉ siècle quand le narrateur veut rendre compte du discours intérieur du personnage comme s'il assistait à son surgissement tout en manifestant sa présence et sa distance :

> Non, rien à dire pour sa défense ; pas même une raison à fournir ; le plus simple sera de se taire ou de répondre seulement aux questions. Que peut-elle redouter ? Cette nuit passera comme toutes les autres nuits ; le soleil se lèvera demain [...]

On reconnaît dans cet extrait de *Thérèse Desqueyroux* les traits spécifiques au discours direct : l'adverbe d'énonciation *non*, la modalité interrogative, les perspectives temporelles non

---

1. R. Martin, *op. cit.*, p. 108.
2. Voir D. Cohn, *op. cit.*, p. 81.

décalées, le jeu des déictiques temporels (*cette nuit, demain*) se référant au cadre énonciatif du personnage, et non à celui du narrateur. Mais celui-ci reste présent derrière le personnage par une marque : l'emploi de la troisième personne (*sa, elle*), impossible en discours direct. Est privilégiée, semble-t-il, par cette rupture avec les formes traditionnelles de discours rapporté, la tension inhérente au genre romanesque dans son évolution : d'un côté, pseudo-autonomie d'un personnage dont le courant de conscience est restitué dans son jaillissement, de l'autre, présence affirmée du narrateur, même si ses marques sont apparemment réduites.

N. Sarraute a constamment usé d'une tension analogue, en la doublant d'un autre niveau de dialogue. Ainsi dans ce passage du *Planétarium* :

> On sonne... c'est à la porte de la cuisine [...]. «Ah ! c'est vous, enfin, vous voilà, je croyais que vous ne reviendriez jamais... vous savez que ça ne va pas du tout...» Elle sait qu'il vaudrait peut-être mieux être prudente... une maniaque, une vieille enfant gâtée, insupportable, elle sait bien que c'est ce qu'elle est pour eux, mais elle n'a pas la force de se dominer [...]

Elle insère dans la trame narrative les discours des intervenants sans dégager nettement les différents niveaux des changements de voix. Certes, les guillemets, les déictiques et l'expression d'une subjectivité autre sont autant de marqueurs de discours direct. Mais on passe ensuite à ce qui semble bien être un discours indirect libre (*cf. elle*) [1] par lequel le narrateur retranscrit de façon distanciée le flux de conscience du personnage, cette musique intérieure que N. Sarraute appelle la «sous-conversation». La polyphonie devient alors d'une grande complexité.

# 2. Le statut de la première personne

Le *je* a un statut complexe selon qu'il conduit le récit ou qu'il restitue son expérience immédiate, dans le moment précis de l'énonciation (poésie lyrique, théâtre, discours politiques, oraisons funèbres, sermons...). Le référent du *je* varie selon le

---

1. À moins qu'on n'y voie un mixte de discours indirect, de discours indirect libre et peut-être même de psycho-récit...

genre du texte : les rapports entre auteur, narrateur et personnage sont complexes et très différents d'un genre à l'autre.

# A: *Le* je *en situation de récit : variations*

On peut dire sommairement que *je* relate l'histoire de *je*. Ainsi le *je* en situation de récit est-il nécessairement dédoublé : le récitant est actant dans l'histoire qu'il raconte, ce qui détermine un effet de polyphonie (interne). Deux cas principaux et tout à fait distincts se présentent :

## 1) Le je *dans un récit donné comme fictionnel*

Le *je* apparaît à la fois comme un narrateur second et comme un personnage de l'histoire : l'auteur/scripteur a délégué sa voix à un des protagonistes, souvent le héros principal, qui relate les faits. Ainsi dans *La Vie de Marianne* ou dans *Voyage au bout de la nuit* : le narrateur premier (dont la présence est purement virtuelle) confère à un autre la responsabilité de l'énoncé et en particulier les marques de la subjectivité. Nous sommes là dans une problématique de la feintise : le lecteur entend la voix d'un pseudo-narrateur, qui se raconte et raconte l'histoire.

*Remarque* : La délégation de voix peut revêtir des formes complexes qui n'infirment pas ce principe de dédoublement du *je* : paradoxalement, pour créer l'illusion d'objectivité du récit, le récitant au profit duquel le narrateur premier s'efface peut lui-même ne fonctionner que comme témoin, et non protagoniste, d'une histoire dont il se pose comme dépositaire. *Manon Lescaut*, de nombreuses nouvelles de Maupassant et de Barbey d'Aurevilly fonctionnent sur ce mécanisme de délégation des voix. Le *je*, si loin soit-il du narrateur premier, porte cependant une appréciation, donnée en effet comme toute personnelle, sur le narré.

## 2) Le je *en autobiographie*

Bien loin que la distance auteur/narrateur/personnage soit exhibée, elle tend au contraire à se réduire : l'auteur se déclare narrateur et personnage de sa propre histoire, revendiquée comme telle. Le titre des Mémoires de Voltaire est à cet égard significatif : *Mémoires pour servir à la vie de M. de Voltaire, écrits par lui-même.* On ne peut cependant croire à une fusion absolue des trois instances (auteur/narrateur/personnage) dans la mesure où le mécanisme de dédoublement du *je* est manifeste : le *je* écrit l'histoire d'un *je*, situé dans un autre temps et dans un autre espace, en tout état de cause, structurellement différent de celui qui écrit : le scripteur se réserve en effet le droit de s'apprécier et d'apprécier les faits dans le passé. Mémoires et autobiographies font constamment interférer temps de l'écriture et temps du récit. La critique contemporaine, qui met l'accent sur la complexité des rapports entre instances, éclaire le genre autobiographique d'un jour nouveau. M. Bakhtine écrit par exemple :

> Si je narre (ou relate par écrit) un événement qui vient de m'arriver, je me trouve déjà comme «narrateur» […], hors du temps et de l'espace où l'épisode a eu lieu. L'identité absolue de mon «moi» avec le «moi» dont je parle, est aussi impossible que de se suspendre soi-même par les cheveux ! Si véridique, si réaliste que soit le monde «représenté», il ne peut jamais être identique, du point de vue spatio-temporel, au monde réel, «représentant», celui où se trouve l'auteur qui a créé cette image [1].

Dans le genre autobiographique, on a donc le même dédoublement de l'instance émettrice que dans tout énoncé littéraire. L'autobiographie reste un texte de fiction, mais la lecture de l'autobiographie est fondée sur un pacte [2] : un contrat d'identité scellé par le nom propre/un contrat d'authenticité scellé par un serment implicite : «Je jure de dire la vérité, toute la vérité, rien que la vérité» (qu'on pense au début des *Confessions*, le texte fondateur du genre).

On voit que dans ces formes de récit à la première personne, la distinction auteur/narrateur/personnage doit être conservée, même si la distance entre les instances est parfois réduite ; le récit joue souvent avec habileté de cette relation dialogique, dont les modalités sont multiples. Diderot, dans *Le Neveu de Rameau*, met en scène, dans le récit et dans le dialogue, un je-moi nommé par la périphrase «monsieur le philosophe». Au XXᵉ siècle, le roman fait souvent de l'ambiguïté créée par la polyphonie la pierre angulaire de sa construction : *L'Amant* de M. Duras a été présenté comme une autobiographie alors même

---

1. M. Bakhtine, *op. cit.*, p. 396.
2. Ph. Lejeune, *Le Pacte autobiographique*, Paris, Le Seuil, 1975, p. 39.

que le personnage est désigné par des périphrases («la petite», «la jeune fille au bac», etc.). Pour la *Recherche du temps perdu*, on peut parler de cas limite, dans lequel une ligne tangentielle relie auteur, narrateur et personnage qui sont confondus à la fin du roman. Le brouillage des instances énonciatives participe d'une certaine image du «sujet», que nombre de philosophes contemporains ont étudiée.

## B. Le genre épistolaire

Il peut participer des deux attitudes précédemment décrites :

– dans le roman par lettres, le narrateur délègue sa voix à différents protagonistes qui au fil de l'échange construisent leur propre histoire : la lettre accrédite la véracité du témoignage, l'intériorité du personnage est donnée à lire. On conçoit l'importance du problème vérité/mensonge dans le dit ; le *je*, qui dans la lettre, raconte son espace/temps, et se raconte aussi, se porte garant de la vérité du dit. Le roman par lettres participe donc du récit fictionnel, tout en étant donné à lire comme véridique, comme hors fiction. La feintise est donc poussée au plus loin ;

– en revanche la lettre adressée dans le cadre de l'échange concret et privé d'une correspondance accède au littéraire en étant livrée au public : elle a pu «échapper» au scripteur et au destinataire – on publie aujourd'hui beaucoup de correspondances qui n'étaient pas destinées à être publiques. Elle a pu aussi être écrite dans la conscience d'une possible lecture publique – c'est le cas par exemple de Lettres de Madame de Sévigné. Mais dans les deux perspectives, ce qui est dit dans la lettre est signé et garanti par le scripteur : le pacte auteur/destinataire se pose dans les mêmes termes que dans l'autobiographie, avec le même mécanisme de dédoublement du *je*. Mais il est clair que le temps de l'écriture y est largement représenté et que la facture du récit peut n'être pas dominante.

*Remarque* : Le journal intime participe à la fois de l'autobiographie et de la lettre puisqu'il s'agit, au jour le jour, d'apporter sur soi et le monde un témoignage immédiat. Sorte de lettre écrite à soi-même, le journal porte les mêmes ambiguïtés que la lettre quant à la sincérité du dire et à la véracité du dit, cependant garanties par la facture même. Par ailleurs, comme la lettre, il a pu échapper à son auteur, complice ou non, et trouver un destinataire public auquel il n'était pas destiné, théoriquement du moins, car la feintise en ce domaine confine au mystère. Comme la lettre, le journal croise la facture de récit et celle de l'évocation immédiate (réactions du scripteur dans le temps de l'écriture).

## C. Le je *en poésie lyrique*

Il serait certes naïf d'assimiler le *je* qui énonce «Je suis le ténébreux, le veuf, l'inconsolé» et l'auteur Nerval-Labrunie. Le *je* dit «lyrique» est une instance composite, «à la fois un poète essentiel et absolu, et aussi l'image poétisée que le poète veut donner au lecteur [1]». Comme l'ont mis en évidence certains théoriciens allemands, le *je* lyrique n'est ni une instance fictionnelle, ni une instance autobiographique, mais une construction qui résulte d'une «expérience» personnelle transformée en acte essentiel. Le caractère «essentiel» de cette instance est particulièrement marqué dans la forme de «l'adresse au lecteur» ; la chaîne est longue des «je poétiques» qui ont ainsi adressé leurs vers à un destinataire :

> Je te donne ces vers afin que si mon nom
> Aborde heureusement aux époques lointaines
> Et fait rêver le soir les cervelles humaines,
> Vaisseau favorisé par un grand aquilon,
> [...]
> La mémoire pareille aux fables incertaines
> Fatigue le lecteur ainsi qu'un tympanon [...]

> Baudelaire

Si la poésie a pu être décrite comme «sorcellerie évocatoire», c'est peut-être parce qu'elle est leitmotiv, c'est-à-dire discours de l'écrivain-poète assumé par lui-même, non point condamné à l'éphémère, comme le sont les paroles humaines, mais voué à l'immortel parce que toujours re-clamé : le présent d'énonciation du poème cité «Je te donne» s'inscrit dans l'a-temporel.

De façon plus générale, dans la poésie lyrique, le scripteur construit un *je*, «image poétisée» de lui-même, aussi distincte du moi de l'auteur que le *tu* des apostrophes en poésie l'est de

---

1. E. Souriau, cité par J. Cohen, *Structure du langage poétique*, Paris, Flammarion, 1966, p. 158.

n'importe quel allocutaire précisément identifiable. Le discours lyrique est nécessairement un discours figuré, et un discours dialogique.

Nous évoquerons encore sommairement les textes littéraires où le *je* porte un témoignage, immédiat, à partir du moment de l'énonciation, sur lui-même et sur le monde. Il s'agit moins de se raconter dans le passé que de se dire dans le moment même où l'on parle et/ou de persuader celui auquel on s'adresse.

## D. Le je *au théâtre : le langage dramatique*

Le langage dramatique vise à restituer immédiatement le rapport au monde (temps-espace-personnes) des différentes instances énonciatives (les personnages), à le donner à voir : il constitue la forme supérieure de l'imitation, selon la *Poétique* d'Aristote. Les personnages vivent dans et par leur langage ce rapport et le font partager pendant la durée de la pièce au spectateur. P. Larthomas [1] a bien montré que le langage au théâtre multiplie les signes linguistiques marquant le repérage absolu, c'est-à-dire la transcription directe de l'environnement énonciatif. Il a insisté par ailleurs sur la double réception de la parole au théâtre : les personnages échangent des propos et se répondent, ces propos sont reçus aussi par les spectateurs à qui ils sont en fait fondamentalement destinés. D'où la nécessaire prise en compte de la visée persuasive du discours au théâtre : le spectateur entre dans l'échange comme témoin/sympathisant. L'auteur doit lui faire partager, par le jeu de la parole proférée, les enjeux de l'action. En ce sens, le discours des personnages de théâtre est comparable, bien souvent, au discours de l'orateur, dans ses visées et ses techniques [2] : mais au théâtre, l'instance énonciative est un *je* fictionnel.

## E. Le je *dans le discours de l'orateur*

L'orateur prenant la parole pour convaincre l'auditoire s'engage donc massivement dans son discours dont la facture

---

1. P. Larthomas, *Le Langage dramatique,* rééd., Paris, PUF, 1980.
2. On consultera sur le sujet l'ouvrage essentiel d'A. Kibedi-Varga, *Rhétorique et Littérature,* Paris, Didier, 1970.

fondamentale correspond bien à celle du repérage absolu :
temps, espace, jeu des personnes, sont en relation immédiate
avec l'environnement énonciatif.

Mais, à la différence de la parole théâtrale, la parole de
l'orateur, dont l'objet est la persuasion dans l'ordre politique ou
religieux, est construite pour toucher le public sans qu'aucun
intermédiaire ne participe à cet échange : l'auteur-orateur ne
délègue pas sa parole à des personnages porteurs de sa visée, le
*je* qui s'exprime n'est pas fictionnel, pas plus que le destinataire du discours qui figure constamment, sous des formes plus ou
moins explicites, dans le discours lui-même. L'adresse de
l'exorde en est la marque la plus évidente :

> *Monseigneur* [il s'agit du prince de Condé], j'étais donc enco-
> re destiné à rendre ce devoir funèbre à la très haute et très puis-
> sante princesse Henriette-Anne d'Angleterre [...] Ô vanité ! ô
> néant ! ô mortels ignorants de leurs destinées ! L'eût-elle cru il
> y a dix mois ? *Et vous, Messieurs*, eussiez-vous pensé...

La rhétorique apporte ici une contribution décisive à l'analyse de tels discours ; il s'agit pour l'orateur-auteur de persuader par la raison et par l'émotion [1].

---

1. On peut consulter sur le sujet :
– Aristote, *Rhétorique*, *I* et *III*, trad. fr. C.-E. Ruelle revue par P.
Vanhemelrick, Le Livre de Poche, 1991.
– G. Declercq, *L'Art d'argumenter, structures rhétoriques et littéraires*,
Paris, Éditions universitaires, 1992.
– O. Reboul, *Introduction à la rhétorique*, Paris, PUF, coll. «Premier cycle»,
1991.

# II. Le statut du récepteur

Des problèmes différents mais tout aussi complexes sont posés à l'analyse de ce statut.

## 1. Principes de la pragmatique

Dans l'échange ordinaire de paroles, le locuteur connaît son ou ses récepteurs ; la linguistique a mis en évidence les modes et conditions d'adaptation de la parole à l'instance réceptrice. C'est notamment le mérite de la *pragmatique*, c'est-à-dire l'étude de la parole en tant qu'*acte*, de montrer que celle-ci est chargée d'un contenu autre qu'informatif et qu'elle tend à convaincre le récepteur d'engager une conduite ou un acte qu'explicitement elle ne spécifie pas toujours.

Dans le cadre limité d'une initiation, nous ne pouvons que rappeler les principes de la pragmatique. Le philosophe anglais Austin a ouvert la voie en 1970 avec son ouvrage *Quand dire, c'est faire*[1]. En France, O. Ducrot développe ces théories et montre dans l'énoncé, une logique argumentative qui vise à générer une position, un comportement de l'instance réceptrice. La pragmatique analyse la visée illocutoire de la parole. Qu'est-ce à dire ? O. Ducrot est très explicite :

---

1. On peut consulter sur le sujet :
– J.L. Austin, *Quand dire, c'est faire*, Seuil, Paris, 1970. En fait, l'ouvrage est paru en 1962 à Oxford sous le titre anglais plus explicite *How to do things with words*. Il a été traduit par le titre mentionné en 1970 et publié aux Éditions du Seuil.
– O. Ducrot, *Le Dire et le Dit*, Éd. de Minuit, Paris, 1984.

> Accomplir un acte illocutoire, c'est présenter ses propres paroles comme induisant immédiatement une transformation juridique de la situation : les présenter, par exemple, comme créatrices d'obligation pour le destinataire (dans le cas de l'ordre ou de l'interrogation) ou pour le locuteur (dans le cas de la promesse)[1].

Il est sûr que le repérage des signes illocutoires est particulièrement précieux s'il s'agit d'explorer notamment toute forme de dialogue dans le roman ou au théâtre, tout discours à visée édificatrice (sermons), politique, émotive (poésie),…

# 2. Interprétation et instances réceptrices

Si l'on peut faire valoir que dans une situation de communication ordinaire, l'instance réceptrice est, tout ou partie, connue du locuteur-émetteur qui s'y adapte, il s'en faut de beaucoup cependant que l'échange s'effectue toujours dans la transparence : «L'opération de décodage, note C. Kerbrat-Orecchioni, est toujours un processus aléatoire, variable d'un sujet à l'autre [...]. Décoder un énoncé, c'est se livrer à un calcul interprétatif[2].» En effet, l'échange verbal met en cause une pluralité de compétences et on doit au même auteur d'avoir souligné le rôle des compétences linguistiques et para-linguistiques des instances en présence ainsi que de leurs compétences idéologiques et culturelles. Celles-ci recouvrent «l'ensemble des connaissances, croyances, systèmes de représentation et d'évaluation de l'univers référentiel[3]». L'analyse précise de ces différents paramètres met en évidence «l'effroyable complexité des mécanismes interprétatifs[4]».

On peut mesurer alors la difficulté redoublée de la communication dans l'énoncé littéraire où l'instance réceptrice se dédouble. Il est impossible, en effet, de confondre lecteur et destinataire. L'auteur peut se faire une idée de l'instance réceptrice : à la limite son propos, délégué ou non à un narrateur, la suscite, c'est dire qu'il écrit *pour* un récepteur fictif, qu'il ima-

---

1. *Op. cit.*, p. 36.
2. C. Kerbrat-Orecchioni, *op. cit.*, p. 216-217.
3. *Id., ibid.*, p. 208.
4. *Id., ibid.*, p. 216.

gine et sollicite dans un ailleurs indéterminé. On évoquera sans peine Stendhal dédiant *La Chartreuse de Parme* «*to the happy few*». Mais on le voit à l'évidence, l'idée que l'écrivain se fait du récepteur et qui le conduit à privilégier certaines formes pour élaborer son propos, ne garantit pas l'existence d'une instance réceptrice immédiatement transparente. Autrement dit, l'énoncé littéraire s'adresse à des instances qui vont nécessairement varier et dont l'absolue connaissance échappe à l'instance émettrice. On comprend mieux l'intention du poète qui comparait son œuvre à une bouteille jetée à la mer et comportant un unique message : «Attrape qui peut.»

C'est ici le problème de l'interprétation de l'énoncé littéraire qui est en jeu puisqu'émetteur et récepteur ne peuvent être en présence l'un de l'autre. Force est donc de distinguer, considérant le récepteur :

– l'instance prévue et projetée par le narrateur-écrivain qui destine son message dans une situation d'écriture donnée à un récepteur qu'il imagine et qui peut avoir sa place dans l'énoncé [1]. Le «vous» et le «nous» dans certaines fables de La Fontaine y renvoient.

– le lecteur dont les compétences linguistiques, idéologiques, culturelles varient presque à l'infini et dont la situation spatio-temporelle est nécessairement spécifique.

Le dédoublement de l'instance réceptrice génère inévitablement des divergences d'interprétation.

Faut-il alors conclure à l'impossibilité de dégager *le* sens ou *le* projet du texte et, partant, condamner toute exploration de sa facture ? Nul lecteur honnête n'en conviendrait et si la linguistique a souligné la complexité des mécanismes interprétatifs, elle n'en affirme pas moins qu'«interpréter un texte, c'est tenter de reconstituer par conjecture l'intention sémantico-pragmatique ayant présidé à l'encodage [2]». Si la lecture est bien «un comportement culturel dont les modalités varient avec les époques et les sociétés», et si «l'assujettissement aux codes supposés de l'émetteur n'est plus toujours considéré comme [...] le critère exclusif de la «bonne» lecture et du «bon» sens»,

---

1. Cette figure fantomatique de celui que G. Genette appelle le narrataire et qui détermine l'attitude de locution, peut venir «hanter, habiter tous les replis du texte» (C. Kerbrat-Orecchioni, *op. cit.*, p. 159). Elle est omniprésente dans le roman par lettres.
2. C. Kerbrat-Orecchioni, *op. cit.*, p. 181.

il n'en reste pas moins que le lecteur qui peut en effet privilégier telle ou telle interprétation – parfois non voulue par l'auteur – accorde un statut particulier à celle-ci. La «valeur ajoutée» est reconnue comme telle. «Lire, conclut C. Kerbrat-Orecchioni, ce n'est pas donner libre cours aux caprices de son propre désir/délire interprétatif»… car «si on peut lire n'importe quoi sous n'importe quel texte… alors tous les textes deviennent synonymes [1]». Cette étude des mécanismes interprétatifs est au centre des analyses de F. Rastier qui essaie de définir des règles permettant de rendre compte de la hiérarchie des lectures possibles [2].

# 3. Exploration stylistique et interprétation

Souligner la complexité de l'interprétation ne peut aboutir à en nier la possibilité, mais au contraire conduit à nuancer considérablement les perspectives proposées par le discours littéraire. La connaissance des mécanismes de production et celle des points délicats de réception devrait permettre de mieux cerner l'intentionalité signifiante qui produit une pluralité de sens convergents. Reconnaître cette pluralité, c'est entrer plus avant dans le sens.

Ainsi donc l'exploration stylistique – définie comme l'étude des moyens qui mettent en œuvre ce sens – gagne-t-elle à la connaissance de ces analyses, car elles contraignent le stylisticien à partir, avant toute autre considération, de la situation d'énonciation qui commande la genèse du texte et l'inscrit dans une esthétique. Il apparaît à l'évidence que des contraintes formelles spécifiques générées par le statut de l'émetteur-scripteur et du récepteur-narrataire ou lecteur – sont à l'œuvre dans le genre narratif, dans le théâtre, ou toute forme d'adresse du scripteur au récepteur (poésie, mémoires, sermons…).

En bref, en préalable à toute étude de discours littéraire, on ose ici recommander à l'analyste de développer la réponse à la question : quels sont les formes et les enjeux de la communication dans le texte ? Cette appréhension ne peut être fondée sur

---

1. *Id., ibid.*, p. 182.
2. F.Rastier : voir en particulier *Sens et Textualité*, Paris, Hachette, 1989.

une perception intuitive du texte. Si l'on «sent» qu'en telle ou telle place, le narrateur prend la parole et investit la narration, c'est qu'il use de formes qui l'attestent. De même si nombre de poèmes relèvent d'un discours, d'une adresse du poète-auteur au lecteur-récepteur, les marques expressives de ce discours peuvent être notées dans le poème. L'analyse et la reconnaissance de ces formes qui fondent la distinction entre les genres littéraires – théâtre, genre narratif, poésie (si elle est conçue d'abord çomme relevant du discours, c'est-à-dire de l'adresse au lecteur) – supposent que soient pris en compte les procédés d'actualisation dont il va être parlé [1]. L'étude d'un texte au fort pouvoir d'évocation viendra confirmer le caractère opératoire des concepts présentés [2].

Mais auparavant, pour mieux éclairer la notion, il importe que soit bien perçue la situation dans laquelle s'effectue l'énoncé littéraire. Et il s'en faut de beaucoup que celle-ci restitue la situation de communication d'un énoncé ordinaire, comme il va être montré.

Nous abordons ici une particularité essentielle de l'énoncé littéraire, qui s'impose comme une évidence, mais dont l'analyse est riche de prolongements pour l'étude stylistique. Le discours littéraire, à l'exception de celui qui s'inscrit dans le genre théâtral, fonctionne en l'absence de toutes les données concrètes de la communication, regards, gestes, mimiques…

À l'oral, rappelle C. Kerbrat-Orecchioni, la communication est «multi-canale [3]» et s'organise autour du corps, de la présence physique du locuteur et éventuellement du ou des récepteurs, qui peuvent devenir émetteurs à leur tour.

En outre, et nous touchons ici un point fondamental, le référent, c'est-à-dire ce à quoi fait allusion le discours ou ce dont il parle, «environne la communication» ou peut être même concrètement présent et perceptible dans l'espace de communication. Or, dans l'énoncé littéraire, il est aisé de vérifier que cet univers de référence est médiatisé, c'est-à-dire rendu présent grâce à la seule parole, à ses moyens, à ses agencements. L'énoncé littéraire est générateur d'univers, il est créateur de vie.

---

1. *Infra*, chap. 2.
2. *Infra*, p. 49 et *sqq.*, «Les procédés de l'évocation» dans un extrait de l'œuvre de G. Bernanos : *Les Grands Cimetières sous la lune*.
3. C. Kerbrat-Orecchioni, *op. cit.*, p. 19.

# 4. Perspectives méthodologiques pour l'analyse stylistique

Ces analyses fondent l'organisation de l'exposé méthodologique qui suit. La spécificité du discours littéraire commande que soient présentés les matériaux qui le suscitent et lui donnent ses caractères. À savoir :

– La mise en œuvre des procédés d'actualisation dans l'énoncé littéraire.

*Application I :* étude d'un texte de Chateaubriand.

*Application II* : étude d'un texte de Bernanos.

– Les mots dans l'énoncé : construction d'un champ, d'une isotopie. Connotation et marques de subjectivité.

*Application :* étude d'un texte de G. Perec.

– Les procédés de détournement de sens : figures de sens (tropes), figures de pensée.

*Application :* étude comparée de deux poèmes de Verlaine.

– Les modes de construction de la chaîne du discours : la phrase. Organisation syntaxique et rhétorique.

*Application :* étude d'un texte de J. K. Huysmans.

– La caractérisation du substantif et du verbe.

*Application* : étude d'un poème de Lamartine.

L'étude de la forme versifiée et de ses contraintes spécifiques est abordée plus particulièrement lorsqu'est analysée la structure phrastique. Par ailleurs, au terme de cet exposé, une série de commentaires de texte est proposée. Au nombre d'entre eux figure un poème et il est alors montré comment les connaissances de versification s'intègrent naturellement à l'analyse stylistique.

Un mot encore, avant d'en venir à l'étude de ces différents postes.

Quels réflexes stylistiques le lecteur doit-il garder tout au long de son parcours critique ?

– La prise en compte du *contexte*, c'est-à-dire de tous les éléments qui définissent la situation de communication. Dans ces préliminaires, nous avons fait référence de façon constante à cette notion.

– La prise en compte du *co-texte*, c'est-à-dire de l'entourage linguistique du fait étudié. Si un texte contient un seul archaïsme, celui-ci aura une fonction différente de celle qu'il a chez A. Jarry, où il est constant. Comme l'écrit M. Riffaterre : «Un mot (et n'importe quel élément linguistique) change de valeur s'il change de structure.»

– La vision de l'étude de style comme mise en relation de tous les niveaux analysés. Il n'est pas possible de «passer en revue» les différents postes sans voir comment ils s'articulent les uns aux autres ; les notions de *convergence ou faisceau*, de *corrélation entre niveaux* sont fondamentales.

– La vision de l'étude de style comme démarche *interprétative* (et non comme simple repérage d'un appareil formel). Loin d'être une «machine célibataire [1]», la stylistique doit construire un sens. Trois axes doivent être envisagés :

• *l'axe générique :* la prise en compte des rapports entre l'énonciateur et l'énoncé et entre l'énonciateur et le destinataire/récepteur fonde durablement l'approche des genres textuels, comme il a été dit. Mais la mise en évidence des invariants structuraux (schémas narratifs constants, par exemple) dans des textes appartenant à un même genre peut guider encore l'analyse stylistique.

• *l'axe esthétique :* sont ici pris en compte les procédés spécifiques mis à l'œuvre dans l'exploration des thèmes privilégiés par tel ou tel courant littéraire.

• *l'axe individuel :* dans cet ouvrage, nous ne pouvons faire que des incursions très rapides dans la stylistique d'auteur. Mais, on le sait, la création d'une œuvre littéraire ne peut être vue si on n'y a pas appréhendé les modes de construction d'un univers particulier : constitution d'un imaginaire, d'une idéologie, d'une esthétique, d'une poétique… On a pu ainsi définir la création comme la solution qu'a apportée un individu aux conflits qui l'opposent aux «codes a priori [2]» (les normes langagières). L'étude des pratiques individuelles est inhérente à la stylistique.

Une fois acquis les principaux concepts, seule la lecture et surtout la relecture des textes permet leur mise en œuvre. Nous rappelons à ce sujet la pénétrante formule de R. Barthes : seule la relecture «sauve le texte de la répétition (ceux qui négligent de relire s'obligent à lire partout la même histoire) [3]».

---

1. J. Starobinski, *La Relation critique*, Paris, Gallimard, 1970, p. 28.
2. G. Granger, Essai d'une philosophie du style, Paris, A. Colin, 1968.
3. R. Barthes, *S/Z*, Paris, Seuil, 1970, p. 22.

## LECTURES CONSEILLÉES

### I. Ouvrages généraux

H. BONNARD
   *Procédés annexes d'expression*, Paris, Magnard, 1986.

J. GARDES-TAMINE
   *La Stylistique*, Paris, A. Colin, 1992.

A. HERSCHBERG-PIERROT
   *Stylistique de la prose*, Paris, Belin, coll. «Sup», 1993.

D. MAINGUENEAU
   *Éléments de linguistique pour le texte littéraire*, Paris, Bordas, 1986.
   *L'Énonciation en linguistique française*, Paris, Hachette, 1991.

G. MOLINIÉ
   *Éléments de stylistique française,* Paris, PUF, 1986.
   *La Stylistique,* Paris, PUF, coll. «Que sais-je ?», 1989.
   *La Stylistique*, Paris, PUF, 1993.

M.-A. MOREL, G. PETIOT, R. ÉLUERD
   *La Stylistique aux concours*, Paris, Champion, 1992.

### II. Dictionnaires

M. AQUIEN
   *Dictionnaire de poétique,* Les usuels de poche, LGF, 1993.

J. MAZALEYRAT, G. MOLINIÉ
   *Vocabulaire de la stylistique*, Paris, PUF, 1989.

G. MOLINIÉ
   *Dictionnaire de rhétorique*, Les usuels de poche, LGF, 1993.

### III. Ouvrages spécialisés

É. BENVENISTE
   *Problèmes de linguistique générale*, Paris, Gallimard, 1966.

D. COHN
   *La Transparence intérieure*, Paris, Seuil, 1981.

D. COMBE
   *Les Genres littéraires*, Paris, Hachette, 1992.

O. DUCROT
   *Le Dire et le Dit*, Paris, Éd. Minuit, 1992.

G. GENETTE
   «Frontières du récit», *Figures II*, Paris, Seuil, 1969.
   «Discours du récit», *Figures III*, Paris, Seuil, 1972.

K. HAMBURGER
   *Logiques des genres littéraires*, trad. fr., Paris, Seuil, 1986.

C. KERBRAT-ORECCHIONI
   *L'Énonciation. De la subjectivité dans le langage*, Paris, A. Colin, 1980.

Sous la direction de S. RÉMI-GIRAUD et M. LE GUERN
    *Sur le verbe*, PU de Lyon, 1986.

## IV. Commentaires stylistiques

J.-L. DE BOISSIEU, A. -M. GARAGNON
    *Commentaires stylistiques*, Paris, SEDES, 1987.

F. DELOFFRE
    *Stylistique et Poétique française*, Paris, SEDES, 1974.

A.-M. PERRIN-NAFFAKH
    *Stylistique, Pratique du commentaire*, Paris, PUF, 1989.

# Chapitre 2
# L'actualisation
# dans l'énoncé littéraire

# Introduction

Si tout énoncé implique la désignation d'un référent qui fait l'objet de la communication verbale ou l'environne, cette désignation elle-même implique une saisie et une maîtrise par la conscience locutrice de ce qu'on appelle traditionnellement les coordonnées du réel, c'est-à-dire l'espace, le temps, le rapport aux autres consciences. Toute parole est intrinséquement *actualisatrice*, c'est-à-dire qu'elle insère dans un espace-temps peuplé de consciences, le référent évoqué.

Étudier le fonctionnement de l'actualisation dans l'énoncé littéraire, c'est rendre compte fondamentalement du processus de création. La réalité y est en effet suscitée par les seuls mots, elle est littéralement appelée. O. Ducrot fait bien observer que les langues naturelles ont en effet le pouvoir de construire l'univers auquel elles se réfèrent ; elles peuvent donc se donner un univers de discours imaginaire. «L'Île au trésor est un objet de référence possible, aussi bien que la Gare de Lyon[1].» Nous admettrons ici que l'un et l'autre référent peut être suscité par l'énoncé littéraire comme objet à imaginer puisque non donné immédiatement. Quels sont donc les moyens que l'auteur a à sa disposition pour appeler à la vie et mettre au monde les êtres fictifs ?

Il vient d'être dit que la situation de communication commandait le choix et le maniement de telle ou telle forme suscep-

---

1. O. Ducrot et T. Todorov, *Dictionnaire encyclopédique des sciences du langage,* Paris, Seuil, 1972, p. 317.

tible de présenter le référent construit par les mots. On pourrait penser à établir d'emblée le clivage : les procédés d'actualisation dans le discours – conçu comme prise de parole directe au sein du texte littéraire – que l'on opposerait aux procédés spécifiques au récit qui restitue un référent coupé du moment de son énonciation. Ce n'est pourtant pas notre première démarche, car il s'impose que nombre de formes actualisatrices (articles et autres déterminants notamment) fonctionnent de la même façon en l'une et l'autre situation. Il a donc paru commode de procéder d'abord au relevé des formes communes et de rendre compte ensuite des formes spécifiques à chaque situation de communication.

# I. Les procédés d'actualisation :
## *insertion dans l'espace-temps*

Les noms propres de lieu, la mention des périodes historiques, des dates du temps, les articles et certains autres déterminants du substantif, l'emploi de certains pronoms permettent un cadrage plus ou moins précis dans l'espace-temps des réalités évoquées. Apparaissent en revanche spécifiques à la situation d'énonciation, le choix des formes verbales temporelles, le choix des adverbes de temps et de lieu et celui des pronoms qui peuvent leur correspondre, le choix des formes qui permettent la désignation des personnes ou des actants, enfin le choix de certains verbes.

Les analyses qui suivent ne peuvent prétendre à l'exhaustivité. Une bonne connaissance des valeurs d'emploi des formes linguistiques apparaît essentielle. Les grammaires en proposent des descriptions[1] et on ne saurait trop recommander de s'y reporter. Il sera fait état ici des principales valeurs d'actualisation des formes analysées.

---

1. Parmi tant de bons ouvrages qui donnent une description sûre de la valeur des outils, on peut citer ceux de :
– Wagner et Pinchon, *Grammaire du français classique et moderne*, Paris, Hachette.
– M. Arrivé, F. Gadet, M.Galmiche, *La Grammaire d'aujourd'hui*, Paris, Flammarion, 1986. On trouvera dans cet ouvrage, sous la rubrique «Article», d'excellents développements, p. 72-76.
– D. Denis, A. Sancier-Chateau, *Grammaire du français,* Le Livre de Poche, 1994.
– M. Riegel, J.-C. Pellat et R. Rioul, *Grammaire méthodique du français*, Paris, PUF, 1994.

Il s'agit de rendre compte des principaux moyens qui, indépendamment de toute situation d'énonciation, permettent l'insertion dans l'espace et dans le temps, des êtres fictifs du texte littéraire.

Il paraît à peine utile, tant s'en impose l'évidence, d'insister sur l'importance des noms propres de lieu, des dates, des époques, des mentions d'événements ou de personnages historiques : toutes ces désignations outre les indications spatio-temporelles qu'elles fournissent, sont en outre chargées affectivement et suscitent l'imagination[1]. Elles peuvent référer soit au contexte géographique, historique ou social dans lequel vient s'inscrire l'œuvre – on pense par exemple à l'indication complémentaire portée par Stendhal au titre de son roman *Le Rouge et le Noir,* à savoir : *Chronique de 1830* – soit au texte luimême, à ce qu'il a déjà mentionné, au pur environnement verbal. Dans le roman par lettres ou dans la forme littéraire du journal, l'expression des dates permet de suivre la progression dans le temps.

Une première approche des procédés d'actualisation oblige encore à préciser le rôle des articles :

> La fonction commune de tous les articles, innovation du bas latin apparaissant en français dès les plus anciens textes, est de marquer le sens actuel du nom[2].

Il faut ici rappeler en termes généraux la valeur référentielle des articles indéfinis et définis ; ils permettent d'inscrire l'être fictif dans un espace-temps progressivement construit.

# 1. L'article indéfini

## A. *L'article indéfini singulier* un

L'article indéfini singulier est utilisé quand le référent du

---

1. C'est l'étude des connotations qui montrera la complexité du mécanisme interprétatif suscité par telle ou telle mention. Les convictions idéologiques ou culturelles du récepteur interviennent dans la reconstitution de l'époque ou du lieu. *Infra,* p. 68 et *sqq.*
2. H. Bonnard, *Code du français courant*, Paris, Magnard, 1981, p. 171.

substantif est présenté comme indéterminé[1]. Son emploi est fréquent dans l'énoncé d'une loi générale (vérité scientifique, principes de comportement : «un soldat français ne connaît pas la fatigue») ; il est apte aussi à présenter un substantif dont le référent désigne n'importe quel élément d'une classe d'objet. Ainsi, dans la fable «La Fille», est-il noté :

> Certaine fille un peu trop fière
> prétendait trouver un mari [...]

Il permet enfin d'inscrire pour la première fois dans l'espace-temps du texte, l'objet évoqué dont il *pose* l'existence. On connaît l'importance de l'article indéfini à l'ouverture de plusieurs fables de La Fontaine :

> *Un* octogénaire plantait...

> *Un* agneau se désaltérait dans le courant d'une onde pure...

Le jeu de l'indéfini singulier permet donc une représentation élargie ou au contraire restreinte de l'espace-temps dans lequel vient s'inscrire la réalité présentée. La conscience réceptrice est donc conduite à une délimitation puis à une exploration du cadre ainsi proposé.

## B. *L'indéfini pluriel* des

Le pluriel est par nature extensif : l'article indéfini pluriel implique le prélèvement d'un nombre indéterminé d'éléments sur un ensemble de plus grande extension[2], ce qui dilate le champ d'une représentation qui reste floue. Ainsi, dans le poème de Léon-Paul Fargue intitulé «Dimanches», l'indéfini pluriel contribue à élargir l'espace et à estomper les contours :

---

1. On peut se reporter ici aux analyses fondamentales proposées par G. Guillaume et notamment à son ouvrage *Le Problème de l'article et sa solution dans la langue française*, Paris, Hachette, 1919. Les analyses ont été récemment complétées par R. Martin dans *Pour une logique du sens,* Paris, PUF, 1992, p. 171-191.
2. La linguistique du discours dégage aujourd'hui deux concepts : l'extension et l'extensité. «L'extension d'un concept – ou d'un signifié – rappelle R. Martin, est l'ensemble des objets auxquels ce concept s'applique... L'extensité désigne non pas l'ensemble maximal des objets auxquels le mot convient, mais l'ensemble des objets auxquels momentanément, le discours réfère.» (R. Martin, *op. cit.*, p. 158). Ainsi c'est encore la situation d'énonciation qui peut intervenir dans la définition de l'extension de l'être désigné.

*Des* champs comme la mer, l'odeur rauque des herbes…
[…]
*Des* voix claires d'enfant dans le parc bleu de pluie
[…]
*Des* gens tiennent des lampes c'est fête et des fleurs…

# 2. L'article défini

Le champ de représentation qu'il induit évolue du particulier – il réfère à une réalité, un être supposé connu – au général – il réfère à une classe à laquelle appartient l'être désigné. L'article défini implique qu'il y a *présupposition* d'existence, c'est-à-dire que l'objet présenté est donné comme connu du récepteur. L'article défini implique donc la «notoriété» de l'objet désigné. Celle-ci peut être de deux ordres : notoriété dans la pensée, référence extratextuelle, ou notoriété linguistique, référence intratextuelle (valeur anaphorique de rappel ou valeur cataphorique d'annonce).

## A. *Notoriété dans la pensée*

L'usage du défini à l'ouverture d'un texte plonge le lecteur *in medias res*, c'est-à-dire dans l'univers de référence suscité. Ainsi, dans les vers suivants, où on perçoit cet usage remarquable ; «après trois ans», le monde familier est immédiatement reconnu :

Ayant poussé *la* porte étroite qui chancelle
Je me suis promené dans *le* petit jardin
[…]
[…] Rien n'a changé. J'ai tout revu : *l'*humble tonnelle
De vigne folle avec *les* chaises de rotin
*Le* jet d'eau fait toujours son murmure argentin
Et *le* vieux tremble sa plainte sempiternelle.
*Les* roses comme avant palpitent ; comme avant
*Les* grands lys orgueilleux se balancent au vent […]

Verlaine, *Poèmes saturniens.*

Dans ce type d'emploi, le concept de «réalité supposée connue» est donc celui qui permet de fonder la distinction avec l'article indéfini.

La même valeur de notoriété se reconnaît lorsqu'il s'agit de présenter l'être, non plus dans sa particularité, mais «sous l'angle de la classe ou de l'espèce[1]». Cet usage est courant chez les moralistes : «Les hommes commencent par l'amour, finissent par l'ambition…»

# B. *Notoriété linguistique*

Si, dans une même séquence, l'indéfini fait entrer pour la première fois dans le texte l'être présenté, le défini (ou le démonstratif, sorte de «super-article défini») est ensuite utilisé pour désigner ce même être. L'article défini a valeur anaphorique, c'est-à-dire qu'il est apte à rappeler l'être déjà connu.

> *Un* agneau se désaltérait
> Dans le courant d'*une* onde pure.
> *Un* loup survient à jeun qui cherchait aventure […]
> Et que la faim en *ces* lieux attirait.
> Qui te rend si hardi de troubler mon breuvage ?
> Dit *cet* animal plein de rage […]
> […] Sire, répond l'agneau […]
>
> La Fontaine

La combinaison d'indéfinis et de définis au singulier ou au pluriel à l'ouverture d'un texte est particulièrement intéressante. Par exemple dans le poème «Dimanches» de Léon-Paul Fargue :

> *Des* champs comme la mer, l'odeur rauque des herbes
> *Un* vent de cloches sur les fleurs après l'averse
> *Des* voix claires d'enfant dans le parc bleu de pluie…

La représentation est tantôt précise tantôt imprécise, tantôt singulière, tantôt extensive et dans ce cas parfois circonscrite (*les*), parfois sans limites (*des*).

La combinaison de l'article défini ou du démonstratif particularisant (référence intratextuelle) avec l'article défini générique (référence extratextuelle) est elle aussi riche d'effets stylistiques. C'est par exemple un procédé courant qui sert le projet proustien : dégager de l'observation des faits particuliers les lois générales du comportement, les catégories d'esprit… :

> Je ne pouvais lui demander quel était *ce* jeune homme avec lequel elle descendait l'avenue des Champs-Élysées *le* jour où j'étais parti pour la revoir […] *ce* jour qui aurait peut-être

---

1. M. Arrivé, F. Gadet, M. Galmiche, *op. cit.*, p. 75.

changé toute ma vie si je n'avais rencontré *les* deux ombres
s'avançant côte à côte dans le crépuscule... Et, en effet, *les*
femmes qu'on n'aime plus et qu'on rencontre après des
années, n'y a-t-il pas entre elles et vous *la* mort ?

Proust, Le Temps retrouvé.

# 3. L'article zéro[1]

Lorsque l'article n'apparaît pas à la surface du texte, et cela
par choix et non par contrainte grammaticale, on parle d'article
zéro. Celui-ci doit faire l'objet d'une attention précise car il est
riche d'implications stylistiques : que l'absence d'article soit
constatée devant un nom singulier ou un nom pluriel, la volonté
d'estomper les contours de la réalité sensible, de créer un effet
de masse ou de flou est patente. On peut en avoir un aperçu à
la lecture de cette séquence :

> Chemins du pays d'Artois à l'extrême automne, fauves et odo-
> rants comme des bêtes, sentiers pourrissants sous la pluie de
> novembre, grandes chevauchées des nuages, rumeurs du ciel,
> eaux mortes [...]

On se gardera de confondre l'article zéro qui contribue à
dilater au maximum l'espace d'insertion de l'être fictif, avec
l'absence nécessaire de l'article dans le cadre de l'interpellation : le vocatif au contraire confère à l'être appelé une actualisation maximale ; il est présent immédiatement, c'est-à-dire
sans intermédiaire, dans l'espace-temps. Ainsi dans ce même
texte de Bernanos :

> Compagnons inconnus, vieux frères, nous arriverons ensemble
> aux portes du royaume de Dieu. Troupe fourbue, troupe haras-
> sée, blanche de la poussière de nos routes..., chers visages
> durs [...]

---

1. C'est à dessein que nous n'évoquerons pas ici le partitif. En effet, les
grammairiens qui en admettent l'existence en font un indéfini devant une
matière continue, c'est-à-dire qui n'est pas nombrable, à la différence de la
matière discontinue qui se présente toujours comme nombrable. Du point de
vue stylistique, le partitif conserve bien la valeur d'indétermination.
*Cf.* H. Bonnard, *op. cit.,* p. 171-173.

# 4. Autres déterminants du substantif

## A. *Les déterminants démonstratifs*

Les déterminants démonstratifs permettent à l'évidence une désignation précise de la réalité présentée. Leur utilisation dans une situation d'énonciation telle qu'ils sont référés à cette énonciation même (cas de discours d'auteur) fera l'objet d'analyses spécifiques[1]. Hormis ce cas, le déterminant démonstratif a le plus souvent valeur anaphorique, comparable à celle du défini, qui peut se colorer d'une valeur dépréciative ou laudative. Il implique toujours un cadrage précis, un peu à la façon de l'arrêt sur image au cinéma. On s'en convaincra facilement à la lecture des premières lignes du *Père Goriot* :

> Madame Vauquer [...] est une vieille femme qui, depuis quarante ans, tient à Paris une pension bourgeoise établie rue Neuve Sainte-Geneviève, entre le quartier latin et le faubourg Saint-Marceau. *Cette* pension, connue sous le nom de la Maison Vauquer [...]

## B. *Les déterminants indéfinis*

Ils sont très nombreux en français, l'indéfinition peut toucher à l'identité ou au nombre. Dans ce dernier cas, seul envisagé ici puisque l'indétermination touchant à l'identité met en cause le jeu des consciences et leurs rapports respectifs, il faut observer que les variations de déterminant permettent d'évoquer une pluralité indistincte évoluant jusqu'au nombre zéro.

De l'évocation du multiple à l'évocation de la quantité nulle, on peut citer les actualisateurs : *certains, tels, différents, divers, quelques, plusieurs, maints* [2]; il semble que *aucun, nul, pas un* actualise par la négative, à l'inverse de *tout* + substantif singulier et de *chaque* qui donnent l'image d'un singulier élargi, par le biais de la vision distributive[3].

---

1. *Infra*, p. 42 et *sqq.*
2. Voir analyses de H. Bonnard, *op. cit.*, p. 188.
3. Voir analyse de R. Martin, *op.cit.*, p. 178-183.

L'emploi de déterminants indéfinis permet la création de multiples effets de sens : restitution de l'impression de masse, de foule, de confusion ou au contraire, de vide, d'absence.

Enfin, les adverbes de quantité comme *beaucoup + de, peu + de, pas + de*[1], et les termes une *foule + de, des tas + de...* sont aussi actualisateurs.

## C. Les mots cardinaux

«Ils peuvent être actualisateurs en même temps qu'ils quantifient», note H. Bonnard[2]. On peut faire observer ici que certains comme *cent* ou *mille* peuvent évoquer un nombre approximatif et constituer donc une variante de la catégorie des indéfinis.

## D. Les déterminants relatifs

Ils réfèrent toujours au co-texte, c'est-à-dire qu'ils reprennent l'être ou la notion dont il vient d'être parlé. La volonté d'insistance ou d'extrême précision est manifeste.

> La langue littéraire emploie lequel comme adjectif relatif pour reprendre l'antécédent même dans une relative détachée ; comme dans cette phrase où le pronom laquelle resterait ambigu : «On a mis au grenier la chaise de Jeanne, laquelle chaise avait un pied cassé[3]».

Tels sont donc les outils qui fonctionnent comme actualisateurs aussi bien en discours qu'en récit : dans l'un et l'autre cas, leur valeur reste intacte et n'est pas modifiée par l'instance ou la situation d'énonciation.

Mais il faut à présent le rappeler, «l'actualisation qui intéresse les mots (noms, pronoms, adverbes, verbes) est une fonction du langage s'exerçant par essence dans le cadre de l'énonciation[4]».

---

1. Sur la valeur de *de* dans ce type de construction, on peut consulter G. Guillaume, *Langage et Science du langage*, «Logique constructive interne du système des articles en français», Nizet, Paris, 1984, p. 178.
2. H. Bonnard, *op. cit.*, p. 203.
3. *Id., ibid.*, p. 199.
4. *Id., ibid.*, p. 19.

L'étude de l'actualisation ne peut se mener qu'en rapport avec la situation d'énonciation, et deux cas sont alors à distinguer : le repérage immédiat ou absolu qui restitue directement l'environnement énonciatif (temps, espace, personne) et le repérage relatif qui rend compte des coordonnées décalées par rapport à ce même environnement.

# II. Repérage absolu
# Repérage relatif

Lorsque les faits et les êtres évoqués sont rapportés au *moi*, à l'*ici*, au *maintenant* de celui qui parle, les coordonnées du réel sont transcrites immédiatement, c'est-à-dire sans décalage : le repérage est absolu.

Lorsque le réel est transcrit mais coupé du temps de son surgissement, les marques ne peuvent plus être les mêmes. Des formes spécifiques vont noter le décalage, on est en repérage relatif.

Pour être complète, cette étude doit indiquer qu'en «repérage absolu» peuvent alterner différentes modalités :

– modalité jussive : expression de l'ordre, évoluant jusqu'à la prière ;

– modalité exclamative ; elle marque la réaction affective du sujet parlant ;

– modalité interrogative qui exprime fondamentalement la mise en débat ;

– modalité assertive : elle pose la valeur de vérité du propos. Elle est la seule utilisée en facture de récit.

## 1. Le repérage absolu

Un certain nombre de marques spécifiques vont montrer le repérage absolu. Les linguistes les ont soigneusement étudiées et le concept d'*embrayeurs* (ou *shifters*), de *déictiques*[1] recouvre en effet ces éléments qui dans la langue matérialisent le fait qu'on est en prise directe sur le réel, que la situation du locuteur est marquée dans son énoncé.

On peut consulter sur le sujet les pages que C. Kerbrat-Orecchioni leur consacre dans son livre *L'Énonciation. De la subjectivité dans le langage*[2] et les actes du colloque sur la *deixis*[3]. Pour montrer la fécondité de pareilles identifications, on peut esquisser les grands axes sur lesquels viennent s'inscrire les déictiques.

## A. Déictiques spatiaux

Ils rendent compte de la place du locuteur dans l'espace. Quels sont-ils ? On relève quelques prépositions (*devant, derrière* en certains emplois), les adverbes ou expressions de lieu marquant une position (*ici, là*), une orientation (*à droite, à gauche, en arrière, en avant,* etc.), les verbes *aller* et *venir* dans un certain nombre de cas[4], les pronoms démonstratifs renforcés par *ci* et *là*. Ces unités sont déictiques dès lors qu'elles marquent la structure de l'espace *organisé autour du corps du locuteur*. En ce sens, l'expression «Place-toi à gauche de Pierre» ou «...devant Pierre», n'est pas déictique.

On peut encore faire observer que, comme le déterminant démonstratif, l'article défini peut avoir valeur déictique : la situation du locuteur détermine certains emplois. Dans des énoncés au discours direct : «Passe-moi *le / ce* disque», la désignation de l'objet se fait par rapport à l'espace où se situe le locuteur et non par référence intratextuelle.

---

1. C. Kerbrat-Orecchioni définit ainsi les déictiques : «Ce sont les unités linguistiques dont le fonctionnement sémantico-référentiel [...] implique une prise en considération de certains des éléments constitutifs de la situation de communication, à savoir :
– le rôle que prennent dans le procès d'énonciation les actants de l'énoncé,
– la situation spatio-temporelle du locuteur et éventuellement de l'allocutaire», *op. cit.*, p. 36.
2. C. Kerbrat-Orecchioni, *op. cit.*, p. 34-66. Pour certains linguistes la notion de «déictique» implique *deixis* ou monstration (ouvre *cette* fenêtre), à la différence des embrayeurs (*je, aujourd'hui*...). Nous ne distinguerons pas ici les deux notions.
3. M.-A. Morel, L. Danon-Boileau, *La Deixis,* Colloque en Sorbonne, 8-9 juin 1990, (Paris, PUF, 1992).
4. C. Kerbrat-Orecchioni, *op. cit.*, p. 50-53.

## B. Déictiques temporels

La catégorie est beaucoup plus ouverte puisqu'elle inclut toutes les unités susceptibles de rendre compte de l'organisation du temps vu et perçu par le locuteur. Le temps s'organise à partir du moment de l'instance énonciative. On retrouve donc dans cette catégorie :

– les temps verbaux de l'indicatif utilisés avec leur valeur de base[1] à l'exception du passé simple qui sanctionne toujours une dimension temporelle coupée de l'instance d'énonciation[2].

– les adverbes et complément de temps dont il faut noter qu'ils «présentent un double jeu de formes, déictiques et co-textuelles[3]», c'est-à-dire non déictiques (*hier* vs la *veille*), permettant seulement de marquer la chronologie dans l'énoncé, hors de toute référence à l'énonciation même.

– quelques adjectifs, comme «actuel», «ancien», «contemporain», qui, dans certains de leurs emplois, marquent en effet, le rapport au locuteur et à sa situation dans le temps au moment où il parle.

## C. Le jeu des personnes

On sait que le *je* peut engager une facture de récit et que le dédoublement de la première personne est de fait, dans les mémoires, l'autobiographie ou les souvenirs[4].

---

1. Une lecture attentive devra faire la part entre les valeurs strictement temporelles – représentation exacte du temps – et les valeurs dites stylistiques où elles sont employées avec une valeur décalée par rapport à la valeur de base (c'est ce qu'on appelle l'énallage). *Cf.* chap. 4, p. 147.
2. Il est impossible de reprendre ici l'analyse du système temporel français, mais on peut signaler l'excellente étude de M.Le Guern dans *Sur le verbe* (Presses Universitaires de Lyon, 1986), p. 9-86, qui suit «l'intuition centrale de Benveniste qui a posé comme base du système verbal français l'opposition "histoire"/"discours"». M. Le Guern analyse les emplois verbaux en fonction de leur insertion dans l'une ou l'autre perspective.Les pages sur l'ambivalence de l'imparfait et de son emploi en syllepse nous ont paru fort éclairantes (p. 27-29).
3. C. Kerbrat-Orecchioni, *op. cit.*, p. 47.
4. Le *je* fonctionne de deux façons différentes, «tantôt comme personnage de "récit", tantôt comme élément du discours du narrateur» (D. Maingueneau, *op. cit.*, p. 41).

Mais lorsque le *je* transcrit immédiatement le référent le rapport entre les consciences présentes ou représentées par l'écriture s'organise autour de celui qui parle ou écrit et qui dit *je*[1]. Le *je* (*me, moi*) et le *tu* (*te, toi*) changent de référent selon la situation d'énonciation. Le *nous* réfère soit à *je* + *tu* (inclusif), soit à *je* + *il(s)* (exclusif) ; le *vous* associe un *tu* et un *tu* ou un *tu* et un *il(s)*[2].

Ajoutons que les adjectifs et pronoms possessifs peuvent être déictiques dans la mesure où ils marquent le rapport de l'objet évoqué avec le locuteur.

Ainsi donc la reconnaissance du repérage déictique permet dans un texte littéraire de montrer comment s'organise la vision du monde évoqué, littéralement *appelé*. L'actualisation en repérage absolu prend un relief particulier et seule la reconnaissance des outils qui en rendent compte permet de la décrire et de fonder l'effet de sens.

L'analyse du texte de Bernanos que nous proposons peut aider à vérifier cette assertion (voir p. 54 et *sqq.*).

# 2. Le repérage relatif

La diégèse, c'est-à-dire l'histoire ou le narré, est autonome par rapport à la situation d'énonciation. Elle fonctionne indépendamment de celle-ci : elle est comme coupée du temps de l'écriture. On doit à M. Le Guern une heureuse analyse du «il était une fois» que l'on trouve à l'ouverture de tant de contes ou de récits. «Dès que "une fois" a fourni un point de référence distinct du moment de l'énonciation, l'imparfait est interprété comme un imparfait de récit : "il était" ne signifie plus alors que "c'était vrai à ce moment-là", ce moment-là est d'autant plus distinct du moment de l'énonciation qu'il appartient à un univers imaginaire[3].»

---

1. Ici encore, nous faisons abstraction de la possibilité d'emploi décalé.Le *je* peut être représenté par le *il* (*Commentaires* de César). Il y a là énallage, figure de rhétorique qui sera décrite plus précisément chap. 4, p. 147.
2. Voir analyses de C.Kerbrat-Orecchioni, *op. cit.*, p. 40-41.
3. M. Le Guern, *op. cit.*, p. 28.

L'ouverture de tous les textes narratifs contient des indices sûrs qui permettent de les identifier comme tels. Aucun terme, en effet, dans un récit de facture classique, ne fonctionne comme embrayeur. Un récit homogène ne comporte aucun déictique, l'actualisation se veut objective, l'espace, le temps, le jeu des personnes sont décrits comme extérieurs au narrateur.

## A. Actualisation dans l'espace

L'actualisation dans l'espace se fait au moyen d'articles, de démonstratifs, de prépositions, d'adverbes ou d'expressions de lieu qui trouvent leur justification par rapport au co-texte. Ainsi la représentation se veut-elle tout à la fois précise et objective, car donnée par un observateur extérieur. Par exemple dans le célèbre passage où Fabrice essuie le feu à la bataille de Waterloo :

> Il se leva et chercha à s'orienter. Il regardait *ces* prairies bordées par *un* large canal et *la* rangée de saules touffus... Il aperçut un corps d'infanterie qui passait *le* fossé et entrait dans *les* prairies *à un quart de lieue en avant de lui.*

Rappelons ici que les articles définis ou indéfinis, ainsi que certains déterminants indéfinis ou relatifs tirent leur valeur du co-texte ou du contexte : ou ils renvoient à une réalité déjà désignée dans le texte, ou ils réfèrent à une réalité supposée connue par le récepteur.

## B. Actualisation dans le temps

L'actualisation dans le temps s'effectue prioritairement grâce au jeu des temps verbaux qui, en récit classique et homogène, ne réfèrent jamais à la situation d'énonciation mais sanctionnent au contraire la rupture. Ainsi le passé simple est-il le temps privilégié du récit qui «ne supposant pas d'embrayage temporel, ne connaît pas de présent, de passé et de futur[1].» La formule de D. Maingueneau est un peu rapide, et sans qu'il nous soit possible ici d'évoquer tout le système de représenta-

---

1. D. Maingueneau, *op. cit.*, p. 35.

tion temporelle dans le récit, on peut faire un certain nombre de remarques.

– L'emploi du passé composé pose un certain nombre de problèmes dans la mesure où il fonctionne, depuis une époque plus ancienne qu'il n'est dit habituellement[1], avec une valeur d'antériorité pure ou avec une valeur d'accompli – il marque le résultat, valable dans le présent de l'écriture ou du discours, d'une action passée. En français contemporain, le passé composé se substitue couramment au passé simple, il peut donc fonctionner comme temps de récit. Nous ne pouvons ici entrer dans le détail d'analyses brillamment formulées par E. Benveniste[2] et reprises ensuite par la linguistique du discours ; une distinction intéressante a été faite entre les deux temps du récit (passé simple et passé composé) : la valeur constative et la valeur cursive. Au cursif, il y a «non coupure entre l'énoncé et la sphère du locuteur, alors qu'au constatif, il existe une coupure. Il s'agit bien d'une différence de vision : au passé composé cursif, on sent la préférence du narrateur [...] au passé simple constatif, le narrateur s'efface[3]».

– L'imparfait est commun aux deux systèmes. M. Le Guern définit la distinction essentielle :

> Dans le cas du discours, l'imparfait indique en même temps que la proposition est présentée comme ayant été vraie à un moment du passé et que sa vérité est niée pour le moment où se situe l'énonciation [...]. En revanche, dans le cas du récit, l'imparfait marque, purement et simplement, que la proposition est présentée comme vraie au moment du procès rapporté au passé simple[4].

Cette distinction essentielle n'annule pas les valeurs aspectuelles de base attachées à l'emploi du temps (aspect tensif *i.e.* procès en cours dans le passé) non plus que les valeurs stylistiques (écart par rapport à cette valeur de base).

– Le futur n'existe pas dans le récit, on peut noter que l'avenir vu du passé est exprimé par la forme en *-rais*. Les oppositions entre les valeurs temporelles de la forme en *-rais* et ses valeurs modales correspond à l'opposition fondamentale des perspectives ici présentées (récit/discours). «L'insertion du

---

1. M. Le Guern, *op.cit.*, p. 32-33, p. 39.
2. E. Benveniste, *Problèmes de linguistique générale*, tome I, Paris, Gallimard, 1966, tome II, Paris, Gallimard, 1974.
3. N. Dupont, *Sur le verbe*, p. 69.
4. M. Le Guern, *op. cit.*, p. 27.

conditionnel dans un récit est toujours une intervention du locu-teur», note M. Le Guern[1], évoquant le conditionnel modal.

– Rappelons ici que le présent dans le récit est bien dit pré-sent de narration, c'est-à-dire qu'il fonctionne comme substitut du passé simple. Son effet stylistique est remarquable, notam-ment dans le cadre de l'hypotypose[2] puisqu'il projette dans un pseudo-présent un événement passé[3].

L'actualisation dans le temps s'effectue encore, dans le cadre du récit, par les adverbes et locutions adverbiales qui per-mettent de marquer l'ordre chronologique des faits. Aucune expression n'a bien évidemment valeur déictique. C. Kerbrat-Orecchioni donne un tableau de toutes ces formes qui spécifient la localisation temporelle du procès[4] ; elle met l'accent sur le double jeu de formes, déictiques (discours) et non déictiques (récit) présentes dans la langue. Une illustration rapide montre que *maintenant* en discours devient *alors* en récit, que *hier* devient la *veille*, et *dans deux jours, deux jours plus tard.*

## C. Le jeu des personnes

Enfin le jeu des personnes témoigne, dans le récit homogè-ne, de l'absence du narrateur ou de l'éloignement pris par rap-port à l'événement. Le *je*, comme il a été dit, n'est pas en soi écarté du récit à partir du moment où il se distingue du *je* qui relate et qu'il apparaît donc aux yeux du récitant comme un autre lui-même. En revanche, le *tu* est exclu de toute forme de récit. La représentation des personnes se veut objective, le nar-rateur emploie majoritairement la troisième personne. Le *nous* est exclu comme le *vous*, sauf dans le cas du récit en *je* (*cf. Voyage au bout de la nuit*).

Les mêmes remarques valent pour l'emploi des adjectifs et pronoms possessifs qui infèrent toujours rapport de l'être dési-gné et de la personne qui les désigne.

---

1. *Id., ibid.,* p. 54.
2. L'hypotypose, figure majeure du discours littéraire, permet à l'instance réceptrice de se représenter des faits qui n'ont plus d'actualité au moment où ils sont évoqués
3. Voir analyses de M. Le Guern sur le présent de narration, *op. cit.,* p. 47-51.
4. C. Kerbrat-Orecchioni, *op. cit.,* p. 47.

Il apparaît clairement que la structure de récit engage une actualisation indépendante de l'instance émettrice et de la situation propre à l'énonciation.

À l'inverse, la situation de discours engage une relation immédiate aux coordonnées du réel et comme telle, adopte des modes spécifiques d'expression.

La question qui se pose à l'évidence, au terme de ces analyses, est celle de l'existence d'un pur récit, comme aussi, mais à un moindre degré de difficulté, celle d'un pur discours. Le chapitre suivant aura pour objet de poser plus spécifiquement le problème des frontières.

## APPLICATION I

Le texte qui suit offre un bon exemple des variations des différents types de discours, facture qui paraît assez caractéristique des mémoires.

Bataille de Waterloo (le 18 juin 1815)

Auditeur silencieux et solitaire du formidable arrêt des destinées, j'aurais été moins ému si je m'étais trouvé dans la mêlée : le péril, le feu, la cohue de la mort ne m'eussent pas laissé le temps de méditer ; mais seul sous un arbre, dans la campagne de Gand, comme le berger des troupeaux qui paissaient autour de moi, le poids des réflexions m'accablait. Quel était ce combat ? Était-il définitif ? Napoléon était-il là en personne ? Le monde, comme la robe du Christ, était-il jeté au sort ? Succès ou revers de l'une ou l'autre armée, quelle serait la conséquence de l'événement pour les peuples, liberté ou esclavage ? Mais quel sang coulait ! Chaque bruit parvenu à mon oreille n'était-il pas le dernier soupir d'un Français ? Était-ce un nouveau Crécy, un nouveau Poitiers, un nouvel Azincourt, dont allaient jouir les plus implacables ennemis de la France ? S'il triomphaient, notre gloire n'était-elle pas perdue ? Si Napoléon l'emportait, que devenait notre liberté ? Bien qu'un succès de Napoléon m'ouvrît un exil éternel, la patrie l'emportait dans ce moment dans mon cœur ; mes vœux étaient pour l'oppresseur de la France, s'il devait, en sauvant notre honneur, nous arracher à la domination étrangère.

Wellington triomphait-il ? La légitimité rentrerait donc dans Paris derrière ces uniformes rouges qui venaient de reteindre leur pourpre au sang des Français ! La royauté aurait donc pour carrosses de son sacre les chariots d'ambulance remplis de nos grenadiers mutilés ! Que sera-ce qu'une restauration accomplie sous de tels auspices ?... Ce n'est là qu'une bien petite partie

des idées qui me tourmentaient. Chaque coup de canon me donnait une secousse et doublait le battement de mon cœur.»

«Chateaubriand, *Mémoires d'Outre-Tombe*, Éditions Gallimard,
Bibliothèque de la Pléiade», tome I, III<sup>e</sup> partie,
livre 23, chap. 16, p. 163.

L'enjeu de ce texte est paradoxal : Chateaubriand se propose de
nous faire vivre et donc voir un événement que lui-même n'a pas vu (il
se déclare *auditeur* et non spectateur) et cela avec et malgré le recul
du temps.

L'étude des procédés d'actualisation et de l'emploi des différents
types de discours permet de montrer comment sont assumés ce pari
et plus largement, la fonction testimoniale.

# I. Les différentes formes de discours

Le narrateur-auteur commente l'événement passé d'où une facture
de discours : les marques en sont sensibles qui matérialisent la distance par rapport au fait évoqué. Mais la restitution des pensées formulées au moment même où le récitant était seulement actant et
témoin induit une facture de récit, puisque les propos sont décalés par
rapport au temps de l'écriture, aussi bien qu'une facture de discours
(jeu des modalités). On a là un exemple de style indirect libre qui
s'inscrit dans un discours premier. Le texte fonctionne sur cette alternance de telle sorte que la distance entre les deux consciences – le *je*
récitant et le *je* actant-témoin – s'amenuise.

On notera donc la souplesse du passage de l'une à l'autre et l'unité
profonde de la vision qui en résulte.

## A. *La souplesse de l'alternance*

**a)** Structure du discours : le narrateur ou récitant commente l'événement détaché de son actualité immédiate (imparfaits de discours se
spécialisant en imparfait de commentaire).

– Auditeur silencieux… m'accablait.
– Bien qu'un succès… domination étrangère.
– Ce n'est là… battement de mon cœur.

**b)** Structure de discours indirect libre où s'exprime l'actant-témoin
dont les propos sont *rapportés* par le récitant.

– Quel était ce combat… que devenait notre liberté ?
– Wellington triomphait-il… mutilés ?

Il est remarquable que l'intervention du discours indirect libre soit
simplement appelée par le mot *réflexion* sur lequel il se greffe ; la
deuxième intervention se situant en retrait – marqué typographique-
ment – du commentaire du récitant.

On observe que le discours indirect libre ainsi inséré dans le discours du narrateur évolue vers le monologue intérieur : une facture de
discours direct intervient dans le discours rapporté. La séquence :

«Que sera-ce qu'une restauration» ne réfère pas au temps de l'écriture (de l'énonciation) mais au temps de l'événement narré.

## B. Signification et valeur

La vision ainsi évoquée gagne en puissance et en unité.

**a)** Les variations des modalités (interrogatives et exclamatives) rendent compte de l'impact de l'événement et des tensions intérieures qu'il suscite. Celles-ci sont assumées par le récitant aussi bien que par l'actant-témoin ; les deux perspectives deviennent indissociables.

**b)** Les valeurs de connotation des noms propres *Crécy, Poitiers, Azincourt*, qui rappellent les grandes défaites françaises, s'inscrivent dans le champ de conscience du narrateur aussi bien que dans celui du témoin, et par voie de conséquence dans celui du récepteur.

**c)** Les images restituent la vision de l'un et de l'autre. Le développement de larges métonymies – *uniformes rouges... sang des français ; carrosses de son sacre... chariot d'ambulance... mutilés* – s'impose comme vision de la conscience du témoin alors qu'elles relèvent du travail d'écriture du récitant.

# II. La résurrection du passé, les modes d'expression qui en rendent compte : la complexité des formes de l'actualisation

## A. Le statut du je dans le texte

On note une évolution au fil du texte qui sanctionne la volonté d'estomper la présence du mémorialiste au bénéfice de l'actant-témoin.

Le mémorialiste est présent dans les premiers développements du texte. L'irréel du passé implique la distance par rapport à l'événement considéré au moment de son écriture, les caractérisants *formidable*, la périphrase amplificatrice *arrêt des destinées* sanctionnent que la portée de l'événement est connue et jugée. Progressivement s'estompe cette présence au bénéfice de l'actant-témoin, autre forme du *je*. Ce glissement est amorcé par la rupture dans la construction (anacoluthe) : «*Seul* sous un arbre [...] le *poids* des réflexions», où il est aisé d'observer la disparition de la première personne attendue.

– Prédomine ensuite l'évolution de l'actant-témoin (*mon* oreille).

– Cet actant-témoin fusionne dans un nous dont il se déclare solidaire (*notre* gloire, *notre* liberté), ce *nous* figure les combattants et s'élargit au peuple français tout entier.

Les trois perspectives vont se mêler au fil du texte. Le récitant vient se fondre dans le *nous* (*notre* honneur, *nous* arracher) dont il se déclare solidaire. L'enjeu est atteint : la représentation du passé confond désormais le regard de l'actant-témoin (*nos grenadiers*) et la vision du récitant à nouveau présent (*me donnait, mon cœur*). Sa parole vivante vient animer, mais non fausser le souvenir. Le jeu des temps corrobore l'analyse.

## B. *Le jeu des temps*

L'évolution des temps est remarquable dans le texte : celui-ci s'encadre entre un irréel du passé qui rend compte du décalage dans le temps et restitue la perspective passée, et le présent d'énonciation (ce n'*est* là) qui témoigne de l'irruption dans le temps de l'écriture des données de ce passé.

On observe l'absence totale du passé simple dans le texte alors même que ce temps est le temps privilégié du récit : il donne des faits une vision synthétique globale et les détache nettement de l'actualité.

L'imparfait en revanche se constitue comme temps de base. La valeur fondamentale du temps en discours a déjà été mentionnée, et il a été dit qu'à celle-ci se superposent les valeurs aspectuelles ou stylistiques. Nous en avons ici un nouvel exemple : *plaisaient, accablaient, l'emportait, étaient, tourmentaient* restituent le disours du mémorialiste et rendent compte de la non-vérité au moment de l'écriture des faits considérés. Ils portent l'indication du décalage temporel. Mais la valeur tensive de la forme est encore sensible, elle restitue le déroulement du procés dans le passé ou met en relief son surgissement (*l'emportait* complété par *dans ce moment* devient perfectif). Ajoutons que *donnait, doublait* portent en outre valeur de répétition qui n'annule pas la valeur aspectuelle première. Enfin dans la principale d'un des systèmes hypothétiques («mes vœux *étaient...*») l'imparfait porte le commentaire du récitant, et rappelle donc la facture de discours.

Dans le discours indirect libre – rattaché à la facture de récit – l'imparfait est utilisé encore en corrélation avec la forme en *-rais* : la combinaison des deux formes permet de restituer le mouvement chronologique dans le passé. La forme en *-rais* présente l'avenir vu du passé : *...la légitimité rentrerait..., la royauté aurait donc...*

L'exploration complète du déroulement chronologique dans le passé est rendue possible par le recours aux périphrases verbales : *allaient jouir, devait... nous arracher, venaient de reteindre...*

Cette aptitude à figurer la perspective dans le passé est génératrice de vie. L'emploi du futur simple qui clôt l'évocation en témoigne : *«Que sera-ce...»* À ce moment, il y a résurrection évidente du passé qui investit le présent : les coordonnées du réel immédiat, ceux du mémorialiste, du *je-récitant*, disparaissent, tandis que revit un autre temps. On est là au seuil de l'hypotypose, figure essentielle de l'écriture, qui par le jeu du transfert, donne à voir une autre réalité, non immédiate. Les points de suspension peuvent rendre compte du développement de la vision.

Au terme de celle-ci, avec une souplesse magistrale, le *je-récitant* et le *je-actant* se rejoignent dans le temps de l'écriture même : *Ce n'est là...* L'emploi du déictique spatio-temporel *là* vient souligner ce double mouvement.

## C. La représentation de l'espace et de l'événement

Des indications sont données qui tendent à garantir la véracité du témoignage.

– Noms propres : *campagne de Gand, la France, Napoléon, Wellington.*

– Jeu des déterminants : importance des définis et démonstratifs qui actualisent pour l'actant-témoin l'espace et l'événement. Ils renvoient à une réalité supposée connue – *la* mêlée, *la* campagne de Gand, *le* berger *des* troupeaux, *ce* combat, *l'*événement, *l'*oppresseur de la France, *la* domination, *ces* uniformes rouges, ... *les* chariots. Certains indéfinis ont une valeur particularisante : *un* arbre, *un* Français.

Le champ de conscience de l'actant-témoin s'impose et relaie celui du récitant. Cette substitution s'effectue naturellement encore lorsqu'est restitué le discours intérieur du témoin.

# Conclusion

La fonction testimoniale est donc ici magistralement assumée puisqu'au long de l'évocation la conscience narratrice s'est fondue dans celle du témoin : ainsi l'événement passé a-t-il été littéralement rappelé par l'écriture dans toute la force de son surgissement. Seule l'étude des mécanismes de l'évocation pouvait précisément en rendre compte.

Resterait à analyser la vision même que nous donne le narrateur de cet événement, en faisant l'analyse du lexique, des différents types de phrases, des images. Mais nous sortirions des cadres précisément délimités pour cette étude.

### APPLICATION II

Compagnons inconnus, vieux frères, nous arriverons ensemble aux portes du royaume de Dieu. Troupe fourbue, troupe harassée, blanche de la poussière de nos routes, chers visages durs dont je n'ai pas su essuyer la sueur, regards qui ont vu le bien et le mal, rempli leur tâche, assumé la vie et la mort, ô regards qui ne se sont jamais rendus ! Ainsi vous retrouverai-je, vieux frères. Tels que mon enfance vous a rêvés. Car j'étais parti à votre rencontre, j'accourais vers vous. Au premier détour, j'aurais vu rougir les feux de vos éternels bivouacs ; mon enfance n'appartenait qu'à vous. Peut-être, un certain jour, un jour que je sais, ai-je été digne de prendre la tête de votre troupe inflexible. Dieu veuille que je ne revoie jamais les chemins où j'ai perdu vos traces, à l'heure où l'adolescence étend ses ombres, où le suc de la mort, le long des veines, vient se mêler au sang du cœur.

> Chemins du pays d'Artois, à l'extrême automne, fauves et odorants comme des bêtes, sentiers pourrissants sous la pluie de novembre, grandes chevauchées des nuages, rumeurs du ciel, eaux mortes... J'arrivais, je poussais la grille, j'approchais du feu mes bottes rougies par l'averse. L'aube venait bien avant que fussent rentrés dans le silence de l'âme, dans ses profonds repaires, les personnages fabuleux encore à peine formés, embryons sans membres, Mouchette et Donissan, Cénabre, Chantal, et vous, vous seuls de mes créatures dont j'ai cru parfois distinguer le visage, mais à qui je n'ai pas osé donner de nom — cher curé d'un Ambricourt imaginaire. Étiez-vous alors mes maîtres ? Aujourd'hui même, l'êtes-vous ? Oh ! Je sais bien ce qu'a de vain ce retour vers le passé. Certes, ma vie est déjà pleine de morts. Mais le plus mort des morts est le petit garçon que je fus.

> > G. Bernanos, *Les Grands Cimetières sous la lune*,
> > Plon, Paris, 1938.

Le texte fonctionne comme une évocation, c'est-à-dire comme un appel. Il suscite un univers imaginaire, fictif, pure création de l'auteur, en même temps qu'il estompe un référent réel et recomposé pour en restituer le seul climat, l'atmosphère dans laquelle viennent s'inscrire les créatures appelées par le discours de l'auteur.

# I. La situation d'énonciation

La présence du locuteur-auteur revendiquant son propos court à travers toute la séquence. On la reconnaît à de multiples marques.

## A. *Le jeu des personnes*

**a)** *L'emploi de la première personne avec :*

• le *nous* qui comprend ici le *vous* – interlocuteurs et récepteurs fictifs – et le *je* (*nous* dit inclusif). La fusion des deux instances est soulignée par l'adverbe *ensemble* ;

• l'emploi récurrent du *je* auquel il faut adjoindre le déterminant possessif *mes* bottes, *mes* créatures, *ma* vie, ...

**b)** *L'emploi du vocatif* qui désigne nommément l'interlocuteur, celui à qui on s'adresse et qui reçoit la parole. La séquence s'ouvre sur cette interpellation soulignée par le ô. «Compagnons inconnus, vieux frères, [...] Troupe fourbue [...] chers visages durs, regards [...], ô regards.»

Le vocatif est relayé par le *vous, votre*, dénomination plurielle de tous ces interpellés d'abord («Ainsi *vous* retrouverai-je [...] mon enfance *vous* a rêvés [...] j'étais parti à *votre* rencontre»), puis dénomination singulier de l'être de prédilection : «*vous, vous* [...] cher curé d'un Ambricourt imaginaire [...]».

# B. Le jeu des temps

Ils s'organisent tous autour du moment de l'énonciation, c'est-à-dire du moment de l'écriture.

**a)** Le *présent* renvoie au temps de l'écriture : le fait évoqué, la prise de conscience surgit au fil de la plume : «un jour que *je sais, je sais bien* ce qu'*a* de vain». Dans cette situation d'émergence intervient l'interpellation au présent : «*L'êtes-vous*», et la force du constat «ma vie *est* [...] le plus mort [...] *est*».

L'emploi du déictique *aujourd'hui* renforcé par *même* rend compte du moment exprès du surgissement corrélatif de l'écriture. C'est à partir de ce moment où l'écrivain-locuteur confie au discours son pouvoir de susciter des créatures que s'organise dans le temps tout l'univers dans lequel elles s'inscrivent.

**b)** Le *passé proche* est sensible par ses effets dans le présent de l'énonciation : le passé composé a une valeur aspectuelle, c'est-à-dire qu'il ne fonctionne pas comme substitut du passé simple mais bien comme présent accompli : «*je n'ai pas su* [...] qui *ont vu* [...] *assumé* [...] ne *se sont jamais rendus* [...] *vous a rêvés* [...] peut-être *ai-je été* digne [...] *j'ai perdu* vos traces [...] *j'ai cru* parfois [...] *je n'ai pas osé* [...]».

**c)** Le *futur* engage un avenir vu du présent de l'énonciation, conçu comme certain, mais s'accomplissant dans un avenir indéterminé : «nous *arriverons* ensemble [...] ainsi *vous retrouverai-je* [...]».

**d)** On a ici une série d'imparfaits (*j'arrivais, je poussais* la grille, *j'approchais* [...] l'aube *venait*) dont la valeur est double. Inscrits dans l'énoncé, ils marquent la non-vérité au moment de l'énonciation. Les faits ne sont plus vrais dans le temps de l'écriture. Cette valeur est seule représentée dans l'expression «*étiez-vous alors*» où l'adverbe non-déictique renvoie à un univers disparu.

Mais dans les autres occurrences s'ajoute une valeur stylistique. Les verbes sont tous perfectifs c'est-à-dire qu'ils portent dans leur sémantisme l'indication du terme final du procès. Or l'imparfait donne fondamentalement une vision tensive de ce procès : il le présente dans son développement interne.

On voit donc la contradiction inhérente à ce type d'emploi. Elle est analysée par la plupart des grammaires qui soulignent bien le phénomène de mise en relief. L'importance du procès dépasse ses strictes limites temporelles. Les imparfaits ici n'ont nulle valeur descriptive. Ils ne marquent pas la durée, mais ils permettent de souligner la portée de l'événement passé ; le passé simple, possible en ces occurrences, banaliserait la représentation en donnant une vision synthétique et définie dans un passé figé par le souvenir : il créerait une facture du récit[1].

---

1. Sur les ambiguïtés de l'emploi de ce type d'imparfait, on lira avec profit les pages de M. Le Guern sur «l'imparfait en syllepse», moment précis où le discours glisse vers le récit (voir *Sur le verbe*, p. 28).

– L'unique *passé simple* du récit : *je fus* marque d'une façon exemplaire la rupture dans la vie du locuteur-auteur ; le passé du *je* seul n'a plus de vie.

– Enfin, dans ce temps de l'écriture, surgit la prière de l'auteur «Dieu *veuille*» ; le *subjonctif* présent engage ici l'avenir de l'instance d'énonciation.

## C. Le jeu des modalités énonciatives

Il exprime les mouvements de la conscience du locuteur. Le jeu des modalités énonciatives est remarquable par sa variété. On observe l'interaction de la modalité :

– *assertive* (propre à l'expression de la foi) : «*nous arriverons ensemble*»,

– *interrogative* : «*Étiez-vous alors mes maîtres ? Aujourd'hui même, l'êtes-vous ?*»

L'interrogation ici ne présuppose pas une réponse établie, elle reste ouverte et appelle donc la décision de l'instance réceptrice première, c'est-à-dire des interpellés.

– *exclamative* : elle fonctionne comme un appel et rend compte de la ferveur de l'interpellation : «*Ô regards qui ne sont jamais rendus !*»

– *Jussive* : elle n'exprime pas l'ordre mais la prière à l'instance supérieure qui décide du destin des hommes : «*Dieu veuille que je ne revoie jamais...*»

Le jeu des modalités traduit l'attitude de la conscience locutrice en face du monde. Plus que des certitudes, elle exprime un appel, une écoute et implique une mobilité, une activité spirituelle.

La situation d'énonciation permet donc d'approcher l'intention première du sujet parlant. Il ne vise pas à convaincre mais à établir entre lui-même et des réalités spirituelles – être devenus vivants par la seule force du discours – un dialogue ; il sollicite l'existence de la conscience réceptrice première, non point celle du lecteur, mais celle de l'être suscité, ses «créatures», ses «personnages fabuleux».

Paradoxalement s'estompe la réalité connue et concrète tandis que s'inscrivent dans l'espace-temps immédiat les personnages appelés par l'écriture.

# II. Les procédés d'estompage
# Le mécanisme du surgissement

L'étude des procédés d'actualisation rendent compte de ce double mouvement.

## A. Estompage de l'univers sensible

**a)** Les mots qui le restituent sont tous au pluriel et employés sans article ; comme tel, les réalités qu'ils dénotent ne peuvent être insérées dans un espace-temps immédiatement cadré : «*Chemins du pays d'Artois* [...], *sentiers pourrissants* [...], *grandes chevauchées de nuages...*»

La mention du nom propre à valeur de complément déterminatif restitue le climat d'une région mais sans plus de précision. On note l'absence de verbe dans la première séquence. Les termes s'accumulent dans une structure nominale, ils n'ont aucune fonction grammaticale précise. Les éléments de décor qu'ils restituent ne sont donc ni organisés, ni insérés dans un temps actualisé.

**b)** L'emploi du défini singulier dans les expressions «*L'*extrême automne, *la* pluie de novembre, rumeurs *du* ciel, *l'*aube, *la* grille, *le* feu, *l'*averse*»*, renvoie à une réalité supposée connue et dont la description apparaît inutile.

Le discours de l'auteur ne fait donc pas revivre un univers concret et pittoresque, mais il suscite les personnages fabuleux, il donne vie au pur imaginaire, il appelle l'incréé à l'existence.

## B. Les procédés qui permettent le surgissement

**a)** L'interpellation est un procédé récurrent dans le texte : on l'observe à l'ouverture : «*Compagnons, vieux frères* [...], *troupe fourbue* [...], *chers visages,* [...] *ô regards*». On retrouve la même facture au terme du second mouvement : «*et vous, vous...*».

Il faut faire observer la précision de plus en plus grande du regard, liée à la dynamique de la vision.

**b)** Le jeu des temps restitue un temps en flux ; il rend compte du va et vient entre le passé – *je n'ai pas su* [...] *qui* ont vu [...] *rempli* [...] *ne se sont jamais rendus* [...] – et l'avenir – *nous arriverons* [...] *vous retrouverai-je.*

Ainsi est assurée l'insertion des créatures dans le temps vivant : celui-ci s'élargit vers un avenir non déterminé mais vu comme certain.

**c)** La dynamique du surgissement permet au regard d'isoler telle ou telle créature privilégiée. Le jeu des pronoms est révélateur : le *vous* fonctionne d'abord comme stricte deuxième personne du pluriel, puis au terme de l'adresse, comme substitut de la deuxième du singulier : «*vous, vous, cher curé...*»

**d)** Le degré d'actualisation maximale est obtenu par la désignation des créatures par leur nom propre ou leur prénom.

**e)** Le jeu des modalités dont il a déjà été dit la variété souligne le passage de la seule invocation – *ô regards...* – au dialogue avec des créatures vivantes : «*Étiez-vous alors...*».

Il resterait à s'interroger sur le but, la visée de cette parole si évidemment génératrice de vie. Une remarque peut y aider : au terme du premier paragraphe est évoqué le nom de Dieu dans une structure qui peut apparaître d'abord comme stéréotypé : «Dieu veuille que...». La complétive qui la développe interdit pareille lecture. C'est ici à la personne divine qu'il est fait appel. La force de conviction du discours qui donne chair aux créatures imaginaires est peut-être émanation d'une autre présence, tout à la fois vivante et spirituelle. L'écrivain seul peut-être a su approcher le mystère du «Verbe qui s'est fait chair».

# *Chapitre 3*
# Les mots dans l'énoncé

# Introduction

Pour comprendre un énoncé, un récepteur doit effectuer au moins trois opérations :

– comprendre le signifié des mots qui le composent : en termes linguistiques, on appelle *lexie* – plutôt que mot – une unité lexicale de sens, qui peut être composée de plusieurs mots («une pomme de terre», « un je ne sais quoi») ; nous parlerons toutefois généralement de mot ;

– mettre en évidence les relations de tous ordres qu'entretiennent les lexies de l'énoncé : sémantiques, morphologiques, syntaxiques, etc ;

– construire la signification globale de l'énoncé ; cette opération dépasse de loin le cadre d'étude du seul lexique [1]. Dans les limites de ce chapitre, nous nous intéresserons surtout :

– à la description des enchaînements sémantiques de l'énoncé ;

– au repérage des réseaux associatifs.

C'est seulement au terme du parcours interprétatif que la *valeur* de l'énoncé peut être appréhendée.

---

1. On trouvera le recensement des procédures nécessaires pour l'interprétation – et la réinterprétation – d'un énoncé dans O. Soutet, *Linguistique*, Paris, PUF, 1995, p. 160 à 176.

# I. Définitions

Pour étudier les mots, on peut procéder de deux façons complémentaires :

– Par construction d'un **champ sémantique** : on isole une lexie dont on construit le champ sémantique, en étudiant ses différents sens et effets de sens, dénotatifs et connotatifs, historiquement (en diachronie) ou dans la langue actuelle (en synchronie), par comparaison avec d'autres lexies.

Dans la pratique du commentaire stylistique, on peut être amené à situer contextuellement une lexie par rapport à d'autres (a-t-elle des synonymes, des antonymes ?), à étudier la signification particulière d'une lexie dans un contexte, les variations sémantiques dont une lexie répétée est l'objet : c'est toute une micro-stylistique qui s'élabore dans cette recherche.

Cette approche, qui va du signifiant (le signe linguistique) au signifié, est dite **sémasiologique** (du grec *sêma* = signe) : 1 Sa = x Sés.

– Par construction d'associations où l'on part du signifié pour repérer les signifiants : 1 Sé = x Sas, et cela selon trois axes principaux :

• construction d'un **champ notionnel**, c'est-à-dire d'un des grands domaines abstraits, conceptuels, qui composent une réalité envisagée généralement dans un cadre historique, et dans un corpus (= ensemble d'étude) de grande extension : on étudiera par exemple le vocabulaire de la mode en 1830, le vocabulaire politique et social de la France de 1869 à 1872, le vocabulaire de la critique esthétique au XVIIIᵉ siècle, etc. ;

• construction d'un **champ lexical**, par repérage de l'ensemble des lexies qui appartiennent au même champ notionnel, ou, de façon plus limitée, qui ont un sème commun (on appelle *sème* l'unité constitutive du sens ; le signifié d'un mot est composé d'une association de sèmes). Le champ lexical est structuré par les relations (de hiérarchie, d'opposition, etc.) qu'entretiennent les différentes lexies. Le champ lexical peut être étudié hors contexte (champ lexical de la nourriture, de la conversation, etc.), ou dans un énoncé particulier ;

• construction d'une **isotopie** ; la notion d'isotopie n'a de pertinence que dans un énoncé spécifique : il y a isotopie quand il y a récurrence de certains traits qui assure la cohérence d'un énoncé. C'est dire que l'isotopie peut être phonique (rimes, allitérations), sémantique (dans la phrase d'Éluard parfois citée «L'aube allume la source», la cohérence est assurée par l'isotopie du commencement présente dans les trois mots), syntaxique, rhétorique, etc.

Dans la pratique du commentaire stylistique, ce sont surtout les champs lexicaux et les isotopies (d'ordre sémantique) que l'on identifie. Pour résumer la différence entre les deux approches : dans le premier cas, on analyse l'énoncé, en repérant des réseaux associatifs ; on parle d'une approche **paradigmatique** ; dans la construction d'une isotopie, on repère des enchaînements ou des ruptures ; c'est une approche **syntagmatique**, qui est celle de la grammaire de texte.

Que l'on construise un champ notionnel, un champ lexical ou une isotopie, la démarche consiste à nommer les divers signifiants d'un Sé unique ; c'est une démarche **onomasiologique** (du grec *onoma* = nom).

Nous avons choisi d'étudier successivement deux démarches – sémasiologique et onomasiologique – qui, dans l'acte de lecture, sont indissociables.

# II. Le champ sémantique (approche sémasiologique) : de la langue au texte

## 1. Procédures de construction d'un champ sémantique

### A. *Le signifié de dénotation*

#### 1) *Décomposition sémique : principes*

Prenons, hors contexte, le mot *rossignol* ; le signifié stable attribué à ce mot constitue son signifié de dénotation :

> • animé + animal + oiseau (ces termes, qui désignent le genre dont le rossignol est une espèce, sont appelés les **hyperonymes** de rossignol qui corrélativement constitue un **hyponyme** des termes cités).
> • passeriforme + de petite taille + au plumage grisâtre + au chant mélodieux (*cf.* dictionnaires).

Cette procédure, appelée décomposition sémique, met en évidence deux ensembles de sèmes :

– les catégories très générales animé + animal forment les sèmes génériques ou **classèmes** ;

– les traits particuliers qui permettent l'identification du signifié – et du référent [1] – sont les sèmes spécifiques ou **sémantèmes**.

---

1. *cf. supra*, «triangle sémiotique», p. 3.

L'ensemble des traits – composant la définition dite «hyper-onymique» – forme pour sa part le **sémème**. Ces catégories lin-guistiques sont empruntées à l'analyse dite «componentielle», qui repose sur la décomposition des mots en sèmes ; elles pos-sèdent un rendement stylistique certain.

## 2) Sèmes génériques ou «classèmes»

Ce sont des unités de sens très générales, fondées sur de grandes oppositions binaires (animé *vs* inanimé, etc.), qui déter-minent l'entourage et la distribution syntaxique du terme analy-sé : seul un animé humain peut être mis en position de sujet du verbe *lire* ; l'ensemble des contraintes imposées à l'entourage (le co-texte) forme les traits de sélection de la catégorie. Celle-ci a un nombre limité de traits et forme donc une classe fer-mée ; elle permet une classification sémantique des substantifs et des verbes avant tout et constitue une première voie d'accès à l'univers de référence du texte. Les oppositions binaires sont les suivantes :

### a) Substantifs

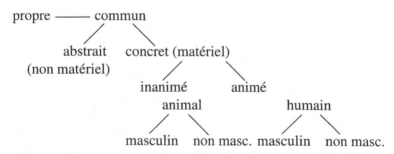

### b) Verbes

- Statiques *vs* dynamiques (dormir *vs* courir).
- Traits de sélection (étude de l'entourage présupposé) :
- – intransitif *vs* transitif (rêver/rêver qq chose/rêver à, de),
- – personnels *vs* impersonnels (pleurer *vs* pleuvoir),
- – sélection du côté du sujet et/ou de l'objet : *lire* présup-pose un sujet humain et un objet inanimé, *aboyer* présuppose un sujet animal, etc.

Une première approche typologique de l'énoncé peut être faite par le repérage des principaux classèmes.

### 3) Sèmes spécifiques ou «sémantèmes»

Les sèmes spécifiques sont les traits sémiques particuliers qui donnent à une lexie sa signification spécifique et qui sont donc des composantes de sa «définition minimale». Par exemple, les sèmes spécifiques de *tabouret* sont : «pour s'asseoir» + «pour une personne» + «sans dossier» + «sans bras» + «dans un matériau rigide» [1].

L'énumération de ces traits permet de distinguer le Sé de *tabouret* du Sé de termes voisins (ayant pour sème commun «pour s'asseoir»), comme *chaise, fauteuil, pouf*, etc.

### 4) Associations : construction d'un champ sémantique

#### a) Associations internes : monosémie/polysémie

Un terme est monosémique quand il n'est composé que d'un signifié. L'ensemble le plus homogène de termes monosémiques est celui des termes techniques, dont le signifié est précis et généralement univoque : *micro-processeur, phonème, phlébite*, sont des termes en principe monosémiques. Par opposition, la polysémie peut être définie comme l'association d'un signifiant unique et de signifiés multiples (1 Sa = x Sés). En langue, elle peut donner lieu à une approche synchronique (ex. les différents signifiés de *canard*). Dans un énoncé particulier, le contexte et le co-texte limitent les possibilités de polysémie, mais celle-ci est toutefois exploitée à des fins stylistiques. Nous ne faisons que mentionner ici les débats sur la limite entre polysémie et homonymie : dans le cas du mot *canard*, souvent étudié, est-ce une lexie unique qui assume des Sés multiples (polysémie = une entrée dans le dictionnaire) ou a-t-on affaire à plusieurs lexies homonymes ? Quoi qu'il en soit, pour l'étude stylistique, l'effet produit est un effet de polysémie.

#### b) Les associations externes

Pour définir en langue le Sé d'un terme, on peut rapprocher celui-ci de termes avec lesquels il entretient des relations sémantiques.

---

1. J. Picoche, *Précis de lexicologie française*, Paris, Nathan, 1977.

## • *Hyperonymes/hyponymes*

«L'hyperonymie désigne la relation du genre à l'espèce et l'hyponymie la relation de l'espèce au genre[1]» : *arbre* (hyperonyme) désigne le genre dont *pommier, hêtre, bouleau,* etc. (hyponymes) désignent des espèces, *rouge* est l'hyperonyme de *vermillon, parler* l'hyperonyme de *marmonner.* L'hyponyme est lié à l'hyperonyme par une relation d'implication : *vermillon* implique *rouge.* On a vu plus haut que la définition dite hyperonymique est fondée sur cette association.

## • *Synonymes/antonymes*

La notion de synonymie n'est pas facile en définir en théorie, et a été souvent remise en cause : «S'il y avait des synonymes parfaits, il y aurait deux langues dans une même langue», écrivait déjà du Marsais [2]. Notre propos n'étant pas théorique, nous préférons parler, comme le fait C. Fuchs à propos de la paraphrase, d'«équivalence sémantique [3]» : les synonymes comportent beaucoup de sèmes communs mais aussi des sèmes différents qu'il peut être pertinent de repérer.

Pour être défini, un terme peut être comparé à des termes dont le signifié est antonymique. Dans son extension la plus large, l'antonymie implique soit relation d'exclusion entre Sés contraires (*vivant vs mort*), soit relation d'opposition moins marquée : opposition polaire par exemple entre Sés entre lesquels il existe des intermédiaires (*froid vs chaud*) [4].

## • *Champ dérivationnel*

Un terme peut aussi être étudié dans sa relation avec les termes de même famille morphologique, dérivés et composés. Les termes monosémiques ont un champ dérivationnel réduit, en revanche le champ dérivationnel s'articule souvent sur la polysémie : parmi les dérivés de *charme, charmeur* conserve parfois un sens plus proche du sens étymologique («charmeur de serpents»), *charmant* a comme le substantif un sens affaibli («qui plaît», «agréable»), comme le montre cet extrait du poème de Rimbaud «Les chercheuses de poux» où les deux termes sont employés dans deux strophes successives :

---

1. J. Gardes-Tamine, *La Grammaire*, Paris, A. Colin, 1988, t. I, p. 108.
2. Du Marsais, *Traité des Tropes*, 1730.
3. C. Fuchs, *La Paraphrase*, Paris, PUF, 1982, p. 50.
4. J. Gardes-Tamine, *op. cit.*, p. 108..

> Il vient près de son lit deux grandes sœurs *charmantes*.

> [...] leurs doigts fins, terribles et *charmeurs*.

Par cette variation, une représentation idyllique se métamorphose en représentation d'êtres dangereux et porteurs de menaces (*cf.* «terribles»).

## B. Le signifié de connotation

Soit la phrase de Chateaubriand s'adressant à Venise : «Votre ciel voluptueux, *la vénusté* des flots qui vous *lavent* me trouvent aussi sensible que je le fus jamais.» Les deux termes en italiques sont des synonymes de «beauté» et «arroser», d'un point de vue dénotatif strict. Mais leur étude sémantique ne serait pas complète si l'on n'ajoutait pas au moins deux composantes :

– première approche : ce sont des latinismes d'usage exclusivement littéraire, l'un de forme (*vénusté*), l'autre d'emploi (*laver*) ;

– deuxième approche : dans cet énoncé, ces latinismes littéraires sont des marqueurs de poéticité et des signes – supplémentaires – de l'idéalisation du référent (*vénusté* étant de plus morphologiquement issu de «Vénus»).

Ces «suppléments» qui «n'affecte(nt) pas la vérité de ce qui est dit [1]» forment la **connotation** du terme. La connotation est sans doute un «concept flou» ; on peut toutefois la définir comme un «signifié [ou plutôt un ensemble de signifiés] dérivé et second [2]» ; c'est-à-dire une «valeur ajoutée [3]» au signifié de dénotation, «suggérée plus que véritablement assertée».

### 1) Description du mécanisme

Soit l'opposition *parisien/parigot*. Ces termes sont dénotativement équivalents (ils ont même valeur de vérité), mais le second est emprunté à un sous-code linguistique propre à une communauté socio-culturelle (langue populaire).

---

1. R. Martin, *op. cit.*, p. 16.
2. M. Arrivé *et al.*, *op. cit.*, art. «Connotation».
3. F. Mazalupat et G. Molinié, *Vocabulaire de la stylistique,* Paris, PUF, 1989, art. «Connotation».

Sa 1    ───────▶   Sé 1

«parisien»     «habitant de Paris» = **dénotation**

Sa 2 «parigot» ──▶ Sé 1 ──▶ Sé 2

             «habitant de Paris» «l. populaire» = **connotation**

                                           **(emprunt)**

Cet ensemble de traits linguistiques de tous niveaux propres à une communauté socio-culturelle porte le nom de **sociolecte**. Si l'on accepte l'idée d'une sorte de sociolecte neutre, langage «commun», langage «de tous» – nous n'entendons pas problématiser ces notions pourtant problématiques –, on parlera de connotation chaque fois qu'apparaît un sociolecte marqué. Mais une autre manière d'aborder la connotation, surtout dans l'ordre littéraire, est de s'interroger sur l'investissement subjectif dont le lexique est l'objet, sur la valeur que chacun attribue aux mots qu'il utilise par un acte de langage individuel :

Sa «parigot» Sé «habitant de Paris».

*1$^{er}$ type de connotation* qui peut être repéré hors de tout contexte (en langue) : emprunt à la «langue populaire».

*2$^e$ type de connotation*, plus directement lié à un contexte spécifique : «acte de langage individuel» (caractériser, éventuellement de façon péjorative ou laudative, l'appartenance sociale du locuteur, donner un statut littéraire aux mots populaires, etc.).

L'ensemble des traits linguistiques, eux aussi de tous niveaux, qui composent les dominantes langagières propres à un individu, porte le nom d'**idiolecte**.

## 2) *La connotation comme emprunt*

### a) **Marquage diachronique**

• *L'archaïsme*

Il est la marque d'un sociolecte littéraire. On peut distinguer l'archaïsme lexical (emploi d'un mot sorti de l'usage) : «[…] le brouillard d'automne qui chache les hameaux pauvres et *vergogneux*» (Apollinaire), et l'archaïsme sémantique (emploi d'un mot en un sens sorti de l'usage) : «Ma France, mon ancienne et nouvelle *querelle*» (Aragon). On mentionnera aussi l'archaïsme syntaxique («*Vous souvient-il ?*») et l'archaïsme graphique («*petite oye*»), tous deux présents dans le poème de Verlaine «Dédicace». Il ne faut pas confondre les archaïsmes lexicaux et les mots de civilisation qui évoquent un référent sorti de l'usage (*haubert, écu, cotte de mailles*, etc.) ; le «genre troubadour», au XIX^e siècle, est plutôt caractérisé par l'emploi de mots de civilisation. Quant à un poète comme Aloysius Bertrand, il combine les deux procédés.

• *Le néologisme*

Il existe, comme pour l'archaïsme, deux types de néologisme : néologisme lexical (création de mots), néologisme sémantique (introduction de sens nouveaux). C'est surtout par ce dernier que la langue évolue, mais il est plus insaisissable ; les variations de datation des dictionnaires en sont un témoignage. Nous parlons ici de l'usage qui est fait du néologisme dans les énoncés littéraires. Deux points de vue s'opposent historiquement : une attitude libérale/une attitude restrictive [1]. Les courants de la Pléiade, de la «Néologie» du XVIII^e siècle (*cf.* Sébastien Mercier), du symbolisme, sont parmi ceux qui incarnent l'attitude libérale, invitant à un renouvellement et à un enrichissement du stock lexical.

Les limites du néologisme sont difficiles à fixer : il est facilement identifiable quand la création se fait par suffixation ou préfixation : chez les symbolistes, les suffixes *–ment, –aison* ou *–ance* sont très productifs (*irradiance* et *souriance* chez Verlaine, *cueillaison* chez Mallarmé, *graillonnement, contagionnement* chez Proust). La formation des mots-valises est elle aussi facilement repérable : qu'on pense à *voluptés, délévrer, sangsuelle* chez Laforgue, *radioter* chez Gracq, etc.

Mais la dérivation impropre, beaucoup moins voyante, est aussi un mode de création de mots : la substantivation de l'adjectif est fréquente au XVII^e siècle et encore chez Saint-Simon (*le rare, l'étroit*). Reste le cas des **hapax**, mots de fantaisie créés par un écrivain, et qui n'ont qu'une occurrence (penser à Rabelais ou à Michaux).

Le goût pour le néologisme correspond à plusieurs actes de langage : désir d'enrichir la langue, recherche de mots différents des mots de la tribu (*cf.* les «impollués vocables» des Décadents), que celle-ci soit motivée par la fantaisie verbale ou par une recherche de la nuance et d'un pouvoir d'évocation accru (le suffixe *–ance* paraît aux symbolistes apporter un sème nouveau : *luisance ≠ lueur*).

---

1. À ce sujet, consulter S. Ullmann, *Précis de sémantique française*, Berne, Francke, 4^e éd. 1969, p. 172-179.

## b) Marquage géo-linguistique

Nous parlons là de l'usage de mots étrangers ou régionaux.La motivation de ces emprunts a des points communs avec celle des archaïsmes ou des néologismes :

– désir de couleur locale et introduction d'une touche de pittoresque descriptif par l'image d'un référent éloigné, parfois inconnu du récepteur («les feuillages des filaos» chez Cendrars) ;

– connotations affectives (régionalismes de Colette, belgicismes de Rimbaud) ;

– distance évaluative du narrateur qui délègue à un émetteur second l'énonciation du mot étranger.Dans le discours direct, les mots étrangers mettent en évidence un trait du personnage et on peut évoquer les mots anglais d'Odette de Crécy ou d'Adrien Deume dans *Belle du Seigneur* et les connotations associées de snobisme et de prétention. Quand on trouve ce lexique dans la narration, le langage du narrateur semble contaminé par celui des personnages : les nombreux mots anglais qui émaillent les descriptions de G. Perec dans *Les Choses* en sont un exemple. Cette pseudo-contamination a une portée souvent ironique.

## c) Marquage socio-culturel

• *Le lexique technique*

Dans un article fondamental sur le discours réaliste[1], Philippe Hamon a montré le rôle que jouent ces emprunts aux langages spécialisés de groupes socio-professionnels : domaines sportif, juridique, scientifique, linguistique, etc.Ils sont parmi les marqueurs les plus efficaces de l'impression référentielle : le lexique technique est en effet monosémique (à un signifiant correspond un seul signifié) et vise à la transparence, c'est-à-dire à la représentation non médiatisée du monde réel : *brocarts, damas, satins Renaissance*, et les autres noms de tissus et de dentelles qu'on trouve dans *Au bonheur des dames*, sont des opérateurs de **mimésis**.

Ces emprunts peuvent être considérés comme des écarts par rapport à une norme littéraire imaginaire et inconsciemment idéalisée : ils marquent en effet l'intrusion dans un discours de fiction d'un monde socialisé, du monde le plus en prise sur la

---

1. Ph. Hamon, *Poétique 16*, «Un discours contraint».

réalité qui soit, le moins imaginaire donc.Mais une fois encore, l'attitude énonciative de l'émetteur doit être prise en compte : comme l'écrit un critique, le lexique technique n'a pas la même fonction chez Zola et chez Apollinaire.Il est prévisible dans un monde où les personnages sont en grande partie définis et déterminés par leur milieu socio-professionnel : on retrouve là l'un des enjeux du naturalisme. L'emploi de ces mots procède d'une délégation d'énonciation faite du narrateur aux personnages, à moins que le langage des personnages n'ait contaminé celui du narrateur ; quoi qu'il en soit, ce langage n'appartient pas à l'idiolecte du narrateur, il est spectaculairement exhibé et mis à distance par celui-ci.

En revanche, dans «La Chanson du Mal-Aimé» par exemple, Apollinaire associe des termes techniques, ou mots de civilisation, il n'est pas toujours facile de distinguer les deux – comme *gin, électricité, tramways, siphons* – et des mots plus prévisibles dans un discours poétique comme *lyre, triste, mélodieux, complainte.* Il intègre ainsi un lexique technique à un énoncé marqué par la présence de traits traditionnellement poétiques – ne serait-ce que la forme versifiée –, et par cette alchimie, son œuvre devient le point de réfraction des mondes de la tradition et de la modernité enfin rassemblés. Paradoxalement, et dans la poésie de façon très marquée, l'association de termes évoquant des référents très éloignés produit un fort effet de littérarité et de poéticité, la littérature devenant le lieu où le monde se structure, trouve une unité et un sens.

Mais la réception par le lecteur de ce lexique reste aléatoire : les termes techniques ont souvent besoin de notes explicatives sans lesquelles ils sont incompréhensibles : ce sont des **asémantèmes** (c'est-à-dire des signifiants auxquels on n'attribue aucun signifié et aucun référent). Dans ce passage de *À rebours* : «[…] pots pleins de pâte d'aveline, de serkis du harem, d'émulsines du lys de kachemyr», la «compétence lexicale» du lecteur risque de trouver sa limite.Comment celui-ci «reçoit»-il un tel énoncé ? Sans contenu référentiel, l'énoncé bascule dans l'étrange, les termes hermétiques deviennent ce qu'on peut appeler des «opérateurs de poéticité». Les contraires apparents – réalisme et poésie – sont ici conduits à un point de convergence.On rencontre ici un trait quasi-constitutif de l'hyperbole, l'effet de renversement : trop de termes trop techniques métamorphosent le «réaliste» en «poétique».

• *Les niveaux de langue*

Dans l'étude de la connotation, c'est le point qui pose le plus de questions. Rappelons d'abord les principales distinctions fondées sur l'opposition «neutre» *vs* «marqué». Comme l'écrit H. Bonnard :

> Le choix d'un code ou d'un autre dépend de la condition sociale du locuteur et dans une large mesure du destinataire, ainsi que de la situation[1].

On distingue donc quatre niveaux : littéraire ou soutenu, non marqué, familier, populaire. Ainsi le mot *lit* de la langue courante, devient *couche* en langue littéraire ou soutenue, *pageot* ou *plumard* en langue populaire[2]. Pour une même réalité dénotée, on trouve, correspondant respectivement à chaque niveau, les expressions «c'en est fait de moi» / «je suis perdu» / «je suis fichu» / «je suis foutu»[3].

Des marques autres que lexicales sont aussi porteuses de connotation :

– *morphologiques* : ex. : «Et elle *vous* lui détacha un coup de sabot terrible...» (*La Mule du pape*) ; l'emploi du pronom personnel au datif dit «éthique» est un trait de langage familier, surtout dans le midi ;

– *syntaxiques* : l'antéposition de l'adjectif épithète et plus généralement les faits d'inversion sont parfois la marque d'un langage soutenu et connotent conventionnellement la «poéticité» d'un énoncé : «ils goûtaient, absorbés, de *muettes délices*» (Leconte de Lisle), etc.

Cette étude des niveaux est complexe. Nous nous contenterons d'indiquer quelques axes de réflexions, utiles pour une initiation :

• Il n'y a pas nécessairement des signifiants (lexies) de tous niveaux pour un même signifié. Certains référents ou signifiés, propres à un univers familier, suscitent plus facilement une multiplicité de lexies familières, populaires ou argotiques (*tête/tronche/binette/poire//voiture/bagnole/caisse/tire*).

---

1. H. Bonnard, *Procédés annexes d'expression*, p. 80.
2. Sans parler de l'argot ; c'est un code spécifique et comme tel il a ses propres lois.
3. Cité par Ch. Bally, *Traité de stylistique française*, Paris, Klincksieck, 1951, t. 1, p. 228.

• La distinction nette des niveaux est parfois difficile :

– *Le populaire et le familier* : «populaire» marque une appartenance sociale et même géographique, le populaire étant souvent identifié au «parisien» ; «familier» renvoie à un type particulier de situation d'énonciation, celui de la conversation : l'emploi de ce terme pose le difficile problème de l'intégration de la langue parlée dans le discours écrit[1]. «Langue parlée» est une expression à l'acception ambiguë, pouvant signifier ou «code oral» ou «langage familier» : c'est en ce dernier sens que, pour le discours littéraire, nous l'entendons. «Populaire» et «familier» ont tendance à se confondre – et les hésitations des dictionnaires en font foi : l'évolution de la langue tend à intégrer progressivement au «familier» le «populaire», qui est marqué par la création de métaphores suggestives («il est dans le pétrin», «tu n'y as vu que du bleu») dont l'écart par rapport à la «bienséance» est souvent flagrant.

– On connaît la distinction que faisaient les Anciens entre les styles *simple, tempéré et sublime*, emblématisés par la célèbre roue de Virgile : «à chaque genre correspondent des modes d'expression nécessaires, rigoureusement définis[2]». Rappelons que l'évolution de la langue est marquée dans le discours littéraire, par une perméabilité croissante entre les niveaux, illustrée par le texte emblématique de Hugo : *Réponse à un acte d'accusation* (avant le «89» de la langue, «Les mots, bien ou mal nés, vivaient parqués en castes»). Comment caractériser alors la «poéticité» du mot ? Tout lecteur identifie spontanément comme «poétiques», les mots *urne, ténèbres, firmament*. Mais l'usage de ce lexique de convention de ces mots «à vocation poétique», selon l'expression de C. Kerbrat-Orecchioni, est devenu très marginal. Des mise au point fondamentales ont été faites par J. Molino et J. Gardes-Tamine[3] ; nous ne pourrions que reproduire leurs analyses, dont nous indiquons seulement les principes : il y a une grande diversité de langages poétiques, de la poésie-populaire à la poésie-chant, en passant par la poésie-conversation. Mais le langage poétique est toujours une «langue spéciale» : «Lorsque la langue poétique se confond dans un certain domaine avec la langue courante, elle recrée ailleurs sa différence» (*op. cit.*, p. 110), par

---

1. *Cf.* Ch. Bally, *op. cit.*, p. 249.
2. Consulter l'ouvrage déjà ancien de P. Guiraud, *La Stylistique*, Paris, PUF, «Que sais-je ?», 1955, p. 16 et *sqq.*
3. *Op. cit.*, tome I, chapitre 3, «La langue de la poésie», p. 90-127.

l'usage de la forme versifiée, mais aussi par les rapprochements inattendus, la création d'une «imagerie aiguë» (R. Desnos).

Ajoutons que la linguistique structurale a mis en évidence le rôle de l'entourage co-textuel (et nous ajouterons contextuel) dans la poétisation du mot ; on rappellera ici la phrase de M. Riffaterre : «Le mot change de valeur s'il change de structure.» Ainsi, il analyse le mot *puisatier* dans le vers de Hugo : «Des *puisatiers* géants creusant au ciel des trous[1].» Ce mot est associé dans le co-texte aux mots «cerveaux», «penseurs» (sème de «connaissance»), et dans le vers à des mots ayant pour sèmes «mouvement vertical» et «grandeur» : le puisatier désigne alors une des figures de la quête métaphysique et non plus l'auteur d'une activité prosaïque.

Pour H. Meschonnic, «tout mot peut être poétique» : cotexte et contexte sont des facteurs d'homogénéité ; dans l'exemple cité, ils transforment le prosaïque au poétique.

• Pour le langage des personnages de théâtre, on doit à P.Larthomas l'emploi stylistique du terme de **parlure** [2]. Il désigne les niveaux de langue des personnages ; le terme a été parfois utilisé dans un emploi élargi pour caractériser l'idiolecte des personnages, dans le théâtre et aussi dans le roman.

• Nous n'avons jusqu'ici rien dit de l'attitude de l'émetteur qui, dans le discours littéraire, fait usage d'un niveau de langue marqué. Dans cette perspective, la définition de H. Bonnard citée plus haut mérite quelques retouches : il est certain que dans le discours littéraire, «la condition sociale du locuteur» ne joue que de façon très marginale. Mais le narrateur peut faire «comme si» : dans *Voyage au bout de la nuit*, le langage populaire et argotique du «je-fictionnel» à qui est déléguée la narration est marqué par une fonction subversive : donner la parole aux opprimés, faire dialoguer en les juxtaposant de façon polémique ce langage suggestif et choquant avec les langages conventionnellement littéraires et affirmer sa puissance littéraire et poétique. La notion d'«acte de parole» agissant sur le jugement et le comportement du récepteur, trouve ici sa pleine mesure.

• Il arrive aussi que l'énoncé soit marqué par l'hétérogénéité et la rupture, c'est-à-dire l'intrusion d'un niveau de langue

---

1. M. Riffaterre, *Essais de stylistique structurale*, Paris, Flammarion, 1971, p. 218.
2. P. Larthomas, *Le Langage dramatique*, Paris, A. Colin, 1972, p. 412-414.

non attendu : ici encore, l'acte de parole est facilement repérable. Nous voulons parler du *burlesque* qui associe à un contexte «sérieux» un niveau de langue marqué «vers le bas» – le théâtre de Giraudoux joue essentiellement de cette tension –, et de l'*héroï-comique* qui joue de l'opposition inverse. Ainsi dans le récit d'une triviale bagarre dans un café, Queneau use d'une comparaison «homérique», dans laquelle il insère un langage pseudo-scientifique dont l'origine grecque est marquée : «Tel le coléoptère attaqué par une colonne myrmidonne [...], Gabriel se secouait, s'ébrouait, s'ébattait [...].» Nous sommes dans le registre pseudo-épique : l'héroï-comique porte d'ailleurs en anglais le nom suggestif de «mock-epic».

Il nous faut à présent analyser des types d'emprunts spécifiques dans lesquels la polyphonie énonciative est manifeste et souvent exhibée.

### d) Le topos (ou «lieu»)

Le sens et l'extension de la notion de topos ont varié au cours des siècles.C'est d'abord un terme propre à la rhétorique. On désigne ainsi des éléments fixes, préfabriqués, qui deviennent peu à peu des modèles, «stéréotypes d'organisation de la réflexion[1]». Ils sont répertoriés par les manuels à usage didactique, en particulier pour la production littéraire. On observe encore que le «topos» est toujours associé à une norme : c'est un «axiome normatif[2]». Ce sont des modèles idéologiques, que la sémantique a pour tâche d'identifier. Voyons le topos dans ses deux acceptions :

• *Le topos comme modèle argumentatif*

Dans *L'Assommoir*, Zola écrit à propos du grand repas où est servie de la blanquette de veau : «On mastiquait ferme[3].» La portée de cette notation ne se comprend que si l'on voit la référence à la norme socio-culturelle : «on doit manger sans effort apparent», qui fonctionne comme argument implicite probable, menant à la conclusion : «les convives sont vulgaires» ; celle-ci est donc connotée par l'énoncé.La présence implicite de ce topos argumentatif («on doit manger sans effort apparent») montre qu'on a ici la figure appelée **enthymème**, qui est un syllogisme argumentatif toujours incomplet.Dans le discours

---

1. J. Mazaleyrat et G.Molinié, *op. cit.*, art. «Lieu».
2. F. Rastier, *op. cit.*, p. 281.
3. Nous empruntons l'analyse qui suit à F. Rastier, *op. cit.*, p. 159.

littéraire, l'étude du regard du narrateur repose en grande partie sur l'étude de ses présupposés idéologiques : nous retrouvons ici la question de la subjectivité (manifeste ou cachée), et les réinterprétations possibles.

• *Le topos comme modèle textuel*

On peut le définir comme une marque littéraire convention-nelle.

La référence à la convention signale la relation entre *topos* et *cliché* ; mais les deux termes ne sont pas synonymes : le cli-ché est une unité linguistique isolable, le topos un modèle d'organisation du discours dont le repérage est plus aléatoire ; il est aussi d'ordre connotatif, le motif sur lequel il repose ayant, outre sa dénotation propre, une valeur ajoutée. Dans le vers «Sous le pont Mirabeau coule la Seine», le motif de l'eau qui coule, au sens dénotatif facilement identifiable, est aussi dans ce poème un topos du lyrisme élégiaque, du «fugit aetas», dont l'existence est liée au seul contexte énonciatif et comme tel plus difficile à repérer. L'ensemble des «topoi» constitutifs d'un univers porte le nom de «topique». Le topos peut connoter divers ensembles : un genre (*cf.* exemple cité), un courant litté-raire historiquement daté (antithèse et topique baroque), un écrivain (les cheveux blonds comme topos de l'âme féminine de «fabrique fine» chez Stendhal), etc. Le topos peut être une marque lexicale, syntaxique, rhétorique, un «motif», etc.

Signalons que le topos peut être mis polémiquement à dis-tance : qu'on songe à la critique implicite des «méandres lamartiniens» chez Flaubert évoquant «les harpes sur les lacs, tous les chants de cygnes mourants[1]» qu'écoute Emma Bovary.

La compétence culturelle du lecteur est sollicitée lorsqu'il s'agit d'explorer toute forme de topos. Cette approche du texte met en jeu toute la «stylistique historique[2]» : l'énoncé doit être replacé dans son contexte littéraire, social, etc.

---

1. *Cf.* F. Martin-Berthet, «Sur le vocabulaire autonyme dans Madame Bovary : *félicité, passion, ivresse* et quelques autres», in *Mélanges Larthomas* (*op. cit.*, p. 309-332).
2. *Cf.* G. Molinié, *op. cit.*, p. 31 : «L'impérieuse nécessité de la stylistique historique.»

## ILLUSTRATION

L'étude de l'ouverture de *Au château d'Argol,* de J. Gracq, nous montre l'usage qu'un écrivain peut faire de la notion.

> Quoique la campagne fût chaude encore de tout le soleil de l'après-midi, Albert s'engagea sur la longue route qui conduisait à Argol. Il s'abrita à l'ombre déjà grandie des aubépines et se mit en chemin.
>
> Il voulait se donner une heure encore pour savourer l'angoisse du hasard. Il avait acheté un mois plus tôt le manoir d'Argol, ses bois, ses champs, ses dépendances, sans le visiter, sur les recommandations enthousiastes – mystérieuses plutôt – Albert se rappelait cet accent insolite, guttural de la voix qui l'avait décidé – d'un ami très cher, mais, un peu plus qu'il n'est convenable, amateur de Balzac, d'histoires de la chouannerie et aussi de romans noirs. Et, sans plus délibérer, il avait signé ce recours en grâce insensé à la chance.
>
> Il était le dernier rejeton d'une famille noble et riche, mais peu mondaine et qui, très tard et jalousement, l'avait retenu entre les murs solitaires d'un manoir écarté de la province [...].

Éd. J. Corti, 1982.

La place de l'extrait est essentielle : l'«INCIPIT» (ouverture) d'un roman est l'endroit où se circonscrit l'«horizon d'attente» du lecteur. Plusieurs pistes, parallèles, lui sont proposées ici, par la mise en œuvre de nombreux «topoi».

– *Topoi du roman initiatique* : marche sur la route ; découverte d'un lieu nouveau ; présentation du héros comme «fils de...», n'ayant donc pas une identité propre ; longues années hors du monde, de la vie (son initiation reste à accomplir), etc.

– *Topoi du récit fantastique* : lieu inconnu («sans le visiter») ; motif du château (cf. roman noir), motif de l'ombre à venir (premier paragraphe) ; ami inconnu défini par des périphrases faisant référence à la littérature fantastique («amateur de Balzac») ; métaphore («il avait signé») faisant de l'achat un pacte avec le mystère ; emploi du mot «manoir» (connotant un univers passé, donc mystérieux ; terme fréquent, dans le roman noir) ; termes «insolite», «mystérieux», «insensé», connotant conventionnellement une atmosphère d'étrangeté inquiétante, etc.

– *Topoi surréalistes* : motif surréaliste de la réalité mystérieuse, lieu de possible révélation.

– *Topoi gracquiens* qu'on retrouvera dans les romans que J. Gracq écrira après cette première œuvre. La manière dont l'écrivain justifie l'usage de ces topoi pose à nouveau la question des rapports entre ce qui est commun à tous (sociolecte, topos) et la création individuelle : «il semble décidément ratifié que l'écrivain ne puisse vaincre que sous ces signes consacrés, mais indéfiniment multipliables» (Avant-propos du *Château d'Argol* ).

### 3) *La connotation comme signe d'un engagement subjectif*

La lecture est d'abord un acte interprétatif. La représentation que le récepteur construit de l'émetteur fait partie de cet acte : repérer les marques de l'engagement subjectif propre à l'émetteur est nécessaire à l'établissement du sens et de la dimension littéraire (l'engagement subjectif et les genres ont ainsi partie liée) du texte étudié. Il ne serait pas absurde de soutenir que tout énoncé produit par un émetteur est subjectif, que chaque composante de cet énoncé est chargée d'une valeur ajoutée par la subjectivité. On peut toutefois identifier les points d'ancrage d'une subjectivité dont nous définirons ensuite les formes. Nous commencerons par définir l'extension d'une notion qui croise la connotation, sans se confondre avec elle : la modalisation, productrice de modalités différentes.

### a) Modalisation et modalités

La notion de modalité, utilisée dans des sens et avec des extensions très variables, recouvre au moins deux grands ensembles :

• *Les modalités d'énonciation*

Elles constituent un acte de langage spécifique, ayant une réalisation linguistique elle aussi spécifique, par lequel le sujet de l'énonciation met en place un certain mode de communication. Il existe quatre modalités (ou types) de phrases : *assertive* (le sujet constate)/*interrogative* (le sujet demande une information)/*jussive* (le sujet ordonne)/*exclamative* (le sujet manifeste son affectivité).

• *Les modalités d'énoncé*

On les définit comme le «processus (nous ajoutons «logique») par lequel le sujet de l'énonciation manifeste son attitude à l'égard de son énoncé [1]». Plus précisément, pour qu'un énoncé soit modalisé, il faut, d'une part une posture spécifique du sujet de l'énonciation qui engage sa présence subjective et d'autre part la présence de marqueurs repérables, aux réalisations linguistiques de tous ordres, qui montrent que le **sujet de l'énonciation renforce, nuance, ou rectifie son propos**[2].

---

1. M. Arrivé *et al.*, *op. cit.*, p. 389.
2. Nous empruntons ces termes à la *Syntaxe du français*, d'O. Soutet, Paris, PUF, «Que sais-je ?», 1989, p. 122.

Pour certains, c'est donc seulement la valeur de vérité de l'énoncé qui peut ainsi être modalisée, retouchée. Deux modalités logiques sont alors possibles :

– **modalité aléthique** (*aletheia* = la vérité) : c'est une sorte de degré zéro de la modalisation, qui définit la vérité logique d'une proposition, c'est-à-dire ce qui doit ou peut logiquement être, ce qui est logiquement *possible/impossible/nécessaire/contingent* : «il faut qu'une porte soit ouverte ou fermée»/ «l'eau bout à cent degrés»/«sublime, forcément sublime».

– **modalité épistémique** (*épistémé* = le savoir) : le sujet évalue, à partir de ses connaissances, le degré de certitude qu'il attribue à ce qu'il énonce (*certain/incertain/probable/improbable*) ; en évaluant si la proposition qu'il est en train de faire appartient ou non à son «univers de croyance [1]», il lui assigne une valeur plus ou moins grande de vérité, «peut-être qu'il pleut» ; «il me semble qu'il pleut». Les modalités d'énonciation assertive et interrogative sont l'une des réalisations linguistiques de l'épistémique : asserter, c'est assigner valeur de vérité à l'énoncé (*Il pleut*) ; interroger, c'est suspendre la valeur de vérité (*Pleut-il ?*). Mais l'énonciateur peut aussi avoir recours à des marques lexicales (les nodalisateurs) :

– verbes : *savoir, croire, prétendre,* et auxiliaires dits modaux : *devoir* (il doit être midi), *pouvoir* (il se peut que), etc. ;

– substantifs et adjectifs : *une espèce de, une apparence de, soi-disant,* etc. ;

– adverbes et compléments circonstanciels, qui peuvent porter sur l'énoncé (*sans doute, peut-être, à l'évidence*) ou sur l'acte d'énonciation même (*franchement,* comme dans «franchement, votre argent m'intéresse», publicité d'une banque, *sincèrement, à vrai dire, entre nous, si j'ose dire,* etc.).

Mais la notion de modalité a été étendue à d'autres postures du sujet de l'énonciation, qui peut indiquer :

– ce qu'il juge *obligatoire/interdit/permis/facultatif* de faire, en référence à une norme implicite ; on parle de **modalité déontique** (*ta deonta* = ce qu'il faut) : «vous devez/il faut arriver à l'heure», «il est interdit de se pencher à la fenêtre». On voit le lien logique avec la modalité jussive, qui est l'une des réalisations linguistiques possibles du déontique ;

– ce qu'il affecte d'un jugement en termes de bon/mauvais (norme morale), beau/laid (norme esthétique), intelligent/bête

---

1. R. Martin, *op. cit.*, p. 36-38.

(norme intellectuelle), etc. C'est la **modalité appréciative**, qui est corrélative de la précédente : «*intelligemment*, il n'a pas attendu longtemps», «il a *trop* bu», «il n'est pas *assez* attentif» ; les adverbes d'intensité sont des modalisateurs qui entrent souvent dans ce cadre ;

– ce qu'il trouve agréable/désagréable (**modalité affective**) : l'énoncé est modalisé par les interjections (*ah ! hélas !*), par certains adverbes de phrase. La modalité exclamative est l'une des réalisations linguistiques de ce mouvement subjectif. L'affectif et l'appréciatif ont bien sûr partie liée :

> *Malheureusement*, si les yeux sont quelquefois l'organe où se révèle l'intelligence, le nez [...] est généralement l'organe où s'étale le plus aisément la bêtise.

Avec l'adverbe, Proust associe dans ce portrait de M. de Cambremer un jugement dépréciatif et une réaction affective de (pseudo-) regret, qui est ici une touche ironique.

Pour que la notion de modalité garde une cohésion et une cohérence, il paraît nécessaire de ne pas considérer comme modalisés des énoncés tels que «tu as de beaux yeux» (appréciation) ou «ce film est une horreur» (appréciation + affectivité), **où n'intervient aucune modification, nuance, ajout.** Toutes les réalisations linguistiques des jugements et des réactions affectives ne constituent pas des modalités d'énoncé. En revanche, elles apportent autant de «valeurs ajoutées» au sens dénotatif des composantes de l'énoncé, et peuvent donc être saisies en termes de connotations.

## b) Connotation et subjectivité

La connotation est partiellement superposée à la modalisation. La valeur ajoutée qu'apporte la connotation peut être appréhendée selon deux axes principaux.

### • *Connotation axiologique*

Elle correspond à un jugement de valeur : jugement valorisant – *laudatif* –, ou dévalorisant – *péjoratif*. Les énoncés affectés d'une modalisation déontique et surtout appréciative sont très généralement porteurs de connotations axiologiques. Mais les marqueurs axiologiques sont beaucoup plus nombreux que les stricts modalisateurs. Les principaux marqueurs sont :

– substantifs : *un imbécile, la beauté, la ruse*, etc ;

– adjectifs et adverbes : *intelligent, grossier, énergique (ment), lâche(ment)*, etc. ;
– verbes : *puer, se vanter, secourir* [1], etc.

Les modalisateurs d'intensité sont souvent des opérateurs de jugement axiologique, jugement généralement négatif quand ils comportent les sèmes «excès» ou «défaut, manque» : *trop peu, s'empiffrer* ; certains suffixes intensifs ou atténuatifs marquent un engagement subjectif du même ordre : *rimailler, parloter, jaunasse, noirâtre, richard*, etc.

Les emprunts sont aussi fréquemment porteurs de ces mêmes connotations : idéalisation du référent par l'archaïsme, associations entre les niveaux de langue et un jugement de valeur («maison» *vs* «bicoque», «voiture» *vs* «bagnole», «tête» *vs* «tronche», «lit» *vs* «couche» …).

Mais n'importe quelle lexie, aussi apparemment «objective» soit-elle, peut désigner un référent chargé de connotations axiologiques : pensons aux connotations des caractérisants en principe objectifs, adjectifs de couleur ou de forme par exemple, et à leur rôle dans les portraits[2].

Porter un jugement de valeur peut s'accompagner d'un engagement affectif, où s'exprime le «je» de l'énonciation dans sa sphère subjective la plus intime.

• *Connotation affective*

Elle correspond à «l'engagement émotionnel de l'énonciateur dans l'énoncé[3]», à sa réaction vis-à-vis d'une situation vécue comme agréable ou désagréable : le mouvement affectif va de l'**euphorique** au **dysphorique**. Modalité énonciative (l'exclamation) et modalisateurs d'énoncé (interjections…) sont des marqueurs importants. D'autres marqueurs sont repérables :

– morphologiques : suffixes (*sœurette, sautiller*) ;
– lexicaux : substantifs *terreur, ravissement* ; adjectifs *drôle, pathétique* ; verbes de sentiment *détester, craindre*, etc. ;
– syntaxiques : antéposition de l'adjectif («Mais *le vert paradis* des amours enfantines») ;
– rhétoriques : les figures qui mettent en scène une posture particulière du «je».

---

1. *Cf.* C. Kerbrat-Orecchioni, *op. cit.*, p. 73, 84 et 107-109.
2. Voir *infra*, chap. 6 sur la caractérisation.
3. C. Kerbrat-Orecchioni, *op. cit.*, p. 106.

Comme on peut s'en douter, c'est dans les énoncés lyriques que s'exprime surtout ce «langage des passions». L'une des entrées possibles pour l'étude des diverses formes lyriques – marquées par la présence de la subjectivité énonciative – est le traitement des connotations affectives ; le pathétique se caractérise par exemple par des marqueurs dysphoriques hyperboliques, comme la multiplication des interrogations oratoires dans cette tirade de *Phèdre* :

> Que fais-je ? Où ma raison se va-t-elle égarer ?
> [...] Misérable ! et je vis ? et je soutiens la vue
> De ce sacré soleil dont je suis descendue ?

Dans l'élégiaque au contraire, il y a estompage, atténuation, de ces marqueurs.

Pour synthétiser tout ce qui vient d'être dit : *le champ sémantique* d'une lexie est composé de :

– son *sens dénotatif* (étudié souvent par comparaison) ;

– son *sens connotatif* : le mot relève-t-il d'un sociolecte particulier ?, le mot traduit-il un engagement subjectif ?

Voyons à présent l'application de ces procédures à l'étude stylistique d'un énoncé-texte spécifique.

# 2. Le mot dans le texte : vers la stylistique

## A. *Le mot et ses associations sémantiques*

### 1) *Associations internes*

#### a) La polysémie

• *La syllepse sémantique*

C'est l'emploi d'un terme unique en un double sens. La poésie de Valéry est riche en syllepses, qui sont souvent associées à une figure étymologique : le terme est porteur de son sens actuel et de son sens étymologique, généralement plus concret :

«Tu penches, grand platane, et *te proposes* nu.»

Outre le sens actuel (être prêt à répondre à une demande de

service), le verbe retrouve le sens de *proponere* : «se placer devant».

La poésie moderne, qui exploite toutes les virtualités signifiantes du mot, use largement de la polysémie et de la syllepse. Citons F. Ponge, qui à la fin du poème «Le Pain», écrit : «Mais, *brisons-la* ; car le pain doit être dans notre bouche moins objet de respect que de consommation» («brisons-la» = brisons la miche de pain/achevons).

De même, dans le poème «La Mousse» : «Tout au monde pris dans un embarras inextricable et *bouclé* là-dessous, s'affole, trépigne, étouffe» («bouclé» = frisé/emprisonné).

La poésie substitue à une logique argumentative une logique associative.

• *Les énoncés ambigus et la double entente*

Au théâtre, l'exploitation du double sens est à la source du **quiproquo**. Prenons celui qui se trouve dans la scène de *L'École des femmes* où Agnès croit qu'Arnolphe désire lui faire épouser Horace, alors qu'il veut l'épouser lui-même. Le quiproquo a pour origine le double sens de la construction «marier quelqu'un» («donner en mariage» et «épouser») : «Et pour vous marier, on me revoit ici», dit Arnolphe. Molière exploite avec virtuosité ce double sens dans les répliques qui suivent [1].

Le cadre de la double entente dépasse les dimensions du seul mot, une phrase entière, par exemple, peut être ambiguë : «Je ne suis pas plus indiscret que je ne suis curieux», dit Fantasio, personnage éponyme de la pièce de Musset. Il n'est pas étonnant que la pragmatique, qui étudie les actes de parole et les procédures de réinterprétation, se soit intéressée aux manœuvres stratégiques de la parole ambiguë.

## b) Les associations connotatives

Chacun a en mémoire les pages où le narrateur de *La Recherche* se livre à une rêverie poétique sur les noms de quelques villes : entrent en jeu la symbolique toute personnelle des sonorités (par exemple Coutances : «sa diphtongue [*sic*] finale, grasse et jaunissante» etc.), et les associations en elles-mêmes illimitées que le nom propre provoque dans l'imaginai-

---

1. Quiproquo analysé dans les *Commentaires stylistiques*, de J.-L. de Boissieu et A.-M. Garagnon, Paris, SEDES, 1987, p. 46-55.

re du narrateur (le nom de «Parme» évoque pour lui la «douceur stendhalienne et le reflet des violettes»).

Mais la position du «récepteur stylistique» est différente : la richesse connotative qu'il prête à une lexie est repérable par l'étude du système sémantique qui compose l'idiolecte de l'émetteur (le mot emprunté à l'italien chez Stendhal, le mot «fade» chez Verlaine, le mot «pur» chez Valéry). C'est parfois la dimension symbolique individuelle ou collective du référent qui est engagée : qu'on pense au pouvoir connotatif des motifs de l'eau, du pain, de la blancheur, etc. En étudiant certains référents-signes, nous sommes à la frontière entre stylistique et sémiologie. La signification symbolique de tels référents peut être appréhendée en dehors de tout support linguistique : le philosophe – et philologue – Gaston Bachelard étudie ainsi les grands archétypes de l'imaginaire humain, de ce qu'en termes jungiens on appelle l'inconscient collectif ; sa réflexion porte essentiellement sur les quatre éléments. Dans une perspective sociologique, on peut étudier les mythes d'une époque à travers certains objets-signes de la modernité. C'est l'entreprise de R. Barthes dans *Mythologies* : par des réflexions sur le bifteck-frites, sur le jouet français, sur le Guide Bleu, etc., il détecte l'idéologie d'une époque. Dans un énoncé littéraire, enfin, on peut repérer les référents qui ont pour l'auteur une telle charge affective, esthétique, spirituelle, qu'ils deviennent des révélateurs : J.-P. Richard étudie ces «objets herméneutiques» chez Proust.

## 2) *Associations externes*

### a) Le particulier et le général : hyponymes et hyperonymes

• L'emploi d'hyponymes traduit, suivant le type d'énoncés, ou une recherche du détail, du petit fait pittoresque et/ou significatif, ou un raffinement analytique, dont la portée est amplifiée quand il y a multiplication, accumulation, ou enfin un désir d'exhaustivité ; qu'on songe à la description de la pièce montée servie au mariage d'Emma Bovary, ou à tel caractère de La Bruyère, Phédon par exemple :

> […] Il est complaisant, flatteur, empressé, il est mystérieux sur ses affaires, quelquefois menteur ; il est superstitieux, scrupuleux, timide […]. Il est pauvre.

Les «portraits», les «caractères» du XVIIe siècle, les portraits à fondement physiognomonique de Balzac, tous ces discours font apparaître les mêmes expansions caractérisantes, détaillées souvent sous forme d'énumérations. La tension entre le particulier et le général est dans ce type d'énoncé très grande, puisque les personnages décrits dans leur individualité la plus spécifique sont en fait des incarnations de types généraux, procédé fréquent chez les moralistes ; dans la *Peau de Chagrin*, le père de Raphaël est ainsi décrit : «un grand homme sec et mince, le visage en lame de couteau, le teint pâle, à parole brève, taquin comme une vieille fille, méticuleux comme un chef de bureau». Au thème «grand homme» sont associées six expansions caractérisantes. Ces caractérisants sont homogènes : dans la typologie balzacienne, le mince, le desséché et le stérile, l'absence de toute expansion sont l'incarnation du monomane. Le pittoresque descriptif (variété des procédés) est ici soumis à un enjeu didactique.

• Il arrive que le particulier embraye explicitement sur le général : le tour inclusif «un de ces-» qui met en relation hyponyme et hyperonyme en est une marque privilégiée («C'était *une de ces coiffures* d'ordre composite...», phrase qui ouvre la description de la casquette de Charles Bovary), ainsi que la relation avec un terme générique précédé de l'article défini, générique aussi («[les faits qui] me laissèrent longtemps dans la naïveté primitive du *jeune homme*», dans *La Peau de Chagrin*). Ce mode de présentation de l'objet est caractéristique des énoncés descriptifs didactiques, où un objet particulier est rattaché à une classe, un genre connu de tous.Il est fréquent chez les romanciers dits réalistes du XIXe siècle, ainsi que chez Proust.

• S'opposant à cette expression du particulier et de l'individuel, l'emploi d'hyperonymes dénote la recherche d'une stylisation, ou d'une tension vers l'abstraction, aux effets contextuellement identifiables : dans son poème *Le rossignol*, Verlaine ne parle que de «l'oiseau» et de «l'arbre», emblématiquement associés dans le dernier vers : «L'arbre qui frissonne et l'oiseau qui pleure», procédé qui contribue à donner au texte une portée symbolique anti-descriptive.

D'autre part, quand l'argumentation du discours moralisant ne repose pas sur le choix d'exemples précis et révélateurs, elle peut être bâtie sur l'emploi de termes généraux (et abstraits). Voici le début de la tirade où Alceste énonce sa vision du monde des hommes, répondant à Philinte qui lui demande si sa haine du genre humain ne souffre pas d'exception :

> Non, elle est générale, et je hais tous les hommes,
> *Les uns parce qu'ils sont méchants et malfaisants,*
> Et les autres pour être aux méchants complaisants,
> Et n'avoir pas pour eux ces haines vigoureuses
> Que doit donner le vice aux âmes vertueuses.

La visée du discours est surtout marquée par l'emploi et la répétition de termes généraux («homme», «haine», «vice», «méchant», «âme») associés au pluriel d'extension maximum (*cf.* article défini).

## b) L'identique et le différent

L'analyse comparée de *lévrier* et *setter*, *savoir* et *connaître*, *joli* et *beau*, par exemple, fait apparaître les traits communs et les traits différents de ces couples de mots. La pertinence stylistique de cette étude apparaît dans deux cas importants :

• *(Para)synonymes*

Très généralement, l'emploi de synonymes traduit une tension dans l'énoncé entre répétition et variation qui peut être étudiée selon des axes différents.

La combinaison de synonymes exprime un souci d'extrême précision descriptive ou analytique. La minutie de l'analyse ou de l'auto-analyse des sentiments, qui définit l'univers de *La Princesse de Clèves*, trouve là un de ses principaux fondements stylistiques ; M. de Clèves vient de s'apercevoir que celle qu'il va épouser n'éprouve pas d'amour pour lui ; voici ce que dit le texte :

> M. de Clèves se trouvait *heureux* sans être néanmoins entièrement *content,*

d'où ses paroles :

> Vous n'avez ni *impatience,* ni *inquiétude,* ni *chagrin* […]. Je ne touche ni votre *inclination,* ni votre *cœur.*

La mise en relation de ces signes infère un langage amoureux codé, avec ses hiérarchies («heureux», «content»), et sa subtilité[1].

---

1. Procédé qui connaîtra une faveur extraordinaire au début du XVIIIᵉ siècle et dans les comédies de Marivaux : distinction *inconstant/infidèle, souhaiter/espérer,* etc. Cf. F. Deloffre, *Une préciosité nouvelle. Marivaux et le marivaudage,* Paris, Les Belles Lettres, 1955.

Cet effet de «creusement» de la réalité décrite prend parfois la forme d'une **métabole** (accumulation de plusieurs synonymes pour donner plus de force à l'expression) : «[La mort] laisse [l'homme] seul *sans force, sans appui, sans ressource*» (Massillon), ou d'une **gradation** : Proust attribue à Mme de Cambremer un «tic» stylistique qu'il appelle le «diminuendo», et qui porte le nom de gradation descendante ; elle écrit du narrateur qu'elle serait «ravie-heureuse-contente» qu'il vienne dîner avec elle. Dans cet usage humoristique de la gradation, notons au passage le renversement de la hiérarchie *heureux-content*, de Mme de La Fayette à Proust…

La synonymie étendue peut atteindre la dimension d'une **paraphrase** qu'on peut, dans une perspective rhétorique, définir comme une «addition de renseignements secondaires qui constituent comme autant de commentaires à l'égard de l'information centrale[1]». Dans la version en prose de «L'invitation au voyage», Baudelaire développe paraphrastiquement, par une série de relatives, le motif du bonheur :

> Un vrai pays de Cocagne où tout est beau, riche, tranquille, honnête ; où le luxe a plaisir de se mirer dans l'ordre ; où la vie est grasse et douce à respirer ; […] où tout vous ressemble, mon cher ange.

Enfin, quand elle n'est pas bâtie sur une combinaison, la relation synonymique est bâtie sur une substitution : substitution lexicale, ou périphrase (dite aussi description définie). Quand, dans «Le chêne et le roseau», La Fontaine écrit : «L'*arbre* tient bon, le roseau plie», l'effet d'antithèse est renforcé par la substitution de l'hyperonyme *arbre* à *chêne*, grâce à laquelle les sèmes de «force» et de «solidité» sont plus nettement actualisés. Quant à la périphrase, elle exprime un choix encore plus manifeste de sèmes qu'on veut isoler et imprimer dans le discours ; outre la célèbre opposition «Paris»/«capitale de la France», citons, dans cet extrait de Barbey d'Aurevilly, les dénominations successives du receveur des finances qui est aussi grand cuisinier : «ce maître queux de génie poussé en pleines finances», «ce haut personnage dînatoire», où la force ironique de la périphrase est accrue par un néologisme de sens à effet de jeu de mots sur l'adjectif *dînatoire*, qui ne signifie plus – en principe – «abondant comme un dîner» mais «qui donne des dîners abondants» ; le financier a disparu du texte, reste l'orgueilleux cuisinier.

---

1. G. Molinié, *op. cit.*, p. 87.

Substitutions lexicales et périphrases correspondent toujours à des attitudes énonciatives marquées, et à des investissements subjectifs d'ordre connotatif dont la seule dénotation ne suffit pas à rendre compte. Dans le texte de Barbey, par exemple, nous avons mis en relation l'usage des périphrases et le regard critique du narrateur.

L'étude de la synonymie déborde de beaucoup le cadre du mot : la linguistique de l'énonciation s'est intéressée à ces phénomènes de «paraphrase pragmatique[1]». Hors contexte, les phrases «il y a des courants d'air», «il fait froid», «j'ai oublié ma veste» ont des significations différentes ; mais dans un contexte donné, on peut être amené à les réinterpréter et à leur donner à toutes, le sens de «ferme la fenêtre» ; c'est ce qu'on appelle la réinterprétation illocutoire[2].

• *Antonymes*

Nous entendons ce terme dans son extension la plus large. Peuvent être dits antonymes les termes contraires, qui s'excluent toujours (*vivant* vs *mort*), les termes dits d'opposition polaire entre lesquels existent des intermédiaires (*froid* vs *chaud*), etc.[3]. La mise en relation d'antonymes suscite la représentation d'un référent aux caractères contrastés, fait de composantes opposées. Cet extrait du portrait fait par St-Simon de la princesse Palatine montre la complexité et l'hétérogénéité du personnage décrit :

> [...] *noble* et *grande* en toutes ses manières, et *petite* au dernier point sur tout ce qui regardait ce qui lui était dû.

L'analyse de tous ces traits sémiques permet une approche précise de certaines esthétiques ou courants littéraires, aussi bien qu'une entrée dans le style d'un auteur. «L'hypertrophie du détail vrai», selon le mot de Zola, implique l'accumulation d'hyponymes et caractérise ainsi le mouvement réaliste du XIXe siècle ; chez un auteur comme Saint-Simon, l'usage récurrent d'antonymes est une des marques de sa modernité, puisque, selon E. Auerbach, il suscite la représentation «d'êtres dégagés de l'harmonisation traditionnelle[4].»

---

1. *Cf.* C. Kerbrat-Orecchioni, *L'Énonciation*, p. 190.
2. Voir *supra,* chap. I, p. 20.
3. *Cf.* J. Gardes-Tamine, *La Grammaire*, Paris, A. Colin, 1988, t. I, p. 108.
4. E. Auerbach, *Mimesis,* Paris, Gallimard, coll. «Tel», 1968, p. 422.

# B. Emprunts et polyphonie énonciative

Nous nous intéressons aux cas où le narrateur veut amener le lecteur à percevoir que des fragments de l'énoncé n'appartiennent pas au tissu du texte mais qu'ils sont empruntés à une instance énonciative autre. On a affaire à un discours cité, qu'on soit en situation de récit ou en situation de discours, et à un effet de polyphonie.

## 1) L'autonymie et la connotation autonymique

### a) Autonymie

Un mot est employé «en usage» (il a un signifié et un référent) ou «en mention». Dans ce dernier cas, le mot se désigne lui-même, il est dit autonyme. Par exemple : «*ange* est un mot fréquent chez Balzac». «Par le mot *par* commence donc ce texte» (F. Ponge) : le premier «par» est employé en usage, le second en mention. Souvent, mais ce n'est pas obligatoire, les mots employés comme autonymes sont détachés par des guillemets ou des italiques (voir plus loin).

### b) Connotation autonymique

Restent les exemples dans lesquels se combinent usage et mention. Dans la phrase : «Il a acheté une "gentilhommière"», ce dernier substantif a pour fonction de désigner un type de maison (sens dénotatif, emploi en usage), mais aussi de se désigner lui-même (emploi en mention) : le lecteur identifie le mot comme appartenant à l'idiolecte du personnage évoqué (et perçoit la connotation dévalorisante qui lui est implicitement associée). Le narrateur cite son personnage et prend ses distances par rapport à lui. C'est la présence d'un emploi du mot en mention, «valeur ajoutée» à l'emploi en usage, qui est la marque de sa «connotation autonymique». La présence de modalisateurs, marques d'une assertion seconde et d'une distance, est nécessaire à l'identification de cette connotation : si les guillemets n'étaient pas utilisés, seul le sens dénotatif du mot serait perçu. À l'oral, on peut faire précéder l'ensemble connoté d'une pause ou l'affecter d'une intonation spéciale.

Les principaux modalisateurs, outre les guillemets et l'italique, sont des commentaires métalinguistiques (faits à propos de la langue), du type «comme on dit», «comme disait Untel», «selon l'expression de», «littéralement», «c'est le mot», «si je puis dire», etc.[1]. Dans la phrase suivante de Flaubert, les marques de modalisation sont redondantes : «Mlle Rouault, élevée au couvent, avait reçu, comme on dit, *une belle éducation*.»

En résumé,
autonymie = emploi du mot en mention
connotation autonymique = usage + mention

## 2) *Les guillemets et les italiques*

Certains écrivains les ont multipliés –Chateaubriand, Stendhal, Flaubert, Proust, Ponge, Gracq, etc. Ils signalent toujours la présence d'une connotation autonymique mais ils correspondent à deux postures énonciatives opposées :

– Le discours cité est présenté comme «paroles tenues à distance[2]» : la marque typographique est alors l'équivalent du «point d'ironie» dont parle Proust.Il semble que traditionnellement, cette fonction soit plutôt dévolue aux guillemets : «Je mets entre *guillemets* comme pour mettre en *accusation* […]», écrit Valéry dans ses *Cahiers*. Un autre critique parle aussi de «petites digues contre la bêtise[3]». Le narrateur ne prend pas à son compte l'énonciation de ces lexies qu'il délègue à une instance autre. Dans le roman traditionnel, c'est cette visée axiologique qui est la plus fréquente.

– Le narrateur revendique l'énonciation du discours cité. L'instance énonciative première se dédouble. L'italique est généralement utilisé, et signale que toutes les virtualités sémiques sont pleinement actualisées comme par exemple dans l'appel au sens étymologique : «sous un *firmament* (à proprement parler) de nacre, les cieux d'en-dessus s'affaissent sur les cieux d'en dessous» («L'Huître», de F. Ponge). Un tel dédoublement est fréquent en poésie et producteur de syllepse ; le mot est à lire «littéralement et dans tous les sens».

Nous allons préciser la notion de *paroles tenues à distance* par l'analyse de séquences où le discours premier est coupé par un discours second.

---

1  Pour une liste plus complète, voir J. Rey-Debove, *Le Métalangage*, Paris, Robert, 1978, p. 254-256.
2.  Formule de J. Authier citée par R. Martin, *op. cit.*, p. 96.
3.  A. Compagnon, *La Seconde Main*, Paris, Seuil, 1979, p. 41.

### 3) *Fragments de discours rapporté*

L'émetteur premier de ce discours est, non le narrateur, mais un personnage ; très généralement, guillemets ou italiques accompagnent la citation :

> Mme Benzoni s'est vantée d'avoir causé le matin avec un français qui me connaissait *beaucoup* [...].Je ne sais pas comment on me connaît *beaucoup*.

Chateaubriand, *Mémoires d'outre-tombe.*

Le commentaire apporté par la seconde phrase rend explicite la mise à distance impliquée par les italiques.

Mais quand il n'y a aucune marque de modalisation, la distinction entre les voix est beaucoup plus aléatoire. La voix du narrateur semble contaminée par celle du personnage, on a un effet de brouillage. Aragon fait de ce procédé un usage systématique dans *Aurélien*, et cela dès l'incipit :

> La première fois qu'Aurélien vit Bérénice, il la trouva *franchement laide*. Elle lui déplut, enfin. Il n'aima pas *comment elle était habillée*.

(C'est nous qui mettons en italiques.)

L'association d'un adverbe d'énonciation («enfin») et d'une parlure familière signale cette contamination. Stendhal pratique lui aussi ces ruptures de niveaux de langue qui sont des signaux de polyphonie.

### 4) *Le cliché*

Il emprunte, non pas au discours spécifique d'un individu, mais au «on-dit», au «chœur social»[1], au «déjà dit»[2]. C'est donc un sociolecte particulier. La manière commune de s'exprimer est souvent la marque de la «doxa», d'une manière commune de penser, et donc d'une idéologie. Le cliché se définit comme association de lexies prévisible et conventionnelle, liée à l'usage : on parle aussi de collocation. C'est une «unité linguistique, analogue à un mot composé[3]». On le trouve par exemple dans les adjectifs de caractérisation (ex. «décision ferme et

---

1. R. Amossy et E. Rosen, *Les Discours du cliché*, Paris, SEDES-CDU, 1982, p. 67.
2. A. Compagnon, *op. cit.*, Paris, Seuil, 1979, p. 9.
3. M. Riffaterre, «Le cliché dans la prose littéraire», in *Essais de stylistique structurale*, Paris, Flammarion, 1971, p. 162.

définitive», «répression sanglante», «liaison tapageuse», etc.), dans les images, comparaisons à valeur d'intensité («fort comme un Turc», «rouge comme un coq», etc.) ou métaphores (discours du conseiller dans *Madame Bovary*, sur le roi «qui dirige... le char de l'État parmi les périls incessants d'une mer orageuse...»). Le cliché est un phénomène purement verbal, isolable dans le discours.

Les italiques marquant le cliché ponctuent ainsi le texte de Stendhal, en discours comme en récit et induisent toujours la mise à distance ironique d'un langage (et d'une idéologie) de convention : «Il faisait assez peu de cas de la société qui s'appelle *bonne*» (*Lucien Leuwen*).

Mais certains écrivains réactualisent les clichés surtout métaphoriques et retrouvent le sens premier. Les surréalistes ont ainsi puisé dans le stock des images lexicalisées, devenues cliché («le manteau de la neige», «la ronde des saisons», etc.) et leur ont redonné leur plein pouvoir sémantique. J.-P. Richard étudie l'expression «à tombeau ouvert» utilisée avec italiques, dans *Le Rivage des Syrtes* et montre que le lecteur «doit prendre le mot au mot» et se représenter un tombeau ouvert, ce qui confère au mot «une plus-value énergétique, un gain de sens[1]». Le langage le plus commun devient l'outil d'une révélation.

## 5) *L'intertextualité*

C. Kerbrat-Orecchioni[2] la définit comme «le jeu des renvois allusifs d'un texte à un énoncé antérieur». Cette notion a été très (trop) largement utilisée par certains stylisticiens d'inspiration structuraliste : tout énoncé littéraire tendait à ne plus être que la réécriture de textes antérieurs ; Montaigne disait déjà : «nous ne faisons que nous entregloser». Utilisée avec mesure, la notion est d'une grande utilité.

Nous mettons en évidence ici un seul enjeu de la notion : la manière dont le repérage de la référence à un texte antérieur guide la démarche interprétative. On connaît la fréquence des emprunts dans la poésie d'Aragon :

---

1. J.-P. Richard, *Microlectures*, Paris, Seuil, 1979, p. 278-279.
2. *Op. cit.*, p. 130.

> Nous nous grisons d'alcools amers
>                         Ô saisons
> Du langage, ô conjugaison
>                         des éphémères
> [...] Serait-ce la fin de ce vieux monde brumaire.

On note la référence à Rimbaud («Ô saisons, ô châteaux»), et surtout à Apollinaire (disposition rappelant les calligrammes ; citation de *Alcools* et de son premier vers, légèrement transposé : «À la fin tu es las de ce monde ancien»). Or, aucune marque explicite n'isole dans le texte ces fragments ou ces détournements de citations. La compétence culturelle du lecteur est fortement sollicitée. Que lui disent ces emprunts non marqués ? Que nous sommes faits de souvenirs culturels, de tout un passé littéraire ; que le travail de création est fondé sur l'imprégnation des modèles et l'assimilation personnelle du sociolecte à l'idiolecte. Dans cet «art poétique» montré en acte, Aragon réactualise la doctrine de l'«innutrition», avec d'autant plus de force que l'intertexte est totalement intégré au «texte» : il en forme le tissu. En revanche dans les textes de Montaigne, Chateaubriand, etc., les citations forment des fragments détachables et ont un autre usage.

## C. Le mot et la répétition

C'est le linguiste allemand Leo Spitzer qui a donné ses bases méthodologiques à cette démarche, *a priori* intuitive.

### 1) Spitzer et le «cercle herméneutique»

Rappelons en quelques mots les principes qui doivent, selon Spitzer, guider la lecture : il faut lire et relire l'ouvrage jusqu'à ce qu'apparaisse «un détail de style constant[1]», sur lequel l'attention va se focaliser, puisque ce détail constant «doit correspondre à un élément de l'âme de l'œuvre et de l'écrivain». Le repérage et l'analyse du détail doivent permettre au lecteur d'atteindre par cercles concentriques (*cf.* le «cercle herméneutique») l'«étymon spirituel» de l'œuvre. C'est ainsi qu'il étudie dans Marivaux «la fréquence de termes tels que *cœur* et *âme* employés dans des sens très proches de courage, valeur, vertu, etc.» (*op. cit.*, p. 370) ; il remarque qu'ils sont associés au motif de la «bonne naissance», et conclut à la «croyance marivau-

---

1. L. Spitzer, *Études de style*, Paris, Gallimard, coll. «Tel», 1970, p. 370.

dienne au génie inné, triomphant des vicissitudes de la vie» (p. 381). La lecture spitzérienne est un va et vient constant entre le détail et le «centre vital interne» de l'œuvre (d'où la métaphore du cercle).

Le détail signifiant est d'autant plus facile à repérer qu'il y a écart stylistique par rapport à la norme, donc première connotation.Rimbaud utilise plusieurs fois la construction archaïque *rêver* + COD. Dans chaque occurrence, les compléments d'objet direct ont pour sèmes communs l'inouï, le monstrueux :

> *Il rêvait la prairie amoureuse* [...]
>
> *J'ai rêvé la nuit verte aux neiges éblouies.*
>
> Et nous existerons... *en rêvant amours monstres et univers fantastiques.*

De plus, dans la deuxième occurrence (« Le Bateau ivre»), la construction de ce verbe est mise en parallèle anaphorique avec *savoir* + COD («*Je sais* les cieux crevant...») et *voir* + COD («J'*ai vu* le soleil bas, taché d'horreurs mystiques»).

Le verbe, dans sa construction transitive directe, évoque la relation immédiate que l'homme établit avec l'inconnu, l'au-delà du réel ; cela définit indirectement l'activité du poète-voyant. Rimbaud réactualise un effet de sens de la construction propre à la langue classique : «créer par l'imagination», – ainsi dans l'expression «rêver un poème» – en le chargeant de connotations personnelles que la répétition et le co-texte («Le Bateau ivre») permettent d'identifier.

Les limites de ce type de recherche sont aisément repérables : même si la répétition du mot offre une garantie «quantitative», la démarche est très intuitive ; Spitzer dit lui-même que les «impressions» de lecture «résultent du talent, de l'expérience et de la foi» (p. 67).

## 2) *Mots thèmes et mots clés*

Cette approche est *a priori* plus rigoureuse, puisqu'elle repose sur le repérage de la fréquence de mots dans une œuvre : fréquence absolue, mots thèmes (les mots les plus fréquemment utilisés) ; fréquence relative, mots clés (les mots du texte dont la fréquence présente un écart maximal avec leur fréquence normale).

La démarche quantitative de la statistique lexicale a été critiquée. Nous reprendrons deux arguments : est-ce le leitmotiv (c'est-à-dire le mot thème) qui est le plus révélateur ? Faut-il dans l'énoncé littéraire ainsi isoler un élément, au risque de méconnaître la corrélation entre niveaux qui est la base même de la lecture stylistique ? La consultation des index d'auteurs guide toutefois la lecture et permet d'éviter bien des bévues.

### 3) *Approche syntagmatique : le trajet d'un mot*

J.-P. Richard, dans ses *Microlectures*[1] a, comme Spitzer, privilégié le détail, «ce grain du texte» (p.7). Mais il a complété l'étude de la répétition en développant l'étude de son corollaire : la variation. On en arrive ainsi à l'étude des corrélations sémantiques par la mise en évidence du pouvoir connotatif de la lexie repérée, constant ou variable suivant le co-texte.

– J.-P. Richard étudie dans *Casse-pipe* de Céline, le trajet du mot *casque*, et toutes les modulations sémiques qui accompagnent chaque occurrence[2].

– Cette analyse est en partie fondée sur l'étude de l'entourage du mot : on pourrait pasticher J.-P. Richard et parler d'étude micro-syntagmatique.

### ILLUSTRATION

Le commentaire de «Au petit jour», un poème de Philippe Jaccottet[3], montrera l'importance du co-texte immédiat[4]. Le premier quatrain de ce poème divisé en trois parties est formé d'une phrase définitoire marquée par l'abstraction :

I - La nuit n'est pas ce que l'on croit, revers du *feu*,
    chute du *jour* et négation de la *lumière*,
    mais subterfuge fait pour nous ouvrir les yeux
    sur ce qui reste irrévélé tant qu'on l'éclaire.

Nous nous intéressons au trajet des trois mots encadrés : *feu, jour, lumière*. Nous retrouvons le mot *feu* dans la deuxième partie :

II - [...] Tu es le *feu* naissant sur les froides rivières,
    l'alouette jaillie du champ... je vois en toi
    s'ouvrir et s'entêter la beauté de la terre.

---

1. Vol. I et II, Paris, Seuil, 1979.
2. *Casque-pipe in Microlectures* (vol. I, p. 239 à 255).
3. In *L'Ignorant*, Paris, Gallimard, coll. «Poésie», 1956.
4. *Cf.* phrase de M. Riffaterre (déjà citée) : «Le mot change de valeur s'il change de structure.»

les autres mots dans la dernière partie :

> III - Je te parle, mon petit *jour*. Mais tout cela
> ne serait-il qu'un vol de paroles dans l'air ?
> Nomade est la *lumière*. Celle qu'on embrassa
> devient celle qui fut embrassée et se perd. [...]

La partie I repose sur un paradoxe : refusant l'attribution sté-réotypée du sème «obscur» à «nuit», le poète formule négati-vement l'assertion suivante : la traversée de la nuit est néces-saire à la révélation. *Feu, jour* et *lumière* sont dévalorisés (*irré-vélé*) ; *nuit* est fortement valorisé (*cf.* mystiques baroques).

Dans la partie II, le mot *feu* en position d'attribut est complé-té par le participe *naissant*, et par le second attribut *alouette* : il est sémantiquement associé au motif de la naissance et de l'aube (l'alouette est le premier oiseau du jour, «première ardeur du jour» selon R. Char), et il est ici fortement valorisé : le «tu» qui apparaît peut représenter la femme (topos de poé-sie lyrique), le tableau peut figurer une union amoureuse et *feu* se charge de connotations érotiques.

Au début de la partie III, les mêmes connotations positives sont associées à l'emploi de *jour* : même présence du *tu*, emploi de l'association *petit + jour* où est dénotativement nom-mée l'aube à nouveau, et où l'adjectif antéposé se charge de connotations affectives.

Ensuite l'emploi du mot *lumière* marque l'émergence d'une tonalité dysphorique qui envahit la fin du poème : les sèmes de «disparition», de «perte» lui sont en effet attribués.

Le véritable moment de la révélation est le moment indécis où la nuit se métamorphose en jour, moment de présence-absence, entre ténèbres et flamboiement.Dans ce poème construit entre *nuit* et *aurore* (premier et dernier mots), Ph. Jaccottet célèbre l'avènement de l'amour et de la parole poé-tique (les *paroles dans l'air*). Il exprime aussi son souci d'une parole poétique de petit jour, opposée à toute grandiloquence, ce qu'il résume dans un autre poème par la formule oxymo-rique et orgueilleuse : «L'effacement soit ma façon de resplen-dir.»

Voilà quelques exemples d'application de l'approche séma-siologique, pour laquelle les risques de dérive interprétative sont d'autant plus limités que la fréquence des termes est gran-de.

# III. Isotopies sémantiques et champs lexicaux : le lexique d'un énoncé

## 1. Structure de l'énoncé : les isotopies

Nous l'avons vu, l'étude des isotopies repose sur une approche syntagmatique, qui prend en compte la dynamique d'un énoncé : les modes d'enchaînement sont l'objet des études menées par exemple par la grammaire de texte. La construction d'un énoncé est régie par une double contrainte : la cohérence, qui impose la répétition, et la progression, qui impose la variation. Le texte poétique a été systématiquement étudié de ce double point de vue par J. Molino et J. Gardes-Tamine [1] qui offrent ainsi des perspectives nouvelles. Mais il reste difficile d'établir une typologie des énoncés à partir de l'opposition répétition-variation. Nous établirons seulement quelques dominantes, contextuellement identifiées.

### A. *Tendance à la cohésion*

#### *1) L'énoncé à thème constant [2] : isotopie dominante*

Dans la célèbre scène de la rencontre entre Mme de Clèves et M. de Nemours, un double sème sous-tend la représentation

---

1. *Op. cit*, t. II, p. 116-119.
2. B. Combettes, *Pour une grammaire textuelle*, Paris, De Boeck-Duculot, 1988, p. 95.

comparative des deux personnages, celui de «beauté admirable» :

> Ce prince était *fait d'une sorte* qu'il était difficile de n'être pas surprise de le voir quand on ne l'avait jamais vu, surtout ce soir-là, où le soin qu'il avait pris de se parer augmentait encore *l'air brillant* qui était dans sa personne, mais il était difficile aussi de voir Mme de Clèves pour la première fois sans avoir un grand *étonnement*.
> M. de Nemours fut tellement surpris de *sa beauté* que, lorsqu'il fut proche d'elle, et qu'elle lui fit la révérence, il ne put s'empêcher de donner des marques de son *admiration*. Quand ils commencèrent à danser, il s'éleva dans la salle un murmure de *louanges* [...]

Cette présentation des personnages, qui est une amorce implicite de l'intrigue, est marquée par une forte redondance de traits sémiques identiques, appuyée par des répétitions (*surprise-surpris*), ou des parallélismes morpho-syntaxiques nuancés : l'ensemble des répétitions forme hyperbole. L'«horizon d'attente» du lecteur est nettement délimité.

Dans l'énoncé à thème constant, le thème initial est donc repris. La cohérence la plus grande est assurée lorsque le mot thème est répété, avec variation éventuelle de déterminant en cas de substantif :

> J'avais acheté *un planisphère* céleste pour étudier les constellations. J'avais attaché *ce planisphère* sur un chassis [...]

> Rousseau

Il peut être représenté par un pronom anaphorique, ou par un substitut lexical, procédé fréquent dans les *Fables* de La Fontaine :

> Un loup survient à jeun [...]
> [...] Qui te rend si hardi de troubler mon breuvage ?
> Dit *cet animal* plein de rage. [substitution d'un hyperonyme]

L'élément le moins marqué stylistiquement est le pronom anaphorique ; le lecteur peut s'interroger sur le choix de la répétition ou d'un substitut synonymique. Dans une perspective plus rhétorique, il sera sensible aux diverses figures de répétition, dont certaines sont étudiées dans le chapitre sur la phrase [1].

---

1. *Cf. infra*, chap. 5.

### 2) *Pantonyme et thèmes dérivés* [1]

Le modèle le plus prévisible des textes fortement structurés – textes argumentatifs, textes analytiques, descriptions – comporte l'expression d'un motif synthétique, qui est développé par des sous-motifs. L'élément synthétique, qui désigne l'«hyperthème» du développement, porte le nom de pantonyme : «dénomination servant de terme à la fois régisseur, syncrétique, mis en facteur commun à l'ensemble du système [2]». Dans l'extrait des *Mots* qui suit, où le narrateur explique le développement et la construction de son «moi» adulte, c'est l'importance accordée aux livres, assimilée métaphoriquement à une religion, qui est donnée comme élément fondateur et synthétique : une succession de métaphores (= métaphore filée) vient illustrer avec une touche d'héroï-comique le terme pantonyme de «religion» – et marquer la distance ironique prise par le narrateur adulte vis-à-vis de son «moi» d'enfant :

> J'avais trouvé *ma religion* : rien ne me parut plus important qu'un livre. La bibliothèque, j'y voyais *un temple* [...]. J'allais, je venais sur le balcon [...], je rentrais dans *la CELLA* ou dans *le PRONAOS*, je n'en descendais jamais *en personne* : quand ma mère m'emmenait au Luxembourg [...], je prêtais *ma guenille aux basses contrées* mais mon *corps glorieux* ne quittait pas son perchoir, je crois qu'il y est encore.

Le titre d'un ouvrage a fonction de pantonyme ; il crée un «horizon d'attente» qui unifie la lecture et l'oriente. Le rôle fédérateur du titre est d'autant plus marqué qu'il n'est pas repris dans le texte même : «Crépuscule», «Harmonie du soir», «Le rouge et le noir», etc. L'absence de titre appelle aussi des commentaires : on sait que les poèmes surréalistes sont ainsi, d'une certaine façon, inachevés, ce qui sollicite la curiosité et le pouvoir de déchiffrement du lecteur.

## B. Tendance à la progression

### 1) *L'allotopie*

Quand un énoncé progresse de façon linéaire, «un élément

---

1. B. Combettes, *op. cit.*, p. 97.
2. Ph. Hamon, *Introduction à l'analyse du descriptif*, Paris, Hachette, 1983, p. 140.

décrit entraîne l'apparition d'un nouvel élément, lui-même repris à son tour comme thème d'une nouvelle phrase [1]». Dans l'extrait qui suit du roman de P.-J. Jouve, *Paulina 1880*, ce début de chapitre est d'abord à thème constant, décrivant l'amour de Paulina pour un chevreau dans sept phrases dont l'unité est renforcée par l'anaphore fréquente du pronom «elle» :

> Elle adorait un chevreau à la ferme de Torano [...] Elle l'enfermait dans ses bras [...]

Puis apparaît un nouvel actant, le fermier : il y a donc rupture d'isotopie, ou allotopie, mode de construction inhérent au texte narratif :

> Le fermier, qui n'aimait pas Paulina, fit savoir qu'il égorgerait cette bête comme les autres.

Cette allotopie est surdéterminée par l'asyndète (absence d'un lien attendu de coordination), par l'utilisation de l'article défini, qui plonge le lecteur «in medias res», par le passage au passé simple (*fit savoir*), et par la rupture tonale (de l'euphorique au dysphorique).

## 2) *Les embrayeurs d'isotopie*

On les définit comme des «terme(s)-pivot(s) [2]», généralement polysémiques, qui assurent le passage sans rupture d'une isotopie à l'autre, et la cohésion sémantique de l'énoncé. Nous n'évoquons qu'allusivement, parce qu'il a fait l'objet de plusieurs commentaires, l'extrait du *Côté de Guermantes* où le narrateur métamorphose la représentation de la salle de l'Opéra en représentation de grotte marine ; l'opérateur de la métamorphose est le mot *baignoire*, qui a une double acception. Dans les vers qui suivent, où Valéry représente «le cimetière marin», l'adjectif *fidèle* a la fonction d'un embrayeur :

> Fermé, sacré, plein d'un feu sans matière,
> Fragment terrestre offert à la lumière,
> Ce lieu me plaît, dominé de flambeaux [...]
> La mer *fidèle* y dort sur mes tombeaux.
>
> Chienne splendide, écarte l'idolâtre [...]
> Le blanc troupeau de mes tranquilles tombes.

---

1. B. Combettes, *op. cit.*, p. 93.
2. C. Kerbrat-Orecchioni, *op. cit.*, p. 188.

L'apostrophe métaphorique («chienne») à la mer semble introduire une forte rupture d'isotopie – et de tonalité. En fait, l'adjectif *fidèle* articule les deux strophes l'une sur l'autre : il prolonge, conformément à son origine (*fides* = foi), le champ lexical du religieux (*cf.* «sacré», «offert», «flambeaux»), et il amorce la métaphore filée de la mer-chienne, gardienne des troupeaux («fidèle» est l'épithète de nature de «chien»). Ainsi prend forme le dialogue entre un ordre religieux et un ordre profane, entre une méditation abstraite et une représentation concrète.

L'embrayeur d'isotopie est fréquemment un opérateur de poéticité : il substitue à une structure linéaire logique une structure associative.

## C. Tendance à la non-connexion

Nous voyons là un cas extrême : la production d'un texte fondé sur une pratique de la (quasi-)absence d'isotopie, produisant un effet de «collage». C'est ce qu'on trouve, avant la poésie surréaliste, dans certains poèmes des *Illuminations*, où Rimbaud juxtapose des groupes syntaxiques sans liens sémantiques, au moins dénotatifs :

> Ô la face cendrée, l'écusson de crin, les bras de cristal ! Le canon sur lequel je dois m'abattre à travers la mêlée des arbres et de l'air léger !

L'emploi de phrases non verbales renforce l'effet de non-linéarité. Comme l'écrivent J. Molino et J. Gardes-Tamine [1].

> La juxtaposition-kaléidoscope vise, en principe, à reproduire l'éclatement des sensations et des spectacles qui assaillent l'homme moderne.

On peut ajouter qu'elle vise aussi à susciter la représentation d'un monde opaque, indéchiffrable, dont seul l'auteur a la clef.

---

1. *Op. cit.*, p. 162.

# 2. Champs lexicaux et réseaux associatifs : de la dénotation à la connotation

## A. *Champ lexical dénotatif : construction d'un univers de référence*

Le repérage nécessaire de ces champs lexicaux joue le rôle d'un constat en attente d'interprétation. La manière même dont il est conduit prépare la suite de l'analyse. Prenons un extrait des premières pages du *Ventre de Paris* :

> Au coin d'un trottoir, un large rond de consommateurs s'était formé, autour d'une marchande de soupe aux choux. Le seau de fer-blanc étamé, plein de bouillon, fumait sur le petit réchaud bas dont les trous jetaient une lueur pâle de braise. La femme, armée d'une cuiller à pot, prenant de minces tranches de pain au fond d'une corbeille garnie d'un linge, trempait la soupe dans des tasses jaunes.

Lexique exclusivement concret, associant des hyponymes, verbes dynamiques créant une certaine dramatisation dans ce tableau descriptif, substantifs relevant du champ lexical de la nourriture ou des instruments afférents, substantifs caractérisés par des expansions elles aussi concrètes (matière, forme, couleur) : c'est à partir de ces remarques que peut s'élaborer une lecture synthétique et interprétative qui pourrait partir du repérage de la représentation d'un univers urbain et populaire, liée aux connotations du lexique (*la femme*) ou surtout de certains référents (le trottoir, la soupe aux choux, le fer-blanc étamé, etc.). Le répérage des équivalences connotatives, valeurs ajoutées contextuelles, est une étape indispensable à la construction du sens.

## B. *Équivalences connotatives*

Un réseau connotatif peut être constitué par les termes qui relèvent d'un même sociolecte (multiplication de termes techniques, par exemple) ou qui sont la marque d'un même engagement subjectif (comme la multiplication de termes péjoratifs).

Mais il existe des systèmes d'équivalence plus purement contextuels, qui construisent une sorte de champ lexical second, dont le repérage oriente plus nettement l'interprétation. On peut parler pour ce champ lexical ajouté, qui ne modifie pas la valeur de vérité de l'énoncé, de champ lexical connotatif. Il est, au niveau du lexique, l'équivalent de ce que sont les associations connotatives au niveau du mot.

Dans cette phrase d'*Aurélien*, circule le champ lexical connotatif de l'absence, qui crée des équivalences contextuelles entre des termes qui en langue n'ont pas nécessairement de sèmes communs (comme *pâles* et *ruines de pierre*) :

> Il regarda *des enfants pâles* jouer dans les pieds des bonnes et des mères, traîna le long de la pièce d'eau *qu'on avait vidée*, dévisagea *les ruines de pierre*, et revint lentement chez lui, à travers *le boulevard Saint-Michel désert d'étudiants* […]

La référence à une absence est explicitement rattachée au regard que le personnage porte sur ce qui l'entoure, et construit donc une caractérisation oblique du personnage-spectateur.

# C. *Réseaux associatifs : les modes de construction des isotopies*

## 1) *Les équivalences connotatives*

Des «instructions contextuelles» permettent d'identifier de façon non arbitraire les connotations libres. La prise en compte de tout l'entourage du mot est nécessaire, pour limiter et canaliser les associations. Prenons l'ouverture de *Sarrasine* de Balzac[1] :

> J'étais plongé dans *une de ces rêveries profondes qui saisissent tout le monde*, même un homme frivole, *au sein des fêtes les plus tumultueuses. Minuit* venait de sonner à l'horloge de l'Élysée-Bourbon. Assis dans *l'embrasure d'une fenêtre* et *caché* sous les plis onduleux d'un rideau de moire, je pouvais *contempler à mon aise* le jardin de l'hôtel où je passais la soirée […].

---

1. Étudié par R. Barthes dans *S/Z (op. cit.)*. Notre démarche est différente de la sienne : là où il voit une «galaxie de menues informations», nous identifions un réseau à la trame serrée.

Nous nous contentons d'identifier ici l'équivalence connotative, à notre avis la plus signifiante pour le sens du texte, qui relie des éléments dénotativement éloignés. En effet, de cette pluralité peut être extrait un sème commun : celui du partage du *je*, dès l'ouverture du récit.

> → lieu de partage : embrasure d'une fenêtre,
> → moment de partage : *minuit*,
> → posture de partage : *caché* + *contempler*,
> → état d'esprit «partagé».

La première phrase repose sur l'argument paradoxal[1] que R. Barthes formule ainsi : «à fêtes tumultueuses, rêveries profondes». Les deux derniers éléments repérés (posture, état d'esprit) caractérisent un personnage à la fois présent et absent. La portée symbolique de cette équivalence est grande : portrait implicite d'un être divisé, entre dedans et dehors,présence et absence, donc vie et mort. L'ouverture du texte a valeur symbolique ; elle crée aussi une attente narrative très forte : le lecteur, placé devant une énigme, attend la révélation donnée dans le dénouement. L'une des phrases de la dernière page : «Je suis mort à tout plaisir, à toutes les émotions humaines», affirme dénotativement une vérité qui à l'ouverture, n'est donnée qu'en filigrane, par le biais de la connotation.

Pour le lecteur, identifier un sème récurrent, une équivalence connotative, est une première démarche interprétative ; pour reprendre la métaphore, il a saisi un des fils. Mais l'étude des réseaux lexicaux doit compléter ce premier ensemble, avec lequel il s'articule.

## 2) *Les réseaux associatifs*

Pour montrer l'extension de la notion de réseau – où s'unifie l'ensemble des modes d'analyses du mot que nous avons définis – nous partons d'un texte, un extrait de *Au bonheur des dames*.

---

1. R. Barthes renvoie ici à l'opinion commune, la *doxa*. Doxa romantique, peut-être, mais en écart avec l'opinion commune → mise en scène d'un personnage hors du commun.

## ILLUSTRATION

> L'écrasement, aux dentelles, croissait de minute en minute. La grande exposition de blanc y triomphait, dans ses blancheurs les plus délicates et les plus chères. C'était la tentation aiguë, le coup de folie du désir, qui détraquait toutes les femmes.

Quels éléments d'ordre lexical peuvent être mis en relation ?

1. L'univers de référence est dénotativement identifié : un espace social, précisément circonscrit (rayon des dentelles) ; un moment privilégié (la saison du blanc). Comment est-il appréhendé ?

2. L'étude de la pratique langagière (connotations et emprunts) permet cette appréhension.

**a)** Discrétion, mais présence, du langage du commerce : «aux dentelles» (pour «au rayon des dentelles»), «la grande exposition de blanc» (pour «de linge blanc») ; raccourcis propres à la «parlure» des personnages[1].

**b)** Présence d'un «topos» de l'écriture artiste : l'emploi de substantifs abstraits, tirés de verbes («écrasement», «exposition», «tentation», «coup de folie») ou d'adjectifs («blancheurs»)[2] ; l'action verbale et la qualité passent au premier plan ; l'objet-support du procès ou de la qualité passe à l'arrière-plan ou disparaît.Cette technique a généralement été qualifiée d'impressionniste.

3. Plusieurs isotopies fondées sur des équivalences connotatives se dégagent.

**a)** L'isotopie de l'«attraction» (un lieu attirant) : dénotativement contenu dans «tentation» et «désir» (attraction d'ordre sexuel), le sème est associé à l'adjectif «délicat», et plus contextuellement aux substantifs «dentelles» et «blancheurs» («raffinement»).

**b)** L'isotopie de la «destruction» (un lieu dangereux) : dénotativement contenu dans «écrasement», «coup de folie», «détraquer», le sème est associé à l'adjectif «cher» (argument implicite : dépenser beaucoup d'argent peut mener à la ruine). Si l'on est attentif à la relation textuelle de ces deux sèmes antonymiques, on remarque que le premier est toujours comme «corrigé», réorienté par le second : passage de «délicat» à «cher», association de «tentation» et «désir» à «coup de folie» et surtout à «détraquer», où apparaît le sème «aliénation» ; on peut noter que l'adjectif «aiguë» peut s'employer lui aussi dans un registre pathologique («une crise d'asthme aiguë»).

**c.** L'isotopie de l'«intensité» (les deux traits caractéristiques du lieu sont portés à leur paroxysme) : les verbes «croître» et

---

1. Ce sont des métonymies. *Cf.* chapitre suivant.
2. Ce sont aussi des métonymies.

«triompher», en gradation ; les mots «aiguë» et «coup de folie», en gradation aussi ; l'adjectif «grand».

Les marques morphologiques associées présentent le même sème d'intensité : article défini constant, adjectif indéfini extensif («toutes»), superlatif («les plus») ; la présence de l'association redondante de dérivés «blanc» et «blancheurs» – figure rhétorique de la **dérivation**– va dans le même sens.

Une synthèse de ces faits peut à présent être proposée :

– *Projet esthétique* : construction d'un art nouveau ; description moins figurative qu'impressionniste, et même abstraite.

– *Projet didactique* (*cf. naturalisme*) : montrer l'emprise de certains mécanismes sociaux. Le réseau associatif formé par les isotopies peut être ainsi formulé : le lieu est d'autant plus dangereux qu'il est plus attirant. On peut associer à ce réseau le «topos» de l'écriture artiste ; en effet, par la mise au premier plan de substantifs verbaux abstraits, Zola montre des forces en acte, des mécanismes d'aliénation («écrasement», «tentation», «coup de folie»). Un autre ensemble sémique affleure ici, à peine perceptible, associé à l'isotopie sexuelle : l'isotopie du religieux («tentation»). Il est explicitement développé dans la suite du paragraphe et donne à l'ensemble une portée symbolique : le commerce comme érotisme et religion des temps modernes.

De façon convergente, la construction des phrases vient *surdéterminer* les éléments lexicaux : c'est-à-dire qu'elle est une marque stylistique supplémentaire redondante. Dans les trois phrases, en effet, le même patron syntaxique/sémantique est utilisé : sujet abstrait-verbe d'action, avec variation dans la dernière phrase = COD humain («toutes les femmes»). Ce sont les abstractions qui agissent (position de sujet), la référence au monde humain est d'abord absente ; sa position grammaticale de cod à la fin du passage, connote sa position sociale d'objet soumis et manipulé. L'ensemble de ces faits connote un déterminisme social dénoncé par l'auteur.

Concluons cette étude par une remarque d'ordre méthodologique : nous avons montré comment un élément d'un autre ordre que l'ordre lexical – la construction des phrases – pouvait être mis en corrélation avec celui-ci. Cette corrélation est un des fondements de l'analyse du style : c'est la convergence des marques d'ordre différent, parfois appelée *faisceau*[1].

C'est le regard du narrateur, et «derrière lui», de l'auteur, qui organise, structure, rend homogènes les marques différentes ; dans le texte de Zola, l'investissement axiologique est manifeste : il y a une volonté de dénoncer. Mais la reconnaissance du projet esthétique et de la dérive vers le symbolique (religieux) montre au lecteur que le regard du créateur est aussi un regard «poétisant». Comme l'écrit H. Mitterand, «signifiant idéologique

---

1. Terme utilisé en particulier par G. Molinié (*op. cit.*, p. 154, 155) et par F. Rastier (*op. cit.*, p. 174).

et signifiant poétique [...] ne sont pas séparables ; ils ont même support dans le texte et même cible dans l'imaginaire du lecteur[1]».

## LECTURES CONSEILLÉES

### I. Procédures d'analyses sémantiques

C. KERBRAT-ORECCHIONI
*La Connotation*, Lyon, PUL, 1977.

P. LERAT
*Sémantique descriptive*, Paris, Hachette, 1983.

R. MARTIN
*Pour une logique du sens*, Paris, PUF, 2ᵉ éd., 1992.

J. PICOCHE
*Précis de lexicologie française*, Paris, Nathan, 1977.

I. TAMBA
*La Sémantique*, Paris, PUF, coll. «Que sais-je ?», 1994.

### II. Applications

B. COMBETTES
*Pour une grammaire textuelle*, Paris, Duculot, 1988.

P. HAMON
«Un discours contraint», in *Poétique* 16, Paris, Seuil, 1973, p. 411-445.
*Introduction à l'analyse du descriptif*, Paris, Hachette, 1983.

J. MOLINO, J. GARDES-TAMINE
*Introduction à l'analyse de la poésie*, Paris, PUF, 2ᵉ éd., 1987.

F. RASTIER
*Sens et Textualité*, Paris, Hachette, 1989.

J.-P. RICHARD
*Microlectures*, Paris, Seuil, 1979.

M. RIFFATERRE
*Essais de stylistique structurale*, Paris, Flammarion, 1970.

L. SPITZER
*Études de style*, Paris, Gallimard, 1970.

J. STAROBINSKI
*La Relation critique*, Paris, Gallimard, 1970.

---

1. H. Mitterand, «La dérive des figures dans *Germinal*» in *Le Discours du roman*, Paris, PUF, 1980, p. 241.

## APPLICATION

1    Ou bien, ils poussaient la porte d'un petit
restaurant, et, avec une joie presque rituelle,
ils se laissaient pénétrer par la chaleur ambiante, par le cliquetis des fourchettes, le tin-
5    tement des verres, le bruit feutré des voix, les
promesses des nappes blanches. Ils choisis-
saient leur vin avec componction, dépliaient
leur serviette, et il leur semblait alors, bien
au chaud, en tête à tête, fumant une ciga-
10   rette qu'ils allaient écraser un instant plus
tard, à peine entamée, lorsque arriveraient
les hors-d'œuvre, que leur vie ne serait que
l'inépuisable somme de ces moments propices
et qu'ils seraient toujours heureux, parce qu'ils
15   méritaient de l'être, parce qu'ils savaient
rester disponibles, parce que le bonheur était
en eux. Ils étaient assis l'un en face de l'autre,
ils allaient manger après avoir eu faim, et
toutes ces choses – la nappe blanche de
20   grosse toile, la tache bleue d'un paquet de
gitanes, les assiettes de faïence, les couverts
un peu lourds, les verres à pied, la corbeille
d'osier pleine de pain frais – composaient
le cadre toujours neuf d'un plaisir presque
25   viscéral, à la limite de l'engourdissement :
l'impression, presque exactement contraire et
presque exactement semblable à celle que
procure la vitesse, d'une formidable stabilité,
d'une formidable plénitude. A partir de cette
30   table servie, ils avaient l'impression d'une
synchronie parfaite : ils étaient à l'unisson du
monde, ils y baignaient, ils y étaient à l'aise,
ils n'avaient rien à en craindre.

G. Perec, *Les Choses,* Paris, R. Julliard, 1965.

En 1957, R. Barthes publie *Mythologies* [1], où il analyse et dénonce
«quelques mythes de la vie quotidienne française». Huit ans plus tard,
un sociologue devenu romancier publie un roman où il porte aussi un
regard critique sur la modernité et ses signes. Par sa démarche romanesque, G. Perec dans *Les Choses*, donne cohérence et épaisseur à
l'univers du «sémiologue».

Notre extrait se présente comme une scène où se combinent narration, description et analyse. Pour en définir la portée, nous étudierons
d'abord l'univers de référence des personnages dont la représentation
est suscitée par les isotopies dénotatives. Nous verrons ensuite les

---

1. R. Barthes, *Mythologies,* Paris, Le Seuil, 1957.

marques du regard subjectif du narrateur, qui sont surtout liées à la présence de connotations.

# I. Le parti pris des choses

L'univers de référence des personnages est marqué par une très grande homogénéité. A l'intérieur de la plupart des phrases, deux ensembles isotopiques peuvent être identifiés : le monde des choses / le monde intérieur des personnages.

## 1. Le monde des choses

Le caractère concret d'une grande partie du lexique est d'autant plus marqué que ce lexique est intégré à deux ensembles énumératifs qui présentent des points de ressemblance et des variations (l. 3 à 6, l. 19 à 23).

### A. *Homogénéité lexicale*

#### 1) *Substantifs*

Deux pantonymes définissent l'extension des énumérations : le mot *restaurant* (l. 2) précède la première énumération, la lexie *table servie* (l. 30) suit la seconde. Des reprises sémantiques (*verres*, l. 5 et 22), *(nappe(s) blanche(s)*, l. 6 et 19) et lexicales *(fourchettes*, l. 4 et *couverts*, l. 21) accentuent l'homogénéité. Dès la première énumération, le champ lexical des «choses de la table» est dominant.

#### 2) *Verbes*

Remarquons ici la forte présence de verbes dénotant des actions concrètes, qu'ils soient employés intransitivement (*être assis*, l. 17, *manger*, l. 18) ou transitivement (*pousser la porte*, l. 1, *choisir leur vin*, *déplier leur serviette*, l. 7-8, *fumer une cigarette*, l. 10). Les quatre verbes transitifs sont construits de la même façon et ce sont des verbes perfectifs (leur sémantisme implique l'achèvement de leur déroulement). L'imparfait d'aspect tensif crée un effet de ralenti et de grossissement. Une étude de la phrase montrerait la présence de structures constamment parallèles (*Ils* + verbe à l'imparfait itératif).

### B. *Variations lexicales*

#### 1) *Disparitions*

La référence au monde humain, qu'on trouve dans la première énumération (*voix*, l. 4), disparaît ensuite ; ne subsiste que la référence au monde des choses,seuls éléments dont les personnages enregistrent la présence.

## 2) Substitutions

Dans la première énumération, la sensation auditive domine (*cliquetis*, etc.) ; on a ensuite, par les caractérisants, une dominante visuelle (*blanc, en osier*, etc.) ; c'est dire qu'on passe d'une appréhension synthétique de la réalité à une appréhension analytique, la sensation visuelle isolant des objets.

## C. Variations syntaxiques

Le mode de présentation des choses n'est pas le même. Au début du texte, c'est la sensation qui est mise au premier plan, tandis que le substantif référant à la chose occupe la position de complément déterminatif (*cliquetis des fourchettes*, etc.).

Ensuite, la chose s'impose généralement : la mention de l'hyperonyme *choses* précède l'énumération de substantifs hyponymes. Chaque substantif est suivi d'éléments caractérisants ; chaque objet est donc affecté d'une qualité spécifique : la vision est précise, minutieuse. On détachera le passage du pluriel généralisant *nappes blanches* (l. 6) au singulier (l. 19). Ces transformations miment le trajet des personnages, la manière dont eux-mêmes saisissent progressivement les éléments du lieu. L'effet de grossissement est manifeste. La technique narrative relativement simple, vise d'abord à l'efficacité. On peut parler d'un hyperréalisme du texte.

## 2. Le monde des personnages

La description est prolongée dans presque toutes les phrases par une analyse de la manière d'être des personnages. Deux champs lexicaux sont représentés, ayant pour foyer thématique les mots de *bonheur* (l. 16) et *plaisir* (l. 24). Ils sont d'abord présentés de façon distincte : sentiment (*joie*, l. 2, *heureux*, l. 14, *bonheur*, l. 16) puis sensation (*plaisir presque viscéral* et *engourdissement*, l. 25). Mais progressivement, ils se superposent, le bonheur devenant inséparable de la sensation (les termes de *stabilité*, l. 28 ou *plénitude*, l. 29, les métaphores concrétisantes, *être à l'unisson du monde*, l. 31 et surtout *y baigner*, l. 32).

Les ensembles lexicaux sont nettement structurés, faciles à distinguer. Ce découpage de la réalité participe d'une stratégie narrative dont nous allons étudier les formes. Nous abordons l'analyse des connotations, qu'on peut synthétiser par cette question : comment caractériser le regard porté par le narrateur sur ce monde ?

# II. Stratégies narratives

Deux grandes catégories de marqueurs connotatifs peuvent être isolés : le jeu des modalisateurs de vérité par lequel le narrateur délègue la vision à ses personnages, la polyphonie énonciative, par laquelle il leur délègue l'énonciation. Ces deux ensembles de marqueurs sont le signe d'une prise de distance et d'un regard critique.

## 1. La modalisation

On a dit que dans les phrases, la description amenait l'analyse. Or, ces deux moments narratifs sont assumés par des regards différents.

### A. *Le psycho-récit*

Il est assumé par un narrateur omniscient, ce que montre la présence de notations analytiques comme *avec une joie presque rituelle* (l. 2) ou *avec componction* (l. 7), au début du paragraphe.

### B. *Le jugement délégué*

Dans les trois phases qui suivent, les modalisateurs (*il leur semblait*, l. 8, *l'impression*, l. 26, *ils avaient l'impression*, l. 30), signes de délégation de regard, montrent de façon explicite et répétitive que l'énoncé qui suit est affecté d'une possibilité de fausseté ; la manière dont les personnages analysent leur rapport au monde est suspecte[1].

La délégation de regard s'accompagne d'une délégation de parole, moins explicite, mais dont on peut présumer l'existence.

## 2. Polyphonie énonciative

### A. *L'idiolecte des personnages*

Un certain nombre de lexies d'un niveau de langue familier semblent empruntées à l'idiolecte des personnages, jeunes sociologues : *baigner* et *être à l'aise* (l. 32) ou l'adjectif *formidable* (l. 28-29). Il y a au moins contamination du langage du narrateur. De la même façon, les associations proches du cliché *chaleur ambiante, cliquetis des fourchettes, tintement des verres* et *bruit feutré des voix* (l. 3 à 5), si elle n'appartiennent pas directement à l'idiolecte des personnages, connotent au moins un univers stéréotypé.

---

1. La modalisation à caractère épistémique est introduite dans le texte : ce qui est probable pour les personnages est improbable pour le narrateur.

Dans les développements analytiques, une figure est récurrente : l'hyperbole, pour laquelle on peut aussi hésiter entre délégation de paroles et contamination personnages-narrateur.

## B. *Expression hyperbolique*

Elle se repère dans des marques lexicales (*inépuisable*, l. 13, *toujours*, l. 14 et 24, *formidable*, l. 28 et 29, *parfaite*, l. 31), et aussi dans certains arrangements phrastiques :

— répétitions sémantiques (*parce que*, l. 15 et suiv., *formidable*, l. 28-29),

— relation de paraphrase entre syntagmes de même rang : les trois subordonnées causales, l. 15 et suiv., les syntagmes *formidable stabilité / formidable plénitude*, l. 28-29, les quatre propositions de fin de texte.

*NB* – L'analyse de la construction des quatre phrases du texte et du rapport qu'elles entretiennent entre elles montrerait la présence, à un niveau global, du même schéma paraphrastique. Le paragraphe entier est bâti sur cette «figure d'amplification, qui consiste à développer, dans un même discours, la même information sous plusieurs formes lexico-syntaxiques différentes[1]», qu'on appelle expolition. On peut résumer ainsi le propos unique développé : décrire un monde aliéné par son rapport aux choses.

L'auteur met en scène des personnages qui évaluent en permanence leurs états d'âme, d'une façon exagérément euphorique. L'hyperbole est ici marqueur d'ironie. De même, un certain nombre de raisonnements pseudo-logiques ne peuvent être attribués qu'aux personnages.

## 3. Une argumentation biaisée

### A. *La motivation pseudo-objective*

Les subordonnées causales (l. 14 à 17) qui développent «l'argumentation du bonheur», introduisent un argument d'ordre moral (*parce qu'ils méritaient de l'être*) non pertinent, et même une tautologie (*parce que le bonheur était en eux*).

### B. *De la description à l'analyse :*
  *écart concret-abstrait*

Le dévoilement du trajet de la pensée des personnages est quelque peu ironiquement connoté : l'association de *cigarette* ou *hors*

---

1. J. Mazaleyrat et G. Molinié, *op. cit.*, article «Expolition».

*d'œuvre* avec *être toujours heureux* (l. 9 à 14) celle de *table servie* avec *synchronie parfaite*, sont marquées par un écart, signe linguistique de l'aliénation et de l'illusion. On peut parler «d'attente trompée».

Toute cette vision est orchestrée par le narrateur dont le discours est en permanence connoté. Le choix des référents qui définissent le cadre des personnages est lui aussi signifiant.

# III. L'empire des signes

Nous abordons là un autre domaine de la connotation puisque nous envisageons les connotations attachées à des référents, et non à des signes linguistiques. Nous retrouvons la démarche du sociologue-sémiologue signalée dans l'introduction. G. Perec évoque des objets qui sont autant de stéréotypes de la modernité. Il présente des personnages immergés dans un monde de signes par lesquels ils sont aveuglés et dont ils ne voient pas la signification.

## 1. Des signes sociaux

### A. *Le vin*

Dans le chapitre «Le vin et le lait», R. Barthes[1] décrit le vin comme un signe de sociabilité. Boire du vin, fumer une cigarette, c'est participer à un rituel social. La notation «avec componction» (l. 7) marque l'énoncé d'une connotation explicitement péjorative.

### B. *Le naturel*

La recherche du naturel, c'est-à-dire de «signes qui n'aient pas l'air de signes» (R. Barthes) est aussi dénoncée, dans *Mythologies*, comme symbolisant la modernité. Dans la seconde énumération du passage (l. 19 à 23), la recherche de naturel et de simplicité se voit dans les choix des caractérisants *grosse toile* (et non «coton fin»), *gitanes* (et non «américaines»), etc. Le texte associe cette recherche de naturel et l'état de «plaisir viscéral» (l. 24), d'«engourdissement» (l. 25), d'immersion *(ils y baignaient,* l. 32). Ce restaurant devient la représentation d'un lieu originel, d'un lieu mythique, empli de choses dont on va voir qu'elles sont, de plus, sacralisées.

---

1. *Op. citt.*, p. 83.

## 2. Des signes sacralisés

Cette sacralisation s'exprime dans deux faits de style :

– L'utilisation d'un lexique religieux à l'ouverture du paragraphe (*joie et rituel* (l. 2), *promesses* (l. 6) – *cf.* Terre promise –, *componction* (l. 7)). Ces lexies forment les clausules de phrases ou de groupes rythmiques et syntaxiques.

– La présence des signes de la Communion : *nappe blanche, pain* et *vin*. Ces signes, au lieu d'être des médiateurs, sont les objets sacralisés de la quête des personnages. Ce qui pourrait être explicitement et banalement formulé («la modernité sacralise les choses») est ici simplement suggéré, par le biais des connotations.

Ce texte a bien sûr une portée idéologique. Mais la tension entre représentation hyperréaliste et symbolisation, la présence de connotations constantes, donc de vérités «suggérées plutôt qu'assertées», et dans l'organisation de la phrase, l'usage constant de la répétition à valeur rythmique, donnent à notre extrait une dimension poétique. Ce texte semble annoncer un texte écrit par G. Perec bien des années plus tard, dont le caractère poétique est plus nettement marqué : le texte-litanie des *Je me souviens*.

*Chapitre 4*

# Les détournements de sens :
# le sens figuré

# Introduction

Quand on étudie les figures, quelle que soit la terminologie adoptée, quels que soient les critères d'identification retenus, on distingue quatre catégories :

– Les figures portant sur le signifiant – la forme du mot : allitération, assonance, paronomase, etc.

– Les figures portant sur des combinaisons syntaxiques particulières, ou figures de construction : un certain nombre d'entre elles sera analysé dans le chapitre sur la phrase.

– Les figures portant sur le sens de certains mots, dites figures de sens ou tropes : ces figures sont fondées sur un écart entre le signifié et le référent visés par un mot en langue et ceux du discours étudié ; ainsi : «*l'aiguillon* du laboureur (sens propre) / de la faim (sens figuré)».

– Les figures portant sur le sens global d'un énoncé, dites figures de pensée : il y a écart entre le sens global apparent d'un énoncé, celui qui est le plus communément reçu en langue, et son sens implicite, le seul recevable dans le contexte ; ex. : «bravo» dit au gagnant d'une course/à un enfant qui vient de casser un carreau.

Ce sont les deux dernières catégories, fondées sur des détournements de sens, que nous nous proposons d'étudier. Disons pour commencer que les tropes et les figures de pensée reposent sur des opérations linguistiques différentes :

– Les tropes sont des figures repérables et isolables dans un fragment d'énoncé, qui peut se limiter à un terme («La nature est un *temple* [...]»). G. Molinié appelle *micro-structurales* ces figures. Elles comprennent aussi les figures de diction et les figures de construction, isolables comme les tropes dans l'énoncé.

– Les figures de pensée au contraire portent sur des ensembles linguistiques qui peuvent atteindre les dimensions de tout un énoncé : leur présence est le signe d'une manipulation, ou des relations logiques (ex. le paradoxe), ou de la valeur de vérité de l'énoncé (ex. l'ironie, l'hyperbole...)[1]. Ce sont des figures *macro-structurales*. À la différence des tropes, l'énoncé garde une cohérence sémantique si elles ne sont pas repérées. Ainsi le poème de Valéry, «Les Grenades» est une évocation picturale des fruits éclatés («Dures grenades entr'ouvertes...»), mais figure aussi la complexité des mécanismes cérébraux.

Une première question s'impose, à propos du sens figuré[2] : pourquoi ne parle-t-on pas toujours littéralement et sans détour ? La présence d'une figure provoque en effet une rupture dans la cohésion de l'énoncé, ce que confirme la définition que G. Molinié en donne : «quantité langagière différentielle entre le contenu informatif et les moyens lexicaux et syntaxiques mis en œuvre[3]». Le détournement introduit dans le discours une duplicité qui peut nuire à la communication ; Valéry parle d'un «abus du langage» à propos de la métaphore, et R. Martin d'une «contradiction logique[4]» ; on se rappelle aussi la phrase de Pascal : «Figure porte absence et présence, plaisir et déplaisir». Nous nous interrogerons donc sur la portée, la fonction du sens figuré dans des perspectives qui peuvent être synthétisées de façon elliptique par la formule de G. Bachelard : «Signifier autre chose et faire rêver autrement.»

La tradition rhétorique a analysé les figures en termes sémantiques : passage d'un sens propre à un sens figuré.

---

1. On trouvera une étude plus complète de tous ces faits dans l'ouvrage de C. Fromilhague, *Les Figures de style*, Paris, Nathan, 1995, p. 98 à 119.
2. Voir C. Kerbrat-Orecchioni, *La Connotation*, p. 8.
3. *Op. cit.*, p. 83.
4. *Op. cit.*, p. 205.

# I. Figures de sens ou tropes. Figure associée : *la comparaison*

## 1. Repérage des tropes

Qu'est-ce qu'un trope ? Ce détour de sens repose sur l'opposition sens propre - sens figuré. On peut représenter ainsi le mécanisme des détournements de sens :

Sa → Sé 1 : sens propre
$\quad$ → Sé 2 : sens figuré

C'est le mécanisme sémantique qui est à la base du passage de Sé1 à Sé2, qui définit les diverses catégories de tropes. Quand il y a trope, il y a double déviation : «une dénomination déviante du dénoté» et «une signification déviante par rapport à un sens considéré comme plus "propre"[1]». Cette conception du sens figuré comme transfert et substitution de sens est celle de la rhétorique classique. Nous serons amenés à affiner ces analyses, qu'une partie des linguistes et stylisticiens contemporains a réfutées. Comme l'écrit Paul Ricœur, le sens figuré «n'est pas un sens dévié des mots, mais le sens d'un énoncé entier[2]». Sans entrer dans le détail des figures associées, nous distinguerons trois catégories :

---

1. C. Kerbrat-Orecchioni, *L'Énonciation*, *op. cit.*, p. 64.
2. P. Ricœur, *La Métaphore vive*, Paris, Seuil, 1975, p. 124.

– La **métonymie** : elle repose sur un transfert d'ordre logique, qu'on nomme association par *contiguïté* entre Sé1 et Sé2 ; par exemple : «je vous dis que vous êtes une *perfection*» (Proust). Au lieu d'un concret animé désignant un être, on a affaire à un abstrait : l'être incarne ainsi la qualité. Il n'y a pas, dans la métonymie, rupture d'isotopie.

– La **synecdoque** : parfois considérée comme un sous-ensemble de la métonymie, elle repose sur un rapport d'*inclusion* entre Sé1 et Sé2 ; par exemple : «Quand *la feuille* des bois tombe dans *la prairie*» (Lamartine). Par l'emploi de l'article défini générique, le regard est focalisé sur l'objet représentant la classe. Dans la synecdoque, il n'y a pas non plus rupture d'isotopie.

– La **métaphore** : c'est le trope de loin le plus étudié, parce qu'il est un des faits de style les plus représentatifs du discours littéraire : si dans les tropes précédents, le rapport entre Sé1 et Sé2 est d'ordre *logique*, dans la métaphore, le rapport entre les deux est d'ordre *analogique*, et met en jeu beaucoup plus nettement la subjectivité de l'énonciateur. Il y a introduction d'une isotopie étrangère au discours : «Tu es *le feu* jailli sur les froides rivières» (Ph. Jaccottet). Nous commencerons par étudier ce trope qui a la portée stylistique la plus grande.

Avant d'aborder la métaphore, nous dirons quelques mots de la comparaison, dont la métaphore a souvent été rapprochée ; Quintilien dit, par exemple, que «la métaphore est en général une comparaison abrégée». En effet, on voit les ressemblances entre : «Je suis comme le pain que tu rompras» (Y. Bonnefoy) et : «Vous êtes un beau ciel d'automne clair et rose» (Baudelaire) : mise en relation d'un comparé et d'un comparant, par association d'isotopies différentes. Mais les différences doivent aussi être notées : la comparaison pose un rapport explicite entre un comparé (Cé) et un comparant (Ca) qui restent distincts, la métaphore crée un lien immédiat entre un Cé et un Ca dont les référents sont assimilés l'un à l'autre, par transfert de signification. La comparaison est analytique et présuppose en principe une volonté de clarté. La métaphore est synthétique et donne une densité accrue à la représentation.

La description de la comparaison va nous montrer que sa dimension rationnelle peut être fortement subvertie.

# 2. Figure associée : la comparaison

On peut la définir comme un «rapport de ressemblance entre deux objets dont l'un sert à évoquer l'autre[1]». Elle n'est pas un trope puisqu'il n'y a aucun détournement de sens. On l'a parfois assimilée à une figure de construction, parfois à une figure de pensée. Divers éléments sont à prendre en considération dans sa description qui est un premier palier de l'étude stylistique.

## A. Approche descriptive

### 1) Les outils comparatifs

On considère qu'il y a figure quand le Ca désigne un référent virtuel, qui ne fait pas partie de l'univers de référence – réel ou fictionnel – de l'énoncé : «Il est fort comme un bûcheron.» Dans la phrase «il est fort comme son frère», il n'y a pas expression figurée. On parle, pour la véritable figure, de comparaison *qualitative* ou *figurative*, ou encore de *similitude*. L'outil essentiel est le mot «comme», qui peut être relayé par «ainsi que», à connotation plus didactique, ou par «tel (que)», d'un niveau de langue plus élevé, fréquent dans l'épopée ; on peut citer aussi les outils du comparatif ; ainsi : «Il fut *plus* triomphant *que* la gerbe des blés» (V. Hugo), où la pesée évaluative est explicite.

On a parfois reconnu une figure intermédiaire entre comparaison et métaphore dans les constructions où l'outil semble introduire plutôt une identification modalisée : on parle d'«identification atténuée[2]» ; les principaux modalisateurs sont «avoir l'air de», «faire l'effet de», «sembler», etc. Ainsi : «La lune se leva derrière la ville, et *elle avait l'air d'*un phare énorme et divin» (Maupassant), ou : «Cléopâtre, debout en la splendeur du soir, *Semble* un grand oiseau d'or qui guette au loin sa proie» (Hérédia), ou encore : «La barque mélodieuse se mit à fuir […] ; mais nous nous élançâmes sur son sillage. *On eût dit* d'une troupe de pétrels se disputant à qui saisirait le premier une dorade» (G. Sand). Comparé et comparant restent distincts mais la subjectivité énonciative s'affirme ici. Cette vision subjective explicitement revendiquée, rapproche l'identification atténuée de la métaphore.

1. H. Morier, *Dictionnaire de poétique et de rhétorique*, Paris, PUF, 1975.
2. Voir D. Bouverot, «Comparaison et métaphore», *in Le Français moderne*, 1969, n° 2, 3, 4.

## 2) *Présence ou absence du motif*

On appelle motif la qualité commune qui unit comparé et comparant[1] La présence du motif – comparaison dite canonique – limite la portée de l'association («Ils me disent, tes yeux, clairs comme le cristal» (Baudelaire), et exclut plus nettement que la métaphore, les autres sèmes du comparant. La présence du motif est donc en principe la marque d'une volonté de clarté. En revanche, quand la comparaison n'est pas motivée, ce qui est beaucoup plus rare, tous les sèmes du comparant sont implicitement convoqués. La comparaison est moins claire et se rapproche de l'identification atténuée : même subjectivité affirmée, même tension vers l'identification ; ainsi «Je suis comme le roi d'un pays pluvieux» (Baudelaire), ou «Des champs comme la mer, l'odeur rauque des herbes» (L.-P. Fargue). L'association Cé-Ca peut même être énigmatique, quand le motif n'est pas dénotativement identifiable : «Elle marchait comme on rit» (Aragon). L'introduction postérieure d'un ou plusieurs motifs tend à rendre plus rationnel un discours jusque-là perçu comme intuitif :

> Je suis comme le roi d'un pays pluvieux,
> Riche mais impuissant, jeune et pourtant très vieux […]

Baudelaire

ou encore :

> Je suis né comme le rocher, avec mes blessures.

René Char

Quand le motif est exprimé, son analyse est un élément important pour déterminer la fonction de la figure ; quand il est saisi dans une acception purement *dénotative*, et qu'il est pertinent au comparé et au comparant, la comparaison ne produit pas effet de surprise ; c'est le cas dans ce vers de Leconte de Lisle : «Comme des troncs pesants flottaient les crocodiles», ou dans ce passage de *La Peau de chagrin,* où Raphaël fait le portrait de son père : «taquin comme une vieille fille, méticuleux comme un chef de bureau». La comparaison est classique, le motif vient renforcer et éclairer les liens Cé-Ca. En dehors de ce type de relation, la comparaison peut s'enrichir, grâce au motif, d'une singularité que certaines écoles littéraires ont érigée en principe. Il n'est pas rare que le motif soit *métaphorique* ; la comparaison intervient alors comme un élé-

---

1. M. Le Guern parle d'«attribut dominant» *in Sémantique de la métaphore et de la métonymie*, Paris, Larousse, 1973, p. 62.

ment d'explication, surtout quand la métaphore introduite par le motif se développe en tableau :

> [La tempête] *ramasse* son cœur comme un papier de rue.
> Elle le *froisse*, le *chiffonne*, le *roule*, le *réduit*.
> Et Poil de Carotte n'a bientôt plus qu'une *boulette de cœur*.

J. Renard

Chaque phrase constitue un paragraphe, disposition qui rend plus expressif encore le procédé. On peut aussi remarquer la métamorphose de la comparaison en métaphore («boulette de cœur»), autre fait marqueur d'intensité.

Dans la comparaison classique, le motif objective et renforce le lien comparé-comparant ; mais il existe des comparaisons où le motif est *non-pertinent* au comparé, au comparant ou aux deux, et n'est pas «traduisible» en termes de métaphore. Cela relève d'une esthétique de la surprise et de l'étrangeté, plus marquée encore que dans la métaphore, parce que la comparaison semble toujours amenée par une pensée rationnelle et analytique. Que ce soit dans le vers d'Éluard : «Le ciel est *sournois* comme un trou» ou dans ceux de R. Char :

> *Fermée* comme un volet de buis,
> Une extrême chance compacte
> Est notre chaîne de montagnes [...]

la comparaison est énigmatique et ne peut être éclairée que par le jeu des connotations associatives. Les courants littéraires, surtout poétiques, qui comme le surréalisme, privilégient les constructions par associations, ont usé de telles comparaisons.

### 3) *Rapport comparé-comparant*

En désignant un référent virtuel, étranger à l'univers de référence de l'énoncé, le Ca crée une rupture d'isotopie (allotopie). Celle-ci est, suivant les époques et les choix esthétiques, plus ou moins accentuée : le goût classique impose des images dans lesquelles Cé et Ca – et il vaudrait mieux dire les univers de référence qu'ils suscitent – ne sont pas trop éloignés[1]. Un des «trajets» essentiels de la comparaison (et de la métaphore) mène du monde humain au monde de la nature ; on voit cela dans les comparaisons lexicalisées, du type «blond comme les blés», «beau comme un astre», «solide comme un roc», mais aussi dans le discours littéraire : «Mon cœur, *comme un oiseau*,

---

1. *Cf.* G. Genette, *Figures*, Paris, Seuil, 1966, «Hyperboles», p. 245-252.

voltigeait tout joyeux» (Baudelaire) ou encore : «Ô nuit désastreuse ! ô nuit effroyable, où retentit tout à coup, *comme un éclat de tonnerre*, cette étonnante nouvelle : Madame se meurt, Madame est morte[1] !» La comparaison joue dans tous ces exemples, son rôle de marqueur hyperbolique, mais elle n'est pas fondée sur la recherche d'un écart. Cette conception très classique est déjà en partie remise en cause au début du XIXe siècle, par Fontanier quand il demande pour la comparaison des rapports Cé-Ca «imprévus et frappants, en même temps que sensibles et aisés à apercevoir[2]». L'association d'univers de référence hétérogènes est la marque d'esthétiques aussi éloignées dans le temps que les esthétiques baroque ou surréaliste[3] ; plus largement, on peut dire que la «modernité» privilégie ce type d'associations : «Le corps de la femme est aussi bosselé que mon crâne» de Blaise Cendrars, «le cœur humain, beau comme un sismographe» d'André Breton, etc.

Le même effet d'hétérogénéité est produit par le procédé de l'**ikon**[4], cher aux baroques : «Une série d'images successives, une "pyramide" de comparaisons analogues, reprennent la même idée» (A. Moret, *Le Lyrisme baroque en Allemagne*, Lille, Bibliothèque universitaire, 1936, p. 155). C'est ainsi qu'Yves Bonnefoy écrit :

> Je suis comme le pain que tu rompras,
> Comme le feu que tu feras, comme l'eau pure
> Qui t'accompagnera sur la terre des morts.
> Comme l'écume
> Qui a mûri pour toi la lumière et le port [...]

La multiplicité de comparants différents produit un discours éclaté, qui est ici la marque de la richesse inépuisable du sentiment.

Il est certain que des comparaisons aussi variées dans leurs outils, et dans les liens qu'elles tissent entre des univers différents ne peuvent dans le discours littéraire, avoir des fonctions identiques. Nous voudrions à présent indiquer de façon schématique, les principes que doit emprunter le commentaire pour rendre compte de ces mises en relation.

---

1. C'est l'entourage de la comparaison qui lui redonne une forte expressivité. *Cf.* J.-L. de Boissieu, A.-M. Garagnon, *op. cit.*, p. 78-79.
2. P. Fontanier, *Les Figures du discours*, Paris, Flammarion, 1968, p. 379.
3. G. Genette, *Figures, op. cit.*, p. 250.
4. J. Molino et J. Gardes-Tamine, *op. cit.*, t. II, p. 133. Nous leur empruntons la citation d'A. Moret.

# B. Principales fonctions de la comparaison

Nous avons vu que suivant les époques, les esthétiques – et aussi les genres – les comparaisons étaient marquées par des procédés différents. À quels enjeux ces marques correspondent-elles ? Nous indiquons des dominantes, étant bien entendu que ces catégories ne sont pas imperméables.

## 1) Fonction ornementale

Elle est toujours mise en avant par la rhétorique classique : «La comparaison peut contribuer infiniment à la beauté du discours, et en être un des ornements les plus magnifiques[1].» Elle est conventionnellement associée à un discours poétique plutôt descriptif, elle est généralement motivée, l'écart entre Cé et Ca est réduit ; d'essence *figurative,* elle impose la représentation statique de deux mondes distincts, comme dans cet extrait du poème «Le Cygne» de S. Prudhomme :

> L'oiseau, dans le lac sombre où sous lui se reflète
> La splendeur d'une nuit lactée et violette,
> *Comme un vase d'argent parmi les diamants,*
> Dort la tête sous l'aile, entre deux firmaments.

Le champ lexical développé par le comparant marque la volonté d'embellissement du référent qui est, de plus, fixé en un tableau statique. C'est en particulier le cas dans la poésie épique ou dans la poésie descriptive où le comparant peut être amplifié et prendre les dimensions d'un tableau-fresque.

Quand l'habitant de Saturne, pour parler de la nature à *Micromégas*, compare celle-ci avec un parterre, une galerie de peinture, etc., Micromégas l'interrompt en disant : «Je ne veux point qu'on me plaise, je veux qu'on m'instruise.» Voltaire se moque de la comparaison ornementale, que dans les règles rhétoriques traditionnelles, on rattache au *placere*. Il demande un discours pédagogique, tourné vers le *docere*. Une telle fonction peut aussi être celle de la comparaison, dont Fontanier dit que dans certains discours, elle est une «manière d'éclaircissement et de preuve» (p. 378).

---

1. P. Fontanier, *op. cit.*, p. 379.

## 2) Fonction didactique

Dans le «raisonnement par comparaison», le comparant est là, non pour donner à voir, mais pour donner à comprendre ; il sert en quelque sorte de preuve ; ce type de comparaison fait d'ailleurs partie des lieux rhétoriques. La comparaison n'a donc pas valeur figurative, elle est *argumentative* ; elle est presque toujours motivée, l'écart Cé-Ca est limité ; le Ca doit être plus connu que le Cé et il a souvent une portée généralisante, typifiante ; les marques de sa portée sont surtout données par le déterminant, article défini ou indéfini à valeur générique, et parfois par le temps du verbe. Dans la phrase suivante, tirée de *Micromégas* : «Il allait de globe en globe, lui et les siens, *comme un oiseau voltige de branche en branche*», le Ca généralisant n'a pas valeur figurative ; il apporte sur le mode plaisant une preuve de la relativité (des distances et des valeurs). La comparaison vise surtout à convaincre de la valeur de vérité de la proposition énoncée dans le comparé sa force imageante est très limitée.

Ces deux fonctions de la comparaison ne rendent pas pleinement compte de la richesse du mécanisme associatif.

## 3) Fonction cognitive : expansion de l'imaginaire

Nous voulons parler de la comparaison où s'exprime avant tout la subjectivité du créateur, et qui peut être la voie d'accès à un monde imaginaire mis en parallèle avec le monde de la réalité.

• Elle est souvent porteuse de connotations affectives ou axiologiques. En effet, en substituant la mention d'un Ca concret à l'analyse, le narrateur remplace un savoir abstrait par une connaissance sensible. Dans le passage des *Mémoires d'outre-tombe* où est décrite la rencontre avec la petite hotteuse, l'épisode s'achève ainsi : «[...] elle est entrée dans une chaumière *comme un petit chat sauvage se glisse dans une grange parmi les herbes*» : le point d'orgue affectif apporté par la comparaison finale suggère l'empreinte laissée dans le souvenir par cette rencontre pourtant fugitive. De même, les comparaisons qu'on trouve chez Flaubert (même s'il dit les traquer) sont un foyer d'ironie important, car elles sont fondées sur une pseudo-valorisation du comparé : «[Emma croyait] qu'elle possédait enfin cette passion merveilleuse qui jusqu'alors s'était tenue *comme un grand oiseau au plumage rose planant dans la splendeur des ciels poétiques*.»

• La comparaison n'est plus ornement ou preuve ; elle donne à voir un monde autre, elle devient outil d'exploration et de connaissance sensible et permet le dévoilement de l'obscur. Là où l'analyse intellectuelle et abstraite serait inopérante, la comparaison permet une connaissance d'ordre poétique. On peut parler de son pouvoir herméneutique. On sait que chez Proust, elle permet – avec la métaphore – de déchiffrer les hiéroglyphes que présente le monde à la conscience. Ce patient travail de décryptage – que G. Deleuze appelle «l'apprentissage temporel des signes» – se traduit parfois par des comparaisons hypertrophiées d'une longueur bien supérieure au comparé, auquel elles sont, de plus, couramment antéposées. Dans la phrase qui suit, la comparaison forme un véritable tableau autonome, l'apparition en fin de phrase d'un comparé laconique et brutal traduisant le retour déceptif à la réalité. Seule la construction d'un monde imaginaire permet la connaissance et procure du plaisir ; plaisir de la connaissance, plaisir poétique, plaisir de l'humour, ne font qu'un :

> *Tel* un gourmet de littérature, allant au théâtre voir une nouveauté d'un des maîtres de la scène, témoigne sa certitude de ne pas passer une mauvaise soirée en ayant déjà, tandis qu'il remet ses affaires à l'ouvreuse, sa lèvre ajustée pour un sourire sagace, son regard avivé pour une approbation malicieuse ; *ainsi* c'était dès son arrivée que la duchesse allumait [i.e. «faisait briller ses yeux»] pour toute la soirée.

Toutefois la comparaison affirme le caractère irréductible des deux mondes qu'elle a reliés ; l'essence de la réalité ne peut être, quand elle est utilisée, qu'approchée.

Chez les surréalistes enfin, la comparaison à valeur herméneutique est nécessairement énigmatique ; seule la «(rupture du) fil de la pensée discursive» (A. Breton) et l'association des réalités les plus éloignées permettent l'exploration, ou la révélation fulgurante, de la surréalité[1]. Certains surréalistes – comme Reverdy – repoussent l'usage de la comparaison, figure d'une pensée analytique et discursive, mais quelqu'un comme A. Breton, au moins dans *Signe ascendant*, en 1947, n'établit pas de hiérarchie entre comparaison et métaphore : «Le mot le plus exaltant dont nous disposions est le mot *comme*, que ce mot soit prononcé ou *tu*.» L'image verbale chez les surréalistes

---

1. Pour une introduction plus précise au rôle de l'image verbale chez les surréalistes, voir C. Abastado, *Introduction au surréalisme*, Paris, Bordas, 1971, p. 81-87.

tire sa force poétique du paradoxe sur lequel elle est fondée : elle ne permet la connaissance que dans la mesure où elle est énigmatique.

Les analyses qui précèdent montrent la différence entre la comparaison pédagogique et la comparaison à valeur cognitive. L'écart est le même que celui qui sépare le désir de *convaincre* et celui de *persuader* ; la démarche est dans le premier cas intellectuelle et fait intervenir «l'esprit de géométrie», dans le second cas, ce sont «l'esprit de finesse» et la sensibilité qui s'expriment[1]. L'image verbale présuppose donc une hiérarchie entre les deux modes d'appréhension d'un référent.

La comparaison et la métaphore reposent sur des mécanismes associatifs différents, nous l'avons dit. Pourtant des écarts du même ordre vont se retrouver dans le trope, que nous allons à présent étudier.

# 3. La métaphore

Nous le rappelons, elle repose sur la perception (ou la création) d'une analogie entre deux référents désignés par le comparé et le comparant. Le premier peut être dit référent actuel, l'autre étant le référent virtuel. Comme pour la comparaison, deux axes d'étude peuvent être tracés : d'abord un axe descriptif, où est prise en compte la forme linguistique de la métaphore. Les mécanismes étant plus complexes que dans la comparaison, nous distinguerons une approche *syntaxique* (quels sont les modes de construction de la métaphore ?) et une approche *sémantique* (sur quels «transferts de signification[2]» est-elle fondée ?). Le second axe d'étude porte sur la nature et la fonction des divers types de métaphore. De façon simple, on peut dire qu'elles apportent un enrichissement sémantique en créant des associations nouvelles (on parle parfois à propos de la métaphore, d'«image associée[3]») ; elles sont la marque de l'expansion de l'imaginaire.

---

1. Pour l'opposition «convaincre-persuader», voir C. Perelman et L. Olbrechts-Tyteca, *Traité de l'argumentation*, Bruxelles, Éditions de l'Université de Bruxelles, 1988, p. 39-40.
2. *Cf.* P. Ricœur, *La Métaphore vive*, Paris, Seuil, 1975.
3. M. Le Guern, *Sémantique de la métaphore et de la métonymie*, Paris, Larousse, 1973, Paris, Seuil, 1975.

# A. *Approche syntaxique : constructions de la métaphore*

## 1) *Métaphores in praesentia/in absentia*

• *La métaphore in praesentia* est fondée sur une relation contextuelle entre un comparé et un comparant :

> Vers le nord, le *troupeau* des *nuages* qui passe,
> Poursuivi par le *vent, chien hurlant* de l'espace…

V. Hugo

Elle ne peut porter que sur un substantif (ou son équivalent verbal, l'infinitif).

• *La métaphore in absentia* est fondée sur une relation de substitution : le point de départ de la construction imaginaire, c'est-à-dire la comparé, n'est pas exprimé ; le lecteur ne saisit que le comparant. Prenons cet extrait de *Pierres* de R. Caillois : «Dans ma main resplendit un *soleil* minuscule.» La représentation métamorphosante propre à la métaphore a pleinement abouti puisqu'une représentation autre de l'objet (la pierre) est donnée, qui s'impose d'autant plus facilement que le co-texte ne permet pas une identification immédiate du comparé. Le terme métaphorique conserve donc quelque chose de son sens propre, même si le lecteur perçoit une anomalie sémantique, et la portée de la métaphore est accrue.

Cette construction substitutive participe parfois d'une stratégie de l'énigme quand le dévoilement du comparé et du référent actuel est différé :

> *Ce toit tranquille* où marchent *les colombes*
> Entre les pins palpite, entre les tombes.

Valéry

Le titre (*Le Cimetière marin*) et la suite du poème amènent le lecteur à associer «mer» et «navires» à «toit» et «colombes» : une double représentation (paysage terrestre/paysage maritime) est ainsi créée.

Le déroulement linéaire du discours métaphorique ne doit pas être négligé ; il peut y avoir une mise en scène du Ca qui participe d'une stratégie poétique ou narrative à identifier. Dans tel poème de R. Char, un syntagme substantif, centre de phrase nominale, devient comparant par l'ajout en hyperbate d'un comparé :

«Martinet aux ailes trop larges, qui vire et crie sa joie autour de la maison. Tel est le cœur.»

Dans l'extrait suivant de *Pierre et Jean*, l'image verbale prend la forme d'une comparaison canonique qui se transforme en métaphore *in absentia* :

Et on voyait d'autres navires [...] accourant [...] vers la jetée courte et blanche *qui les avalait comme une bouche* l'un après l'autre. Et les barques de pêche et les grands voiliers [...] arrivaient tous, vite ou lentement, vers *cet ogre dévorant* qui, de temps en temps, semblait *repu*, et *rejetait* vers la pleine mer une autre flotte [...].

La métamorphose progressive du paysage (achevée par l'introduction de la métaphore *in absentia*) associée au champ lexical du comparant, apporte à la description une touche de fantastique.

On peut aussi considérer comme *in absentia* les métaphores qui portent sur d'autres catégories que le substantif, c'est-à-dire sur le verbe et l'adjectif. Dans ce cas, c'est le comparant qui n'est pas exprimé ; la métaphore n'affecte pas le comparé mais certains de ses prédicats. On ne peut parler de représentation métamorphosante ; la métaphore suggère sans imposer, elle crée des impressions plus ou moins floues. Dans «les épais nuages *battaient des ailes* à ras de terre», ou «moi, mon âme est *fêlée*», le comparant reste implicite. À noter que la métaphore est parfois rendue explicite par l'ajout d'une comparaison : «Cette pensée avait sauté en même temps (que Swann dans la voiture) et s'installait sur ses genoux *comme une bête aimée*» (Proust)[1]. Tension entre implicite et explicite, entre mystère et dévoilement : le discours métaphorique est régi par des stratégies complexes.

Les constructions de la métaphore substantive *in praesentia* sont multiples. Un certain nombre de stylisticiens se sont intéressés à la spécificité syntaxique des métaphores[2] ; nous retiendrons quelques éléments d'analyse.

---

1. C'est ce qu' I. Tamba-Mecz, *Le Sens figuré*, Paris, PUF, 1981, appelle le «renforcement authentifiant du comparant».
2. *Cf.* I. Tamba-Mecz, *op. cit.*, J. Gardes-Tamine, «Métaphore et syntaxe», *in Langages* n° 54, juin 1979, p. 65-81.

## 2) *Fonctions syntaxiques de la métaphore in praesentia* [1]

### a) La relation attributive

C'est elle qu'ont étudiée la plupart des linguistes, elle est en effet perçue comme la construction la plus canonique de la métaphore. Cé et Ca sont reliés par un «*est* d'équivalence» : «Mais la mort n'*est* pour moi qu'un matelas d'aiguilles» (Baudelaire). Elle donne du comparé une «définition métamorphosante» (I. Tamba-Mecz) et apparaît souvent dans des énoncés didactiques.

### b) L'apostrophe

*Ange* plein de gaieté, connaissez-vous l'angoisse ?

Baudelaire

### c) L'apposition

Liée par des liens syntaxiques lâches avec le reste de la phrase, elle semble être un ajout accidentel, une retouche, alors qu'elle est le fondement d'une représentation nouvelle de l'objet ; sa mobilité dans la phrase permet des variations dans l'ordre de présentation des éléments, comme dans cet extrait de *Belle du Seigneur* d'A. Cohen :

Le premier délégué de Suède s'inclinait tristement, *haute grue mécanique* [...]. *Haut cheval surplombant,* Fridtjof Nansen approuvait l'envoyé spécial du Times...

À noter que c'est parfois le comparé qui est mis en apposition : «Et nous tenons ce sceptre en nos pattes, *l'effroi.*» La souplesse de la construction appositive permet donc des effets variés.

### d) La construction substantif + substantif

C'est la plus complexe, celle où les associations ont les formes et les effets de sens les plus nombreux mais aussi les plus flous : Ca +Cé : «le verre ardent des regrets» (Maeterlinck), ou les «métaphores-maximum» de Hugo : «pâtre promontoire», «fossoyeur oubli» ; motif + Cé : «(des cristaux) d'un blanc absorbant de neige ou de porcelaine» (R. Caillois) ; motif + Ca + Cé : «Le déhanchement maugréant de bête réveillée du navire» (J. Gracq), etc.

---

1. Pour plus de précisions sur cette construction, voir J. Molino et J. Gardes-Tamine, *op. cit.*, t. 1, p. 166-171.

«L'énigmatique préposition *de*[1]», pouvant marquer des relations très différentes est créatrice d'images qui restent hermétiques quand on ne peut identifier le mode de relation : «Cette page d'où tu prenais élan pour te soustraire à la géante torpeur *d'épine* du Monstre» (R. Char). Les surréalistes ont souvent usé de cette construction.

On l'entrevoit à travers les analyses précédentes, s'interroger sur le mode de construction des métaphores permet une première approche de leur rôle. Un dernier élément de leur construction reste à étudier : le motif.

### 3) *Métaphores motivées/non motivées*

Comme dans la comparaison, le motif peut être exprimé ou rester implicite. Il ne s'applique dénotativement qu'au comparant et il est attribué au comparé par glissement connotatif [2] et par hyperbole. Sa présence limite en principe l'extension de l'analogie puisqu'il réduit les sèmes communs Cé-Ca ; il permet parfois d'éclairer le sens de la relation :

> Les souvenirs sont cors de chasse
> *Dont meurt le bruit parmi le vent*

> Apollinaire

On perçoit dans l'analyse du motif, le mécanisme d'hyperbole qui est à la base de la métaphore : «La métaphore extrapole, elle se base sur une identité réelle manifestée par l'intersection de deux termes (i.e. le motif) pour affirmer l'identité des termes entiers[3].» Quand le lecteur perçoit un seul sème commun («cet homme est un lion»), l'association est souvent stéréotypée. Quand, au contraire, plusieurs sèmes communs sont identifiés, la force évocatrice de la métaphore s'accroît : «Mon cœur au chaud, ce lapin, derrière sa petite grille de côtes, agité, blotti, stupide» (Céline).

L'approche syntaxique montre la variété et la souplesse des constructions métaphoriques. Mais elle ne constitue qu'un préliminaire à l'étude des mécanismes sémantiques, des transferts de signification.

---

1. J. Molino, J. Gardes-Tamine, *op. cit.*, p. 171.
2. G. Molinié le définit comme une «qualité connotative».
3. Groupe μ, *Rhétorique générale*, Paris, Larousse, 1970, p. 107.

# B. *Approche sémantique : transferts de signification*

Nous retrouvons des analyses plus traditionnelles[1] qu'on peut mener en termes de décomposition sémique, comme dans l'étude de la dénotation. Disons dès à présent que la métaphore repose sur une rupture d'isotopie : l'association de sèmes génériques ou de sèmes spécifiques en principe incompatibles abolit les catégories logiques et impose une recatégorisation, une redistribution subjective où se manifeste une représentation personnelle et imaginaire du monde. Quelques grands axes interprétatifs peuvent être proposés, le reste étant affaire de contexte.

## *1) Transferts de sèmes génériques*

### a) **Concrétisation de l'abstrait**

C'est l'un des mécanismes les plus fréquents de la métaphore ; une expérience intellectuelle est transformée en expérience sensible : «Mes rêveuses pensées pieds nus vont en soirée» (Apollinaire). Le pouvoir concrétisant de la métaphore est à la base de sa fonction imageante.

### b) **Du non-humain à l'humain : personnification/anthropomorphisme**

Chez certains écrivains, la représentation de la nature s'exprime en métaphores qui impliquent une conception animiste ou panthéiste du monde. On pense à J. Giono, par exemple, dans sa description du hêtre :

> Et à l'automne, avec ses longs poils cramoisis, ses mille bras entrelacés de serpents verts, ses cent mille mains de feuillages d'or jouant avec des pompons de plumes [...], il n'était pas vraiment un arbre.

### c) **De l'inanimé à l'animal**

En dehors de métaphores marquées par le pittoresque affectif («le tramway, un genre de girafe obèse» (Céline[2])), la métaphore implique une même conception animiste du monde que celle qui a été étudiée plus haut :

---

1. *Cf.* S. Ullmann, «L'image littéraire, quelques questions de méthode», *in Langue et Littérature.* Actes du 8ᵉ Congrès de la Fédération internationale des langues et littératures modernes, Paris, Les Belles Lettres, 1961, p. 41-60.
2. Exemple emprunté à I.Tamba-Mecz, *op. cit.*

Le crépuscule étend sur les longs sillons gris
Ses ailes de fantôme et de chauve-souris.

V. Hugo

Ces éléments d'animation peuvent introduire dans le texte une touche de fantastique.

### d) De l'humain au non-humain (animal/inanimé)

Nous analyserons ici un emploi particulier, mais largement représenté, de ces associations : la vision caricaturale à portée parfois satirique d'un individu, dont un caractère est isolé et hyperbolisé par la métaphore :

> [Ce n'était plus la fillette blonde et fade...]. C'était une mère [...], une grosse mère banale, la *pondeuse*, la *poulinière humaine*, la *machine de chair* qui procrée sans autre préoccupation dans l'âme que ses enfants et son livre de cuisine.»

Maupassant

L'article défini à valeur généralisante est un autre marqueur hyperbolique : il donne à l'individu le statut d'un type.

Dans ces transferts de classèmes, l'effet de transgression est fortement marqué. D'autres transgressions de catégories sont à la base de la métaphore : elles affectent les sèmes spécifiques.

### 2) *Transferts de sèmes spécifiques*

### a) Les synesthésies

Elles reposent sur des associations de sensations différentes. Divers sens sont convoqués simultanément pour appréhender une réalité difficile à saisir et complexe ; les synesthésies présupposent une unité de l'être sensoriel ou du monde perçu (*cf.* les correspondances baudelairiennes). La métaphore proustienne exprime souvent cette appréhension à la fois fragmentée et synthétique de l'objet ; dans l'extrait qui suit, le narrateur évoque la manière dont Swann «entend» la petite phrase de la sonate de Vinteuil par des métaphores empruntées à des sens autres que l'ouïe : «Et tandis qu'elle passait, légère, apaisante, et murmurée comme un parfum [...].» C'est le «clavier incommensurable» des sens qui donne de la réalité la représentation qui est la plus juste, parce qu'elle est métaphorique et donc associative.

### b) Les transmutations de règnes ou d'éléments

La rêverie matérielle s'incarne là dans des métaphores où semble apparaître une nouvelle cosmogonie ; la représentation métamorphosante propre à ce trope efface les frontières entre les catégories les plus fondamentales ; on en voit un exemple dans l'évocation que fait Giono de la venue du printemps :

> Le printemps arriva. Vous savez comment il est : saison grise, pâtures en *poils de renard*, neige en *coquille d'œuf* sur les sapinières, des coups de soleil fous *couleur d'huile*, des vents *en tôle de fer blanc* [...].

Les métaphores construisent des relations inédites ; le lecteur découvre la représentation d'un monde nouveau et irréductible créé par l'auteur. Chaque métaphore met en relation deux univers hétérogènes ; de cette combinaison émerge un troisième univers, à la limite du merveilleux.

Enfin, il faut noter que tous les domaines lexicaux peuvent être associés par la métaphore.

Nous avons étudié les métaphores de façon isolée. Nous voudrions à présent analyser quelques modes de construction des réseaux métaphoriques qui peuvent couvrir jusqu'à l'ensemble d'une œuvre.

## C. Relations entre métaphores

### 1) Approche syntagmatique/verticale : la métaphore filée

On peut la définir comme «une série de métaphores reliées les unes aux autres par la syntaxe et par le sens[1]». Dans la métaphore filée, il y a donc récurrence des sèmes du comparant, qui forme une isotopie. Il est intéressant d'étudier les cas où le développement métaphorique se prolonge ; prenons ce passage de *Du côté de chez Swann* :

> Il montait en voiture mais il sentait que *cette pensée* [i.e. la pensée d'Odette] y *avait sauté* en même temps et *s'installait sur ses genoux comme une bête aimée* qu'on *emmène* partout et qu'il *garderait* avec lui à table, à l'insu des convives. Il la *caressait, se réchauffait à elle* et, éprouvant une sorte de langueur, se laissait aller à un léger frémissement [...], tout en fixant à sa boutonnière le bouquet d'ancolies.

---

1. M. Riffaterre «La métaphore filée dans la poésie surréaliste» *in La Production du texte*, Paris, Seuil, 1979, p. 217-234.

L'association pensée-bête aimée est explicitement marquée par une comparaison. Mais cette comparaison est précédée et surtout suivie de métaphores : celles-ci développent un second champ lexical, celui du comparant qui prend une extension et une importance plus grandes que celui du comparé («cette pensée») qui n'est nommé qu'au tout début. La métaphore, hypertrophiée, forme un tableau autonome et glisse subtilement vers la métaphore «in absentia» : dans «il *la* caressait», quel est l'antécédent du pronom *la* ? *Pensée* ou *bête aimée* ? La métaphore filée qui accentue le pouvoir métamorphosant de la simple métaphore est ici l'expression stylistique de la puissance pathologique d'un fantasme à ce point matérialisé qu'il suscite une manifestation corporelle. De plus, dans la dernière phrase, imprégnée de sensualité, la bête aimée devient un substitut d'Odette, le pronom *la* pouvant aussi renvoyer par syllepse au nom de la femme aimée.

Le marquage hyperbolique de la métaphore filée explique qu'elle ait été condamnée par le gôut classique. Un autre mode de relations entre métaphores va être envisagé.

## 2) *Approche paradigmatique/horizontale :*
   *les réseaux métaphoriques*

Leur étude est particulièrement productive quand elle est menée dans une œuvre entière. Lucienne Frappier-Mazur, identifiant l'ensemble des champs lexicaux couverts par les métaphores dans *La Comédie humaine* (théâtre, jeu, patriarcat, corps-maladie, agression, etc.), montre comment celles-ci contribuent à la construction de personnages vus comme lieux d'un échange d'énergie ou d'un conflit.

Dans l'étude d'un extrait d'œuvre, ou d'un poème, l'exploration des réseaux métaphoriques et de leurs relations est un élément essentiel de l'analyse interprétative. Il arrive que plusieurs lectures se superposent : une lecture non-métaphorique et une ou plusieurs lectures métaphoriques. C'est ainsi que dans le poème *Salut* de Mallarmé, F. Rastier[1] propose, une fois posée l'isotopie de la navigation, une isotopie métaphorique, celle du banquet et du toast («naviguer» = dîner, «poupe» = haut de la table, etc.), et une seconde isotopie métaphorique, celle de la littérature («naviguer» = écrire, «hivers» = stérilité, etc.).

---

1. *Sens et Textualité*, p. 225-244.

Par la création de réseaux métaphoriques structurés, l'écrivain construit un univers imaginaire personnel. Le degré d'originalité des métaphores doit aussi être pris en compte pour que l'enjeu de sa démarche puisse être compris.

# D. Métaphore et invention

Pour que les métaphores apportent l'enrichissement sémantique dont nous avons parlé, il faut que le lecteur identifie le passage d'un sens propre à un sens figuré. Plusieurs cas sont à distinguer :

## 1) La métaphore usée

• La **catachrèse** est à peine identifiable comme trope puisque le référent visé n'a qu'une expression métaphorique : «le pied de la lampe», «le bras du fauteuil», etc.

• La métaphore peut être totalement **lexicalisée** quand elle ne fait plus image, ne laissant qu'un «résidu affectif[1]» : «le malade *baisse*», «la nuit/la chaleur *tombe*», etc. On est souvent en présence de clichés, collocations imposées par l'usage : «le manteau de la neige», «une voix d'or», etc. Ces métaphores-clichés peuvent avoir un rôle connotatif, par exemple comme marqueurs d'un code poétique de convention.

## 2) La métaphore classique

Elle doit être compatible, dans les sèmes qu'elle introduit et dans son niveau de langue, avec le contexte. Pour être «juste», elle doit être, non arbitraire, mais transparente. C'est dire qu'elle est généralement empruntée au fonds commun des «topoi». Citons la métaphore antithétique ancienne de la tempête et du port, surabondante dans la poésie de Malherbe :

> Enfin après les tempestes
> Nous voicy rendus au port.

---

1. Ch. Bally, *Traité de stylistique française*.

«Cette antithèse entre l'agitation et le calme symbolise [...]
l'antithèse entre le mal et le souverain bien[1].»

## 3) *La métaphore d'invention*

Elle crée des associations nouvelles et constitue donc un
«construit énonciatif» (I. Tamba-Mecz). Elle apporte un enrichissement sémantique au discours par l'introduction d'une isotopie parfois peu prévisible ; celle-ci constituant une «valeur
ajoutée», est saisissable en termes de connotations. Nous avons
identifié quelques-unes de ces valeurs sémantiques addition-
nelles, dans l'analyse des transferts de signification. La métaphore d'invention peut «défie(r) l'analyse sémique[2]», quand la
lecture ne peut associer Ca et Cé : «Je suis le poète, *meneur de
puits tari* que tes lointains, ô mon amour, approvisionnent» (R.
Char). C'est la mise en évidence d'équivalences connotatives
qui peut seule résorber l'incompatibilité, en maintenant le
caractère irréductible de la représentation.

Un type de métaphore peut être détaché, dans cette étude
des tropes d'invention : c'est celui qui est fondé sur la **délexica-
lisation** de collocations qui ne font plus image. Nous citions
plus haut : «La chaleur tombe.» Voici le texte produit par la
métaphore rendue à la vie, resémantisée par Proust dans la description du restaurant de Rivebelle :

> [...] La chaleur du jour *tombait, se déposait*, comme au fond
> d'un vase le long des parois duquel la *gelée* transparente et
> sombre de l'air semblait si *consistante* qu'un grand *rosier* [...]
> avait l'air de l'arborisation qu'on voit au fond d'une *pierre
> d'onyx.*

Toute une rêverie matérialisante et «solidifiante» prend
corps dans l'emploi qu'on peut dire en **syllepse** du verbe «tomber».

Nous avons mis en évidence la complexité des processus
métaphoriques. Nous allons retrouver dans les fonctions qui
leur sont associées, la diversité déjà repérée dans l'étude des
comparaisons.

---

1. R. Fromilhague, *Malherbe, technique et création poétique*, Paris, A. Colin,
1954, p. 53.
2. P. Ricœur, *op.cit.*, p. 216.

# E. Fonction des métaphores

## 1) Fonction ornementale

La métaphore qui a cette seule fonction a généralement partie liée avec les «topoi» ou les clichés. Comme la comparaison, elle vise à orner le discours et à embellir le référent ; toutefois, comme le remarque M. Le Guern, la comparaison garde mieux son épaisseur concrète au Ca[1]. La métaphore a donc une moins grande force figurative. Des métaphores comme «le printemps de la vie» ou «la neige, blanc linceul», n'ont d'autre rôle que cette esthétisation.

## 2) Fonction didactique/explicative

Nous voulons parler des métaphores argumentatives, fondées sur un raisonnement par analogie[2]. La différence avec les comparaisons du même type n'est pas nettement marquée. On trouve ces tropes dans les énoncés à visée morale, philosophique, spirituelle, etc. ; le comparant est généralement emprunté au domaine sensible. Dans ce mode de raisonnement, les connotations (valorisantes ou dévalorisantes) du comparant sont transférées au comparé ; ce sont des connotations qui servent d'argument :

> N'espérons plus mon âme aux promesses du monde ;
> Sa lumière est un verre et sa faveur une *onde*

Malherbe

Les connotations du comparant sont stables, le choix du terme étant souvent fait au sein d'une topique marquée, comme dans les vers cités. Malgré la stabilité des connotations, le terme métaphorique a un sens relativement flou. Aussi certains philosophes rejettent-ils comme incertaine cette manière d'argumenter, plus proche de la persuasion (affective) que de la conviction (logique). Certains courants littéraires, et notamment l'esthétique baroque, ont néanmoins privilégié ce type d'approche.

Reste à voir la catégorie des métaphores où se manifeste le plus nettement l'invention : les métaphores à valeur cognitive, où connaissance et sensibilité, – et même émotion –, sont indissociables.

---

1. M. Le Guern, *op.cit.*, p. 73.
2. Pour des analyses développées, *cf.* C. Perelman et L.Olbrechts-Tyteca, «Le raisonnement par analogie», *op. cit.*, p. 499-549.

## 3) Fonction cognitive

### a) Dimension affective

Elle a été traditionnellement privilégiée dans l'étude de la métaphore. Il est vrai que, présupposant une démarche autre que logique, la métaphore fait de la connaissance un acte affectivement marqué. Sa formulation donne en effet au lecteur des «directives émotionnelles[1]» : les connotations affectives mais aussi axiologiques (on sait que les deux ensembles sont souvent étroitement associés) entrent ici en jeu. Dans Saint-Simon, par exemple, on trouve «un vaste réseau d'analogies maritimes [...], où la vie à la cour ressemble à une traversée d'océan, l'emploi de courtisan à une navigation périlleuse[2]». L'image hyperbolique de la navigation atteint la sensibilité du lecteur, à la différence d'une formulation abstraite.

### b) Connaissance et sensibilité

La métaphore, en établissant des liens nouveaux, «modifi(e) notre connaissance du monde» : «La métaphore unit à la fois ce qui est semblable et dissemblable : elle est la forme même de la connaissance créatrice qui fait la synthèse du divers et unit semblables et contraires dans une totalité organique et vivante[3].»

Ainsi, elle nous permet de découvrir un nouvel aspect de la réalité, ou un aspect qui sans elle serait resté obscur. On pense au pouvoir éclairant des métaphores dans les analyses psychologiques faites par les romanciers contemporains : les zones obscures de l'âme peuvent être intuitivement tirées au jour par ce qu'un critique appelle la «psycho-analogie[4]». Citons Proust, F. Mauriac, N. Sarraute, etc.

M. Le Guern écrit que la métaphore cognitive a une fonction capitale dans le langage amoureux, le langage religieux et la poésie[5]. Dans les trois domaines, le locuteur tente de connaître par le cœur, et d'exprimer l'ineffable. Dans la poésie, c'est à partir des romantiques que la dimension cognitive a été privilégiée. La métaphore devient alors le procédé stylistique essentiel de la démarche herméneutique, de la quête des «correspondances», des «identités secrètes» (Mallarmé). À la phrase de

---

1. Formule citée par Ph. Hamon, *Texte et Idéologie*, p. 54.
2. J.-L. de Boissieu et A.-M. Garagnon, *op. cit.,* p. 165.
3. *Langages* n° 54 («La métaphore»), p. 23 et 16.
4. D. Cohn, *op. cit.*, p. 55-63.
5. M. Le Guern, *op. cit.*, p. 72.

Baudelaire : «Au commencement du monde étaient l'analogie et la métaphore», répond la proclamation de Mallarmé : «Je raye le mot *comme* du dictionnaire.» La poésie symboliste affirme le pouvoir totalisant de la métaphore. Proust, lui aussi, fera de ce trope la figure emblématique de sa démarche, celle qui permet de donner «l'équivalent spirituel» de tout élément matériel. On comprend ce qui sépare dans cette démarche métaphore et comparaison. Celle-ci associe deux référents et impose la représentation double d'éléments rapprochés mais distincts ; celle-là correspond à une recherche d'unité. Peut-être est-il permis de penser que la comparaison conserve à la démarche cognitive une dimension spatiale et temporelle, alors que la métaphore tente d'abolir l'espace et le temps.

Les deux figures centrales que nous avons étudiées sont donc la comparaison et la métaphore. Elles entretiennent des rapports complexes : leur syntaxe est différente mais toutes deux introduisent des ruptures d'isotopie, et elles sont généralement concrétisantes. Certes, il y a des courants esthétiques qui ont prononcé, vis-à-vis de l'une ou de l'autre, des exclusives. Mais leur étude dans les textes amène à penser qu'il n'est pas possible d'établir entre elles une ligne de démarcation nette. Fonctionnellement, elles peuvent se rencontrer ou s'opposer. L'étude précise de leurs mécanismes, la prise en compte de l'entourage (textuel et situationnel) permettent seules d'évaluer leur relation et de caractériser l'univers du créateur chez qui on les trouve.

Métonymie et synecdoque, en revanche, sont très différentes des deux figures étudiées. Nous allons à présent analyser leurs caractères spécifiques.

# 4. Les autres tropes : synecdoque et métonymie

Nous le rappelons, la synecdoque repose sur un rapport d'inclusion entre sens propre et sens figuré, la métonymie sur un rapport de contiguïté. Ces tropes sont plus nettement codifiés que la métaphore, et surtout n'introduisent pas de rupture d'isotopie, ils n'apportent pas l'enrichissement sémantique de la métaphore. Les détournements de sens qui fondent leur existence sont d'ordre purement logique : «La contiguïté (et l'inclusion) se fonde(nt) sur la constatation de ce que l'expérience du monde impose», constatation «qui s'inscrit dans la réalité elle-même[1]».

# A. *La synecdoque*[2]

Dans la synecdoque, «je prends le plus pour le moins, ou le moins pour le plus» (Du Marsais).

## 1) *Le moins pour le plus*

On isole un élément ou un détail caractéristique, par un mouvement de focalisation et de concentration de la vision.

– La partie pour le tout :

> Et les bruits du *foyer* que l'aube fait renaître
> [...] Montaient avec le jour

Lamartine

– Le singulier pour le pluriel (article générique) :

> Quand *la* feuille des bois tombe dans *la* prairie

Lamartine

– Un caractère isolé pour désigner un objet :

> La Belle avait un père homme prudent et sage.
> Il laissa le torrent couler.

La Fontaine

## 2) *Le plus pour le moins*

C'est surtout l'emploi d'hyperonymes au lieu d'hyponymes qui est ici visé, c'est-à-dire la désignation du nom de l'espèce par celui du genre :

> Du *reptile* tranché les deux tronçons se tordent

Valéry

Dans l'étude de la fonction stylistique d'une telle figure, nous détachons surtout les connotations valorisantes ou dévalorisantes qui lui sont associées ; c'est ce jeu connotatif qui est à

---

1. R. Martin, «Notes sur la logique de la métonymie», *in Mélanges Larthomas*, p. 295.
2. Voir H. Morier, *Dictionnaire de poétique et de rhétorique*.

la base d'un certain nombre de synecdoques. Dans l'emploi d'hyperonymes par exemple, la connotation est souvent marquée : «astre» *vs* «soleil» ou encore : «*L'arbre* tient bon, le roseau plie.» La dilatation de la référence s'accompagne d'un mouvement laudatif.

La métonymie, d'un mécanisme plus complexe, a des fonctions stylistiques plus diversifiées.

# B. La métonymie

## 1) Description

Le glissement logique qui est à la base de la métonymie ne produit pas, nous l'avons dit, rupture d'isotopie. Il y a pourtant un déplacement partiel des sèmes, une distorsion qui fait de la métonymie un discours «oblique[1]».

Plusieurs types de métonymie peuvent être identifiés ; nous nous intéresserons ici à ceux qui ne sont pas lexicalisés.

## 2) Mécanismes et rôle fonctionnel

Deux ensembles de glissements logiques sont au centre de la figure :

### a) Le concret pour l'abstrait

(La démarche a des rapports étroits avec une recherche d'emblématisation.)

– L'**antonomase** [2] : au lieu de nommer une qualité, on fait surgir la figure du personnage exemplaire qui l'incarne culturellement : un Harpagon, un Tartuffe, «ce *Turcaret* de M. Deltocq» (Barbey d'Aurevilly).

– Désignation de l'effet par la cause, ou de la cause par l'effet : «lever le pied» / «ralentir», «trembler» / «avoir peur» ; cette figure génère des variations d'intensité dans l'évocation (estompage ou soulignement).

---

1. *Cf.* M. Bonhomme, *Linguistique de la métonymie* (Berne, Peter Lang, 1987). Il propose d'appeler «cotopie» la relation sémique qui unit sens propre et sens figuré.
2. Voir J.-F. Guéraud, «L'antonomase en question», dans *L'Information grammaticale*, Paris, n°45, mars 1990, p. 14 et *sqq.*

– La métonymie du signe : une réalité abstraite est identi-fiée par référence à un «élément qui lui est logiquement conti-gu» : «le Rouge et le Noir», «le lys dans la vallée», «le sabre et le goupillon», «*La chaire de Saint-Pierre* a accouché d'une encyclique[1]».

– L'usage de cette notion a été étendu aux associations métonymiques narratives, de caractère plus librement connota-tif. C'est ainsi que dans des analyses de description ou de nar-ration, on parle d'«indices métonymiques» ayant valeur d'appel connotatif ; les descriptions chez Balzac ou chez Flaubert sont presque uniquement conçues comme des métonymies qui évo-quent implicitement (obliquement) une certaine réalité : la des-cription de la pension Vauquer dans *Le Père Goriot,* en est l'exemple le plus célèbre.

Les détournements métonymiques peuvent aussi reposer sur un mouvement inverse, une tension vers l'abstraction.

## b) L'abstrait pour le concret

– Le lieu pour le personnage :

Ce que n'a jamais pu *Aragon* ni *Grenade*

Corneille

La vision se focalise sur l'élément le plus fortement conno-té.

– La «synecdoque (sic) d'abstraction relative». Elle impose un effacement de l'objet de référence qui n'est plus désigné que par un substantif abstrait, qui fait sortir la représentation de l'anecdotique, de l'événementiel. Suivant les époques, les genres, les esthétiques, l'abstraction a une portée différente :

• L'objet peut être effacé au profit de la qualité dans une esthétique de type impressionniste, à tendance non-figurative. Dans le passage du *Paysan de Paris* où Aragon évoque la figu-re de Nana, il semble pasticher la prose de Zola par ce procédé : «Alors la charmante *blondeur* se pencha vers moi…». La méto-nymie n'est pas ici sans rapport avec l'hypallage (*cf.* explica-tion des poèmes de Verlaine : «l'agilité des poulains»).

• L'abstraction peut avoir valeur collective et correspondre à la mise en évidence de principes, de lois. Ce type de métony-mie est fréquent dans la tragédie classique :

---

1. Exemple d'U. Eco cité par C. Kerbrat-Orecchioni, *op. cit.*, p. 155.

> Je ne sais de tout temps quelle injuste puissance
> Laisse le *crime* en paix et poursuit l'*innocence*

Racine.

On le retrouve aussi chez les moralistes, chez Marivaux[1] ou encore dans certaines phrases des *Mémoires d'outre-tombe* où Chateaubriand se présente comme un homme qui incarne des principes fondamentaux :

> [J'irai] présenter les lettres par lesquelles *le courage* et *le malheur* m'accréditent auprès de *l'innocence* et de *la vertu*.

L'homme est perçu comme un lieu où s'affrontent des forces multiples. Toute une conception de la psychologie classique est impliquée par cet usage de la métonymie : l'enjeu est non de décrire une existence mais de caractériser une essence. De même, au XIXe siècle, Balzac crée des personnages qui représentent des (arché)types ; il fait grand usage de la métonymie : «Cet homme présentait la pâle image de la passion… C'était le jeu incarné.» Une sorte de réticence devant la brutalité du raccourci qu'impose la métonymie conduit Balzac à modaliser son propos («image de», «incarné»), mais la portée de l'évocation reste la même.

### 3) Un cas particulier de métonymie : l'énallage

«Elle ne peut consister en français que dans l'échange d'un temps, d'un nombre ou d'une personne, contre un autre temps, un autre nombre ou une autre personne[2].»

On reconnaît là en particulier les emplois dits stylistiques des temps de l'indicatif, comme le présent de narration, le futur des historiens, l'imparfait d'atténuation, etc. On peut penser aussi aux transferts de personne, comme le *il* des *Commentaires* de César, le *nous* dit de majesté, etc. Les mécanismes énonciatifs liés à ces déplacements sont de deux ordres : effet d'estompage, ou au contraire effet de relief.

Nous avons plusieurs fois parlé d'«image verbale». Si nous avons introduit l'adjectif «verbal», c'est pour marquer, de façon implicite, la spécificité du terme «image» dans l'analyse stylistique, où il n'a pas son sens courant. En effet, comparaison et métaphore n'entraînent pas nécessairement représentation figu-

---

1. Nous empruntons ces analyses à la thèse de F. Deloffre, déjà citée.
2. P. Fontanier, *op. cit.*, p. 293.

rative, vision : les images didactiques par exemple, donnent à comprendre plutôt qu'à voir ; les métaphores cognitives qui, dans l'esthétique moderne en particulier, cherchent à appréhender l'au-delà du visible, n'ont pas non plus d'enjeu figuratif. C'est la comparaison qui, imposant la présence d'un monde second, parallèle au monde actuel, a le plus grand pouvoir de représentation visuelle, et sans doute aussi les comparaisons et métaphores filées et même hypertrophiées qui prennent les dimensions d'un tableau. Pour une définition de l'image que nous préférons appeler dans tous les cas «verbale», nous nous rattacherons à ce qu'écrit M. Le Guern : «On peut définir l'image du point de vue de la réalité linguistique par l'emploi d'un lexème étranger à l'isotopie du contexte immédiat[1].» Nous ajouterons que, même si elles ont un pouvoir concrétisant, elles n'ont de portée figurative que dans certains cas. Métonymie et synecdoque, qui n'introduisent pas rupture d'isotopie, ne peuvent être comptées au rang des images. Ce sont des signes, ou des signaux, d'une attitude énonciative particulière, mais ces tropes qui jouent sur des détournements d'ordre logique restent essentiellement abstraits. Les antinomies figuratif-non figuratif, abstrait-concret ne sont pas réduites par l'utilisation des tropes ; chaque créateur apporte sa réponse : son style en dépend.

---

1. *Op. cit.*, p. 53.

# II. Figures de pensée

Les figures de sens que nous venons d'étudier sont d'un abord relativement simple : isolables dans la chaîne du discours, elles peuvent être repérées par tout lecteur attentif. Il est en revanche une catégorie de détournements de sens dont les contours sont beaucoup plus flous, qui ne sont pas associés à des marques linguistiquement définissables – même si certains «signaux» les accompagnent parfois – et dont la visée est essentiellement pragmatique : ce sont les figures de pensée.

P. Fontanier les définit comme des figures «qui ne consistent que dans un certain tour d'esprit et d'imagination et, comme le dit Dumarsais, que dans une manière particulière de penser ou de sentir», et cela, «sans égard à la forme qu'elles peuvent emprunter dans le langage[1]». Peu saisissables, elles peuvent être repérées dans l'étude de tous les postes de l'énoncé ; elles correspondent donc toujours à une attitude énonciative marquée, et sont nettement orientées vers un récepteur. Dans le cadre de cet ouvrage, nous nous intéresserons surtout aux figures du double langage.

## 1. L'ironie

Elle est essentiellement fondée sur une inversion de la valeur de vérité.

Elle peut être définie par une prise en compte de l'énoncé, ou de l'attitude énonciative. Dans la prise en compte de l'énon-

---

1. P. Fontanier, *op.cit.*, p. 403.

cé, on définit l'ironie comme antiphrase : on dit «le contraire de ce qu'on pense ou de ce qu'on veut faire penser[1]». La linguistique de l'énonciation a affiné cette définition ; on rappelle brièvement la relation établie par O. Ducrot entre l'ironie et la polyphonie énonciative : dans le discours ironique, le locuteur L ne prend pas à son compte les propos qu'il est en train de tenir ; il fait mention de la pensée d'un énonciateur E, dont il se déclare implicitement non solidaire : «parler de façon ironique, cela revient, pour un locuteur L, à présenter l'énonciation comme exprimant la position d'un énonciateur E, position dont on sait par ailleurs que le locuteur L n'en prend pas la responsabilité et, bien plus, qu'il la tient pour absurde[2]». Ce dédoublement de l'instance énonciative est apparent dans le théâtre :

> Et je vais à Madame annoncer par avance
> La part que vous prenez à sa convalescence.

Dans ces vers de *Tartuffe*, Dorine semble adopter la position d'Orgon.

Dans le récit à la troisième personne le narrateur semble adopter un point de vue et un discours auxquels l'auteur refuse d'adhérer.

Pour définir en quelques mots la fonction de l'ironie, il est manifeste que «ironiser», c'est se moquer d'une «cible[3]». Mais dans les textes où l'adresse à un récepteur (réel ou virtuel) est évidente, l'ironie a une efficacité argumentative : elle vise à dévaloriser ceux dont on feint d'adopter la pensée. On peut citer ici le texte de Montesquieu sur l'esclavage des nègres. La force persuasive de l'adresse au récepteur est sans doute d'autant plus grande qu'elle est indirecte, et qu'elle semble laisser à celui-ci une marge d'interprétation. C'est d'ailleurs là que réside la difficulté de l'ironie : le sens du discours ironique étant par définition ambigü, son décodage est aléatoire et la réinterprétation risque de ne pas être faite par le récepteur. Le texte de Montesquieu dont nous avons parlé a été parfois mal compris. Toutefois, la prise de distance du locuteur peut être marquée dans l'énoncé : c'est le rôle des guillemets, des italiques, qui, nous l'avons dit dans le chapitre précédent, sont parfois des marqueurs d'ironie. Dans le discours oral, l'intonation peut jouer le même rôle. La connotation autonymique est ici en jeu.

---

1. P. Fontanier, *op.cit.*, p. 145.
2. O. Ducrot, *Le Dire et le Dit*, Paris, Éd. de Minuit, 1984, p. 211. Tous ces points de vue sont rappelés dans l'ouvrage de D. Maingueneau, *op. cit.*, p. 78 à 82.
3. C. Kerbrat-Orecchioni, *L'Énonciation*, p. 199.

Le caractère ambigü de l'énoncé fonde une relative liberté du récepteur qui peut à son tour feindre de ne pas percevoir la visée ironique du propos. Mais l'ironie peut être aussi du côté du locuteur, la même part de liberté étant pour lui associée à cette parole indirecte. En effet, sa véritable pensée n'est pas explicitement développée ; l'ironie participe de tout un jeu de masques ; J. Starobinski a ainsi pu la définir, dans une étude sur Stendhal, comme «la quintessence spirituelle du masque[1]». Proust parle aussi de «dandysme langagier». Les analyses proposées par un linguiste contemporain vont dans le même sens, puisqu'il voit dans l'ironie «une ruse permettant de déjouer l'assujettissement des énonciateurs aux règles de la rationalité», d'où la dernière phrase de son ouvrage : «[l'ironie] peut apparaître, dans l'ordre de la parole, comme le dernier refuge de la liberté individuelle[2]» Toute une problématique de la feintise est donc soulevée par l'ironie.

# 2. L'hyperbole et la litote

Comme l'ironie, elles manipulent la valeur de vérité.

### a) L'hyperbole

C'est une figure de pensée dans laquelle, comme l'écrit P. Fontanier, «on augmente ou diminue les choses avec excès». Selon lui, l'hyperbole ne doit pas dépasser la mesure et doit être utilisée avec un désir de persuader. On peut ainsi expliquer l'usage de l'hyperbole dans la présentation du héros classique ; qu'on songe à l'usage des caractérisants hyperboliques dans la *Princesse de Clèves*. Les marques de l'hyperbole sont multiples ; un exemple nous le montrera :

> Imaginez un horrible petit avorton, si petit que c'en était ridicule ; avec cela, disgracieux, sale, mal peigné, mal vêtu, sentant le ruisseau et, pour que rien ne lui manquât, affreusement bancal.
> Jamais pareil élève, s'il est permis toutefois de donner à ça, le nom d'élève, ne figura sur les feuilles d'inscription de l'Université. C'était à déshonorer un collège.
>
> A. Daudet, *Le Petit Chose.*

---

1. J. Starobinski, «Stendhal pseudonyme», *op. cit.*, p. 209.
2. A. Berrendonner, *Éléments de pragmatique linguistique*, Paris, Éd. de Minuit, 1981, p. 239.

On peut identifier des moyens morphologiques (*ça*), des moyens lexicaux (*horrible, affreusement*), des moyens syntaxiques (consécutive en *si... que*, énumération, infinitif consécutif *c'était à déshonorer*), etc.

La convergence des marques est en elle-même facteur d'expression hyperbolique. L'hyperbole a généralement une valeur argumentative, à étudier contextuellement.

### b) La litote

Si on la considère dans une extension restreinte, on peut dire que la litote, «au lieu d'affirmer positivement une chose, nie absolument la chose contraire». Elle est dans ce cas associée à l'emploi d'axiologiques ou d'appréciatifs («Ce que tu as dit n'est pas malin»). On peut aussi voir une litote quand on «restreint un degré qui, dans la réalité, se trouve placé au plus haut[1]» ; exemple : «X est un homme à l'abri du besoin»» (en parlant d'un milliardaire). Cette figure a une grande force pragmatique et relève de tout un art de la feinte, puisqu'elle est «une diminution pratiquée en vue de produire une amplification[2]». Même si elle repose sur un processus qui est l'inverse de celui de l'hyperbole, elle est aussi figure d'intensité et doit être étudiée comme telle.

L'euphémisme, grâce auquel la référence à une réalité défavorablement marquée est évitée, peut aussi être rattaché à cet ensemble de figures de pensée.

On le voit, dans l'étude des figures de sens, nous avons privilégié la dimension sémantique et rhétorique, alors que les détournements de sens liés à des détournements de pensée donnent plutôt lieu à des développements d'ordre pragmatique : le sens de l'énoncé est, avec les figures de pensée, toujours patent, et le travestissement opéré par le locuteur[3] est la marque d'un genre, d'une esthétique, d'un style d'auteur, que le lecteur doit identifier.

---

1. L. Marquèze-Pouey, «Va, je ne te hais point» *in Grammatica*, Université de Toulouse, 1973, p. 7.
2. *Id., ibid.*, p. 6.
3. C. Kerbrat-Orecchioni parle de «trope illocutoire».

# 3. Allégorie et exemple

Là, l'énoncé délivre une vérité analogique, c'est en ce sens qu'on peut parler de double langage.

## a) L'allégorie

Elle est donc l'une des figures du raisonnement par analogie, et peut se définir comme une «métaphore généralisée, dans laquelle le sens dénotatif est indéterminable [1]». Dans l'allégorie, deux champs lexicaux sont superposés : la structure du texte propose une première lecture doublée d'un sens abstrait que le lecteur peut ne pas voir. Le poème de Mallarmé, «Les Fenêtres», peut être lu comme la représentation allégorique de la tension vers un idéal inaccessible.

## b) L'exemple

C'est une autre figure du raisonnement par analogie. Dans l'exemple le comparant et le comparé sont simplement juxtaposés, mis en relation de parataxe. L'élément qui sert d'argument semble d'abord introduit pour lui-même ; ce n'est qu'*a posteriori* qu'il apparaît comme un des chaînons d'un raisonnement. Dans le sonnet de Baudelaire, «La Cloche fêlée», les deux quatrains brossent une description de la «cloche au gosier vigoureux». C'est le sizain final, introduit par «Moi, mon âme est fêlée», qui montre les deux étapes du raisonnement.

# 4. La prosopopée

C'est ici le sujet de l'énonciation qui est manipulé, puisque la parole est attribuée à une entité qui ne peut la prendre. Elle repose sur la matérialisation et l'actualisation d'un concept, d'un être absent ou imaginaire, qui s'expriment dans un discours : prosopopée de la Nature dans «La Maison du berger», prosopopée de la Beauté chez Baudelaire : «Je suis belle, ô mortels, comme un rêve de pierre...»

---

1. C. Kerbrat-Orecchioni, *op. cit.*, p. 245.

## LECTURES CONSEILLÉES

### I. Ouvrages de rhétorique

M. AQUIEN
*Dictionnaire de poétique*, Paris, Le livre de poche, 1993.

B. DUPRIEZ
*Gradus*, 10/18, Paris, 1980.

P. FONTANIER
*Les figures du discours*, Flammarion, Paris, 1968.

GROUPE μ
*Rhétorique générale*, Larousse, Paris, 1970.

G. MOLINIÉ
*Dictionnaire de rhétorique*, Paris, Le livre de poche, 1992.

H. MORIER
*Dictionnaire de poétique et de rhétorique*, PUF, Paris, 1975.

## II. Les principales figures

M. BONHOMME
*Linguistique de la métonymie*, Éd. Peter Lang, Berne, 1987.

D. BOUVEROT
«Comparaison et métaphore», *in Le Français moderne*, 1969, n° 2, 3, 4.

O. DUCROT
*Le Dire et le Dit*, Éd. de Minuit, Paris, 1984.

C. FROMILHAGUE
*Les Figures de style*, Paris, Nathan, 1995.

G. GENETTE
*Figures*, Seuil, Paris, 1966.
*Figures III,* Seuil, Paris, 1972.

A. HENRY
*Métonymie et Métaphore*, Klincksieck, Paris, 1971.

M. LE GUERN
*Sémantique de la métaphore et de la métonymie*, Larousse, Paris, 1973.

C. PERELMAN, L. OLBRECHTS-TYTECA
*Traité de l'argumentation*, Éd. de l'Université de Bruxelles, Bruxelles, 5e édition, 1988.

M. PRANDI
*Grammaire philosophique des tropes*, Paris, Éd. de Minuit, 1992.

P. RICŒUR
*La Métaphore vive*, Seuil, Paris, 1975.

I. TAMBA-MECZ
*Le Sens figuré*, PUF, Paris, 1981.

### III. Ouvrage collectif

*L'Ironie*, PUL, Lyon, 1978.

### IV. Revue

*Langages* n°54, «La métaphore», juin 1979.
*Langue française* n° 79 «Rhétorique et littérature», 1988.
*Langue française* n° 101 «Les figures de rhétorique et leur actualité en linguistique», 1994.

## APPLICATION

Après trois ans

1  Ayant poussé la porte étroite qui chancelle,
   Je me suis promené dans le petit jardin
   Qu'éclairait doucement le soleil du matin,
4  Pailletant chaque fleur d'une humide étincelle.

   Rien n'a changé. J'ai tout revu : l'humble tonnelle
   De vigne folle avec les chaises de rotin...
   Le jet d'eau fait toujours son murmure argentin
8  Et le vieux tremble sa plainte sempiternelle.

   Les roses comme avant palpitent ; comme avant,
   Les grands lys orgueilleux se balancent au vent.
11  Chaque alouette qui va et vient m'est connue.

   Même j'ai retrouvé debout la Velléda
   Dont le plâtre s'écaille au bout de l'avenue,
14  Grêle, parmi l'odeur fade du réséda.

                 Verlaine, *Poèmes saturniens* (1865).

1  L'échelonnement des haies
   Moutonne à l'infini, mer
   Claire dans le brouillard clair
   Qui sent bon les jeunes baies.

5  Des arbres et des moulins
   Sont légers sur le vert tendre
   Où vient s'ébattre et s'étendre
   L'agilité des poulains.

9  Dans ce vague d'un Dimanche
   Voit se jouer aussi
   De grandes brebis aussi
   Douces que leur laine blanche.

13  Tout à l'heure déferlait
   L'onde, roulée en volutes,
   De cloches comme des flûtes
   Dans le ciel comme du lait.

                 Verlaine, *Sagesse* (1875).

**Étude comparée de deux poèmes de Verlaine : tropes et comparaisons**

Les deux poèmes, écrits à dix ans d'intervalle, sont bâtis sur une isotopie commune, la nature : nature domestiquée et intimiste dans le premier, nature bucolique dans le second ; il serait possible de mettre face à face les actants des deux univers : «la porte» / «les haies», «le petit jardin» / «l'échelonnement... à l'infini», «chaque alouette» / «les poulains» et «les grandes brebis», etc. Notre propos est de mettre en évidence la différence de traitement de l'objet évoqué, à travers les figures, tropes essentiellement.

Les figures ont en effet une fonction très différente d'un poème à l'autre :

– elles sont ornementales et affectives dans le sonnet «Après trois ans». Le lyrisme intimiste de cette poésie du souvenir s'inscrit dans un ensemble de facture traditionnelle ; le recueil auquel elle appartient est le premier qu'ait publié Verlaine ; il relève d'une esthétique classique.

– dans le second poème, les images sont le fait de style fondamental qui structure l'ensemble. Elles imposent une vision autre de l'objet, et sont la marque d'une esthétique nouvelle, proche de l'impressionnisme.

# I. Les figures dans «Après trois ans»

Ce sont des métaphores, qui sont concentrées dans les onze premiers vers, surtout dans la partie centrale du sonnet. Nous faisons précéder l'étude du rôle sémantique des métaphores de remarques sur leur construction.

## 1. La construction des métaphores

– Elles ne présentent qu'une occurrence substantive, *humide étincelle* au vers 4 ; c'est une métaphore «in absentia», sans expression du comparé ; la représentation métamorphosée, poétisée, du comparé «goutte de rosée» s'impose seule. L'adjectif *humide* a, outre sa valeur descriptive, une fonction «désambiguïsante» ; il permet en effet d'identifier le comparé du mot *étincelle* qui perd de son relatif hermétisme. La métaphore «in absentia» ne peut ici être associée à une recherche d'étrangeté : elle est en effet fondée sur le sème spécifique (humide) qui permet d'identifier le comparé. Elle vise à l'embellissement du comparé.

– Dans les autres métaphores, le comparé est exprimé ; nous trouvons des métaphores verbales – *pailletant* v. 4, *fait son murmure/sa plainte* v. 7-8, *palpitent* v. 9, et de façon moins marquée, *va et vient* v. 11 –, des métaphores adjectives – *humble* v. 7, *argentin* v. 7, *orgueilleux* v. 10 et *fade* v. 14, qui est une **catachrèse**, puisqu'il n'existe pas de formulation non métaphorique de la notion –, une métaphore adverbiale – *doucement* v. 3. Ces métaphores, autres que substantives portent non sur l'objet lui-même, mais sur les procès et les qualités qui lui sont associés ; elles ne donnent donc pas de l'objet une vision métamorphosante, elles suggèrent seulement des associations, elles enrichissent la représentation du référent et sont porteuses de connotations.

# 2. Les champs lexicaux des métaphores : le topos du «locus amoenus»

On peut définir le «locus amoenus» comme un «paysage agréable et paisible qui selon la tradition est propice aux idylles et élégies». L'ensemble des métaphores donne du lieu décrit une représentation esthétique et affective.

## A. Connotation méliorative : un discours orné

### 1) Métaphores adjectives et clichés poétiques

Les associations *humble tonnelle* v. 5, *murmure argentin* v. 7, *grands lys orgueilleux* v. 10, forment des associations métaphoriques prévisibles, proches de la collocation[1]. L'antéposition des épithètes qui deviennent de véritables épithètes de nature, est une autre marque conventionnelle du discours poétique : *humble tonnelle* et aussi *humide étincelle*. La présence d'associations fortement codées donne de la réalité une vision qui est certes enrichie par les métaphores mais qui est aussi une mise en tableau statique, relevant d'une esthétique classique.

### 2) Métaphore «in absentia»

La périphrase métaphorique (*humide étincelle*, v. 4) est dans la poésie classique un ornement du discours ; d'une forme proche de l'oxymore – alliance du feu et de l'eau, éléments incompatibles – elle apporte une légère touche baroque à l'énoncé, qui est une marque supplémentaire de poétisation.

### 3) Métaphore et synesthésies

Les images *humide étincelle* v. 4 et *murmure argentin* v. 7 associent des sensations différentes ; l'enrichissement de la représentation – l'objet est appréhendé simultanément par des sens différents – provoque l'idéalisation du référent décrit.

### 4) Embrayeur d'isotopie

Le participe *pailletant* s'inscrit dans une double isotopie : celle de la réfraction de la lumière (*humide étincelle*) et celle du métal précieux (*argentin*).

---

1. Voir chapitre 3 *Connotation*.

Cette esthétisation de la nature n'est pas le véritable enjeu des métaphores. L'évocation du lieu se charge en effet de connotations affectives, repérables elles aussi dans les champs lexicaux métaphoriques.

# B. *Discours affectif :*
## *une nature discrètement humanisée*

### *1) Champs lexicaux des métaphores (des comparants)*

Cette humanisation de la nature trouve son expression dans la métaphore filée la plus importante du poème, puisqu'elle se développe dans les onze premiers vers : *doucement* v. 3, *humble* v. 5, *fait son murmure/sa plainte* v. 7-8, *palpitent* v. 9, *orgueilleux* v. 10, *va et vient* v. 11. Plusieurs traits sémiques sont inhérents à ces métaphores humanisantes.

**a)** *Présence d'un verbe emblématique* : *palpiter* v. 9 ; il est le verbe le plus immédiatement associé à la vie et à l'émotion, évoquant allusivement le cœur.

**b)** *Emploi de verbes essentiellement dynamiques* ; certains d'entre eux impliquent un sujet animé par une volonté : *pailletant* v. 4, *fait son murmure/sa plainte* v. 7-8 – le choix d'une locution verbale introduisant le verbe «faire» peut s'expliquer ainsi – *va et vient* v. 11.

**c)** *Notations morales* : *humble* v. 5 et *orgueilleux* v. 10, reliés par une antithèse. Ces deux adjectifs apportent certes une nouvelle touche humanisante. Mais ils font surtout partie d'un code poétique, et sont des marqueurs de genre/de ton. Le discours lyrique prend des inflexions différentes ; d'abord simple (*humble* rappelant le «humilis stylus» des anciens), le poéme est ensuite marqué par des accents plus solennels.

**d)** *Notations affectives* : elles traduisent la présence d'une émotion plus que d'un sentiment (*doucement, murmure, plainte, palpitent*). Le paysage devient porteur de l'affectivité du locuteur, Verlaine s'inspirant en cela d'un modèle romantique conventionnel (autre topos).

### *2) Champs lexicaux des comparés*

Le choix des comparés, termes qui désignent un référent actuel est marqué par une progression : dans les huit premiers vers, les termes *tonnelle* v. 5, *chaises de rotin* v. 6, *jet d'eau* v. 7, composent le cadre d'une nature organisée par l'homme à sa mesure ; les adjectifs caractérisants, dans les deux quatrains, apportent une touche intimiste et sont affectivement connotés, qu'ils soient ou non métaphoriques (*étroite* v. 1, *petit* v. 2, *humble* v. 5, *vieux* v. 8). Tous les éléments repérés convergent vers la reconnaissance d'une veine lyrique, mais le chant s'exprime ici «mezzo voce».

Dans les trois vers suivants, en revanche, les trois actants, *roses* v. 9, *lys* v. 10 et *alouette* v. 11, sont les marques topiques d'une rhétorique amoureuse conventionnelle, d'un style élevé ; l'antithèse *humble* vs *orgueilleux*, doublée par l'antithèse *petit* vs *grand*, marque aussi la progression du poème. Si le *je* est d'abord sensible au cadre intimiste, propice aux sentiments, il met ensuite en évidence le caractère impassible et «superbe» de la nature qui devient le révélateur d'un passé amoureux révolu. La tonalité élégiaque s'impose au fil du poème.

Dans l'étude de la fonction des tropes, la progression du discours (l'axe syntagmatique) doit donc être prise en compte puisque la tonalité du poème n'est pas dès l'abord révélée. Le *locus amoenus* décrit n'est pas le cadre d'une idylle, il est celui d'une élégie. Certes, le titre est caractéristique d'une poésie des regrets (*cf. Trois ans après* de Hugo). Mais, et c'est là le fait le plus remarquable de ce sonnet, l'opposition entre le passé idyllique et le présent des regrets n'est jamais explicite. Elle est implicitement associée aux connotations des comparés et des comparants ; elle est de plus, allusivement évoquée par l'ellipse narrative du v. 6 : la seule marque d'un au-delà du texte, ce sont les points de suspension, marques connotatives d'une rêverie diffuse (que s'est-il passé sous cette tonnelle ?). Enfin, le sonnet s'achève sur une rupture déceptive : trois vers non métaphoriques dont les termes se chargent de connotations dysphoriques dans lesquelles s'exprime sans doute la conscience douloureuse d'un présent dégradé.

Dans ce poème de jeunesse, d'une esthétique encore conventionnelle, le style verlainien se révèle par cette pratique de l'estompage, du non-dit, de l'allusif, qui marque la distance déjà prise avec l'esthétique de ses devanciers. Le second poème introduit une rupture.

# II.  Les figures dans le second poème

Une première remarque s'impose : le *je* lyrique a disparu, laissant la place à l'impression pure. La poésie de l'objet a remplacé la poésie du sujet. Les images déterminent ici des visions successives du même objet.

## 1. Construction : le pouvoir métamorphosant de la représentation métaphorique

Les métaphores ne sont pas très nombreuses. Elles sont pourtant la matière même du poème, qui n'a de sens que par elles.

### A. Première strophe (v. 1-4)

La métaphore verbale *moutonne* (v. 2) suggère l'image de la mer sans que le comparé *haies* soit métamorphosé. Mais la métaphore appositive «in praesentia» *mer* (v. 2), dont la force est accentuée par la position du mot en contre-rejet externe, confirme ce qui n'était que suggéré : la double représentation d'un paysage à la fois terrestre et marin, aux contours estompés. L'opposition entre la vision d'un paysage géométriquement structuré (*échelonnement* v. 1) et la vision d'un élément amorphe (*mer* v. 2), surdétermine le caractère dynamique d'une représentation changeante, sans stabilité.

## B. *Quatrième strophe (v. 13-16)*

Le réseau métaphorique est complexe et oblige à une double lecture.

### *1) Vers 13-14*

L'isotopie marine (*onde, déferlait*) semble renvoyer à un référent actuel ; mais le cadre marin est à son tour métamorphosé. La métaphore appositive *roulée en volutes* (v. 14) renvoyant au comparant *fumée*, tend à dématérialiser le référent d'abord nommé, ici associé à un objet impalpable, sans consistance.

### *2) La métaphore auditive*

C'est surtout la lecture des vers 15 et 16 qui montre le pouvoir métamorphosant de la métaphore ; la construction *l'onde de cloches* transforme *onde* en un objet métaphorique ; *onde* devient le comparant d'une métaphore auditive («l'onde sonore»).

Le mécanisme de la construction métaphorique est analogue à celui du début : il repose en effet sur une représentation dynamique perçue dans son évolution, sur un même effet de dématérialisation de l'objet premier *onde* (*cf. haies*) et sur une représentation assurée par la syllepse de *onde* (représentation visuelle, puis représentation auditive).

Le brouillage progressif des contours a pour fondement stylistique l'usage de métaphores substantives «in praesentia» qui vont toutes dans le sens d'une superposition de visions, et d'une dématérialisation, d'abord du terrestre (*haies*) converti en maritime, plus loin du marin (*onde*) converti en fumée, puis en son, par embrayages successifs d'isotopies. Une étude plus précise des réseaux associatifs va mettre en évidence les incertitudes et les modifications des sensations-impressions.

## 2. Métaphores et réseaux associatifs

Le verbe *moutonner* (v. 2) est «embrayeur d'isotopie». Ce verbe métaphorique semble par associations successives engendrer un grand nombre des isotopies du poème.

## A. *L'isotopie marine*

Elle est impliquée par l'usage du comparant (v. 2), par le terme lu d'abord comme non métaphorique de *onde* (v. 14), et par le jeu de mots en syllepse de l'adjectif substantivé *ce vague* (v. 9).

## B. *L'isotopie terrestre et animale*

Par une sorte de contiguïté spatiale à valeur métonymique, l'association *haies* + *moutonne* (v. 1-2) semble provoquer l'apparition dans le texte des *brebis* à la *laine blanche* (v. 11-12). Le sème de «blancheur», motif implicite de la métaphore «moutonner» est pour finir exprimé.

## C. *L'isotopie aérienne*

On sait que les «moutons» désignent aussi un type de nuages. Le complément du verbe *moutonne (à l'infini,* v. 2), l'image des *volutes* (v. 14) peuvent aussi exprimer une «impression de ciel», d'autant plus que c'est sur cet élément que se referme le poème.

Toutes les images générées par le verbe *moutonne* démultiplient la vision ; dans ce paysage en anamorphose, la distinction entre référent actuel (le comparé) et référent virtuel (le comparant) tend à s'estomper ; restent des impressions successives, associatives plus que discursives, dont la prolifération est assurée, mais aussi conjurée par le terme-pivot de *moutonner.*

## 3. Rôle des figures voisines : les comparaisons

– Nous avons vu que la comparaison, laissant distincts comparant et comparé ne supposait pas une démarche anti-logique. Or ici les comparaisons frappent par leur caractère atypique et leur étrangeté.

– V. 11-12 : la proximité sémantique du Ca et du Cé donne à la comparaison un caractère de «maladresse», d'impropriété connotant une recherche de simplicité/naïveté renforcée par la répétition de l'adverbe *aussi* à la rime. L'adjectif *blanche*, dénotativement inutile et même non pertinent (la laine *blanche* n'est pas plus douce qu'une autre) se charge par association d'une connotation de douceur qui imprègne les mots comportant un sème identique ou analogue (*clair*, v. 3, *lait*, v. 16). La même démarche impressive se retrouve ici.

– V. 15 et v. 16 : ces deux comparaisons directement reliées (sans verbe, sans motifs) aux comparés donnent à la phrase une structure condensée, elliptique, proche de l'«incorrection», de l'impropriété syntaxique.

L'absence de motif (ou qualité commune) ouvre la voie à la lecture plurielle :

- *cloches, flûtes* – le son ? la ressemblance visuelle ?

- *ciel, lait* – la couleur ? l'apparence matérielle (*lait* réintroduit l'iso-topie liquide).

La comparaison, en suggérant une association entre la substance du Cé et celle du Ca, impose la vision de deux objets aux relations peu explicites dans ce poème, ce qui participe de cette même recherche de l'indécis.

# 4. Métonymies, hypallage : vers le non-figuratif

## A. *Topique bucolique et pastorale*

Dans les diverses strophes, sont employés des substantifs propres à la topique bucolique et pastorale : *haies* v. 1, *moulins* v. 5, *poulains* v. 8 (tous ces mots sont mis en relation à la rime) *brebis* v. 11, ainsi que *flûtes* v. 15 et *lait* v. 16 (à la rime également).

Nous avons vu comment, par le jeu des métaphores, le paysage terrestre tend à se dissoudre ou du moins à se brouiller. De plus, le poème est travaillé par des figures qui font dériver l'évocation vers le non-figuratif, proche de l'abstraction impressionniste.

## B. *La métonymie*

Celle du vers 6 (*le vert tendre*) ne laisse subsister de l'objet que la couleur.

## C. *L'hypallage*

Toute une série d'hypallages fait passer l'objet évoqué au second plan, la qualité, l'impression produites étant premières : *dans ce vague d'un Dimanche* v. 9 (et nous avons vu le poids sémantique de *vague*) et surtout *l'échelonnement des haies moutonne* v. 1-2 et *Où vient... l'agilité des poulains* v. 7-8 : c'est un substantif abstrait qui devient le sujet des verbes de mouvement. Dans cette construction, parfois appelée «caractérisation impressionniste», l'objet n'est plus que le support d'un mouvement. De plus, le choix de verbes de mouvement (sème présent aussi dans le pronominal *se jouer* v. 10, et *déferler* v. 13), crée un tableau mobile, aux contours peu stables et donc flous.

On pourrait ajouter que la forte proportion d'articles indéfinis est une marque redondante d'indétermination et d'imprécision, que la construction *voici se jouer* (v. 10) crée un effet de mise à distance et d'estompage du procès, de même que l'apparition d'un imparfait, noyau verbal de la dernière strophe (*déferlait* v. 13), qui relègue le procès dans un passé indéterminé dont il ne reste qu'une trace mémorielle.

# Conclusion

S'il est vrai que certaines isotopies (jeunesse, douceur) sont porteuses de connotations affectives (euphoriques) tout s'exprime dans l'impression pure (c'est-à-dire sans sujet explicite).

Cette recherche de transcription de l'impression est fondée sur deux directions poétiques : recherche de l'estompage des contours de l'objet, recherche de l'impropriété des associations perçues comme purement impressives. Sans véritables modèles, cette poésie, où se voit l'aboutissement des recherches esthétiques de Verlaine, est surtout fondée sur des connexions métaphoriques qui déréalisent l'évocation. L'ensemble des figures vise à ce décentrage de la représentation. Le choix d'un mètre atypique (heptasyllabe = octosyllabe tronqué) et l'effacement des distinctions typographiques entre strophes contribuent aussi à la construction d'un univers fluctuant, difficile à appréhender, sinon par association.

# *Chapitre 5*
# La phrase

# Introduction

Dans les dix dernières années, la stylistique s'est relativement peu intéressée à l'étude de la phrase. Certes, la pragmatique a étudié les relations logiques entre syntagmes dans son approche de l'argumentation mais les perspectives stylistiques liées en particulier à l'organisation syntaxique ont été peu renouvelées. Montrer comment la forme et l'enchaînement des structures syntaxiques permet l'élaboration du sens, suppose à un moment ou à un autre une démarche métaphorique, la phrase étant le reflet de la manière dont le créateur regarde le monde. Dans son étude du style de M. Proust, le linguiste Léo Spitzer parle d'«onomatopée syntaxique[1]». Pour être rigoureuse, l'étude de la phrase doit donc très généralement prendre en compte le matériel lexical[2]. Nous verrons une application de cette relation dans le texte étudié à la fin du chapitre.

L'analyse explore des perspectives diverses et convergentes dans la mesure où de multiples facteurs interviennent dans la construction phrastique et se conjuguent pour produire l'effet de sens.

On peut évoquer ici simplement ces axes fondamentaux avant de guider leur exploration. Décrire la phrase en relation avec le projet qu'elle met en œuvre implique que soient examinés :

---

1. L. Spitzer, «Le style de M. Proust», in *Études de style*, Paris, Gallimard, 1970, p. 410.
2. *Cf.* article de M.-H. Prat, «Remarques sur l'étude stylistique de la phrase : rythme, sens et mélodie» in *Mélanges P. Larthomas*, Paris, Collection de l'ENSJF, 1985, p. 387-396.

– L'architecture générale, c'est-à-dire le cadre syntaxique dans lequel elle se développe. Le texte montre-t-il une prédominance de phrases nominales, de phrases simples, de phrases complexes ? Combine-t-il, et à quelles fins, ces différents modèles ?

– Le traitement des éléments parallèles de la phrase.

– L'ordre des mots et ses variations éventuelles à l'intérieur de chaque phrase ou de chaque proposition.

– Les figures de construction qui relèvent soit d'écarts ou de ruptures par rapport aux normes du français courant soit du principe de soulignement (répétition).

– Le rythme ou la manière dont sont disposées les masses sonores. Une attention particulière sera portée au mode de l'insertion de la phrase dans une structure métrique et aux effets qui en résultent.

# I. L'architecture générale

## 1. La syntaxe simple

### A. *Le monorhème*[1]

L'énoncé minimal est constitué par un mot ou un groupe de mots non intégré dans une structure verbale grammaticalement liée. Si l'on reprend la traditionnelle distinction thème et rhème (parfois appelé prédicat), on perçoit que certains énoncés peuvent présenter le thème seul :

Ma voiture !

ou le rhème seul :

Volée ?!

On observe que la modalité ne peut être assertive. Le monorhème dans son sens le plus strict, correspond à l'expression spontanée, non médiatisée, marquée par l'affectivité du locuteur.

### B. *Le dirhème*[2]

Il associe dans le même cadre énonciatif thème et rhème, l'ordre étant commutable :

---

1. Voir analyse de F. Deloffre, dans *La Phrase française*, Paris, SEDES, 1969, p. 17-18.
2. *Id., ibid.*

«Sa fille ? un amour !» (séquence progressive, ordre thème/rhème).

«Intéressant, ce film !» (séquence régressive, ordre rhème/thème).

Ce type de phrase restitue la perception immédiate qui se transmet sans élaboration du discours. On le retrouve fréquemment dans toutes les structures du monologue intérieur ou en discours direct dans les énoncés à caractère injonctif, interrogatif ou exclamatif.

## C. La phrase nominale

En structure assertive, elle énonce le simple constat de réalité, hors actualisation temporelle :

> Amples housses de chintz aux teintes passées. Pois de senteur dans les vieux vases. Des charbons rougeoient.
>
> N. Sarraute

On est ici en présence d'un style dit de «notation» (événements, impressions, «être-là» de l'objet).

## D. La phrase à verbe de sémantisme vide

Le noyau verbal pose seulement l'existence de la réalité évoquée. La phrase s'engage à partir de *c'est, il y a* ou *voici*. Le procès ou l'état dépeint se fixe dans l'imagination du lecteur. «L'écriture artiste» de la seconde moitié du XIXe siècle fait un usage courant de ces tours dont on a souligné la valeur picturale. Un exemple remarquable en est fourni lorsque Flaubert présente Mme Arnoux. Le tour constitue à lui seul un paragraphe : «Ce fut comme une apparition». On est là en présence de ce qu'on appelle parfois le style substantif.

## E. La phrase simple

Elle est constituée d'une seule proposition et vise souvent à rendre compte de la réalité immédiate, non altérée ou mise en forme par le regard du récitant. Dans ce poème de V. Hugo, l'appréhension naïve et spontanée du monde est bien rendue par cette facture simple de la première strophe qui approche la vision enfantine :

> Je ne songeais pas à Rose ;
> Rose au bois vint avec moi ;
> Nous parlions de quelque chose,
> Mais je ne sais plus de quoi.

V. Hugo

# 2. La syntaxe complexe

Il ne peut être envisagé ici la description des divers tracés de la phrase complète. La thèse de J. Hellegouarc'h sur *La phrase dans les caractères de La Bruyère* donne une juste idée de ses sinuosités. Léo Spitzer a présenté de brillantes analyses sur la complexité des formes de phrase utilisées par M. Proust[1]. Il en sera reparlé. On se bornera à reconnaître deux grands moules spécifiques : la structure télescopique avec une variante de structure dite «en escalier» et la structure d'emboîtement.

## A. La structure complexe dite télescopique. Une variante : la structure dite «en escalier»

Dans ce type de phrase liée à un enchaînement continu, chaque proposition découle de la précédente et la phrase progresse méthodiquement. Le modèle se prête tout spécialement à l'analyse des faits, situations ou personnages ; la phrase rend compte d'une exploration logique, naturelle, menée sans heurt. Ainsi est décrite la fascination exercée sur Swann par la célèbre «petite phrase de Vinteuil».

> Et elle était si particulière, elle avait un charme si individuel et qu'aucun autre n'aurait pu remplacer que ce fut pour Swann comme s'il eût rencontré dans un salon ami une personne qu'il avait admirée dans la rue et désespérait de jamais rencontrer.

Proust

Dans la phrase en escalier l'effet produit est différent car la phrase semble rebondir alors même qu'on s'attend à sa conclusion :

---

1. L. Spitzer, *op. cit.*, p. 397-473.

Alors commença entre eux une correspondance qui n'a fini qu'à la mort des deux femmes// qui s'étaient penchées l'une vers l'autre, // comme deux fleurs de même nature prêtes à se faner.

Chateaubriand

Le récepteur suit la chronologie d'une pensée dynamique et parfois imprévue.

## B. L'adjonction parenthétique

La structure complexe procède par *adjonction parenthétique* ou par emboîtement d'éléments subordonnés (propositions ou syntagmes de différente nature).

– La progression du sens n'est plus régulière, la phrase procède par adjonction de structures dépendantes qui s'emboîtent les unes dans les autres pour nuancer et enrichir l'analyse. Ainsi chez Proust :

Cette année-là
    quand
                un peu plus tôt que d'habitude
    mes parents eurent fixé le jour de rentrée à Paris
le matin de mon départ
    comme on m'avait fait friser pour être photographié [...]
après m'avoir cherché partout, ma mère me trouva en larmes
[...]

– L'adjonction des syntagmes adventices caractérise la démarche de celui qui a le souci d'intégrer dans un cadre syntaxique unitaire des précisions analytiques, des informations, secondaires peut-être, mais nécessaires à la saisie d'un ensemble identifié par les relations entre ses parties.

– La parenthèse produit un effet différent. Prenant souvent la forme d'une proposition syntaxiquement non reliée au reste de la phrase, elle souligne des perspectives d'arrière-plan ; elle peut aussi, parce qu'elle est le lieu de l'intrusion du narrateur, être ce que L. Spitzer appelle «l'équivalent linguistique de la coulisse[1]». Ainsi dans cette phrase de Flaubert : «Emma était accoudée à sa fenêtre (elle s'y mettait souvent : la fenêtre, en province, remplace les théâtres et la promenade).»

---

1. L. Spitzer, *op. cit.*, p. 411-417.

# C. Un cas particulier : la période

La période ne peut être définie comme une phrase longue et complexe. Elle se présente comme un système organique d'éléments hiérarchisés, c'est-à-dire que plusieurs constantes de nature différente aident à la reconnaître.

– La structure syntaxique est complexe : plusieurs propositions subordonnées emboîtées l'une dans l'autre et/ou découlant l'une de l'autre interviennent dans sa composition.

– La cadence, l'effet rythmique est nettement marqué[1]. La protase (partie ascendante de la phrase) se distingue nettement de l'apodose (partie descendante) d'autant plus que fréquemment la période est bâtie sur une anticipation des subordonnées (dans la protase) par rapport à la principale (dans l'apodose).

– Une concordance peut s'établir entre le patron syntaxique et le mouvement rythmique : l'effet d'attente et de clôture peuvent correspondre respectivement à la montée et à la descente de la phrase.

Rythme et syntaxe peuvent se conjuguer au sein de la période et permettre de reconnaître des *isocolons* ou membres de phrase égaux, soulignés par les concordances rythmiques.

– Le dernier membre de la période peut être mis en valeur avec l'effet de clausule que l'on peut gloser en français moderne comme procédant de l'équilibre relatif du nombre des syllabes, «de leur soulignement accentuel[2]» allant de pair avec des enrichissements phoniques.

On reconnaîtra ces caractères dans cette période de Chateaubriand :

> Quand le hennissement de nos chevaux se fera entendre dans la campagne, quand l'étoile du matin annoncera l'aube, // le berger de Frascatti descendra avec ses chèvres, et moi, je cesserai de te bercer de ma chanson à demi-soupirée.

La structure syntaxique complexe et le patron rythmique coïncident : l'acmé (ou sommet de la phrase) se situe au terme des deux propositions temporelles. On peut mettre en évidence des isocolons : pauses rythmiques et syntaxiques déterminent

---

1. Les notions utilisées pour l'étude du rythme de la phrase sont exposées p. 190 et *sqq.*
2. Voir J. Mazaleyrat, G.Molinié, *Vocabulaire de la stylistique*, Paris, PUF, 1989, article «Clausule».

au sein des propositions des groupes d'égales longueurs. On observe encore l'expansion progressive et régulière de ces séquences au centre de la période, ce que montre le schéma suivant :

Protase        6+4 (10 )/ 5+4 (9) / 7+5 (12) //
Apodose   7+7 (14) / 2+4+4 (10) / 4+6 (10)

L'effet de clausule est sensible grâce à la postposition d'un ample caractérisant dont les voyelles finales prolongent les sonorités.

Nous avons tenté ici une description générale des grands cadres syntaxiques dans lesquels vient s'inscrire tout énoncé. Seuls ont été considérés les points essentiels d'articulation. L'organisation particulière des séquences, leur éventuel regroupement doit être à présent envisagé.

# II. Le traitement
# des éléments parallèles :
## *de la phrase au texte*

On peut parler d'éléments parallèles ou éléments de même rang lorsqu'il y a «redoublement d'un ou plusieurs poste(s) syntaxique(s)[1]».

## 1. Les modes de liaison

Les syntagmes nominaux ou verbaux qui se trouvent sur le même plan syntaxique peuvent se trouver liés de diverses manières, dans la phrase ou entre phrases. On distinguera trois catégories :

### A. *La parataxe asyndétique*

Aucune liaison n'est matérialisée entre les éléments. Dans le portrait ou la description, ce mode d'écriture produit un effet analogue à celui que donne la technique pointilliste en peinture : foisonnement, vivacité. Ainsi : «Sa fille Cunégonde, âgée de dix-sept ans, était haute en couleur, fraîche, grasse, appétissante.»

---

1. J. Mazaleyrat et G. Molinié, *op. cit.*, art. «Parallélisme».

L'énumération est ici ouverte, comme pour indiquer que le peintre n'a pas épuisé son sujet et que le lecteur peut étendre la matière. On peut distinguer la parataxe asyndétique et l'asyndète : celle-ci est stylistiquement marquée et produit un effet expressif, le lien logique (d'ailleurs implicitement perçu par le lecteur) a fait l'objet d'une suppression (il ne s'agit pas d'une simple absence). L'asyndète s'observe soit à l'intérieur de la phrase : «Il interrompt, il redresse ceux qui ont la parole : on ne l'interrompt pas, on l'écoute aussi longtemps qu'il veut parler...» (La Bruyère), soit entre phrases : «Six heures sonnèrent. Binet entra» (Flaubert), «Candide tombe à ses pieds. Cunégonde tombe sur le canapé» (Voltaire).

Ce mode de relation entre syntagmes et entre phrases, est privilégié par certains écrivains au point d'apparaître comme un trait d'écriture (La Bruyère, J. Renard, Le Clézio, etc.), caractérisant une approche pseudo-objective, sans hiérarchisation ni relation explicite entre les éléments de la réalité évoquée par des notations successives et fragmentaires : la valeur connotative et le pouvoir implicite de telles phrases sont fortement marqués.

## B. La parataxe syndétique

Le groupement des syntagmes peut se présenter sous deux formes :

– L'auteur *clôt* la séquence par une conjonction de coordination ; le système apparaît fermé ; on parle pour la conjonction *et*, de «*et* de clôture» :

> Il concluait qu'après le bonheur d'être né baron de Thunderten-tronck, le second degré du bonheur était d'être [...] mademoiselle Cunégonde ; le troisième, de la voir tous les jours ; *et* le quatrième, d'entendre maître Pangloss, le plus grand philosophe de la province, *et* par conséquent de toute la terre.
>
> Voltaire

La structure paragraphique accuse ce que met en valeur la construction : un terme net est fixé à la réflexion ; la vision du monde apparaît de ce fait bornée avec naïveté et certitude.

– L'auteur multiplie les points de coordination (polysyndète) et paradoxalement le système énumératif reste ouvert. L'effet d'accumulation est immédiatement sensible et donne une dynamique à l'énoncé. Ainsi :

> Et la terre, et le fleuve, et leur flotte, et le port,
> Sont des champs de carnage où triomphe la mort.

Corneille

## C. Les «succédanés coordinatifs»[1]

Sont évoqués ici les principaux modes de liaison.

• *Les connecteurs argumentatifs* auxquels la pragmatique consacre aujourd'hui de larges développements (*en effet, c'est pourquoi, à savoir, du moins, cependant, même*)[2].

• *L'anaphore*

> C'est l'extase langoureuse,
> C'est la fatigue amoureuse…

Verlaine

• *L'épiphore* (répétition du même terme en fin de syntagme)

> Il ne savait rien, ne souhaitait rien, n'enseignait rien.

Flaubert

• *L'élément synthétique* (il équivaut au pantonyme lexical) :

> Femmes, moine, vieillards, *tout* était descendu.

La Fontaine

• *La liaison thématique* (par mention des coordonnées spatiales notamment : en haut, en bas, à droite, à gauche, etc.).

# 2. Les combinaisons numériques

Les syntagmes nominaux ou verbaux peuvent se combiner de manière à former une configuration particulière. Peuvent être notés ainsi, soit le parallélisme plus ou moins symétrique de deux éléments (groupement binaire), soit l'association de trois éléments complémentaires (groupement ternaire), soit la pure énumération. Analyser toutes les formes que revêtent ces groupements types, et surtout les effets qu'ils engendrent n'est

---

1. Nous empruntons cette expression à G. Antoine, dans *La Coordination en français*, Paris, D'Artrey, 1958, t. 2, p. 1298.
2. Voir D. Maingueneau, *Éléments de linguistique pour le texte littéraire*, Paris, Bordas, 1986, p. 131 et *sqq.*, *Pragmatique pour le discours littéraire*, Paris, Bordas, 1990, p. 53 et *sqq.*

pas possible dans le cadre de cette présentation[1]. De plus, il est difficile de définir en langue des connotations intrinsèquement associées au binaire, au ternaire, etc. Il faut toujours prendre en compte le co-texte et/ou la situation d'énonciation.

## A. *Les groupements binaires*

Ils présentent souvent le développement de l'alternative ; la réalité est perçue comme bipolaire. C'est le cadre privilégié de l'antithèse. Ainsi :

> Succès *ou* revers de l'une *ou* de l'autre armée, quelle serait la conséquence de l'événement pour les peuples. Liberté *ou* esclavage ?
>
> Chateaubriand

## B. *Les groupements ternaires*

On a pu noter le caractère lyrique du système ternaire[2]. La dissymétrie de la structure impaire rendrait compte d'une tonalité plus affective que réflexive, ainsi dans ces vers de La Fontaine :

> Soyez-vous l'un à l'autre un monde toujours beau,
> Toujours divers, toujours nouveau.

Qu'elles soient ouvertes ou fermées, les séquences énumératives qui offrent ce profil particulier sont toujours utilisées à des fins expressives qu'il convient de dégager précisément. Leur repérage constitue un moyen précieux pour l'approche stylistique.

## C. *La séquence énumérative*

Par ce terme, il faut entendre que sont mis en parallèle et comme montés en séries des syntagmes verbaux aussi bien que

---

1. Dans son ouvrage *Le Génie d'un style : Chateaubriand : rythme et sonorités dans Les Mémoires d'outre-tombe*, Paris, A. Colin, 1969, J. Mourot analyse avec précision ces modes de groupements en séquences énumératives et la variation des effets qu'ils mettent en œuvre. Voir spécialement p. 89 et suivantes : «L'analyse de la triade en séquences énumératives».
2. F. Deloffre, *Stylistique et Poétique française,* Paris, SEDES, 1974, p. 92.

nominaux, des adverbes, etc. C'est l'identité de la fonction grammaticale, généralement associée à l'identité formelle, qui permet le montage de la séquence énumérative. On la reconnaît dans les exemples suivants : «[...] Lalla traverse la région des parfums, des cosmétiques, des perruques, des savonnettes» (J.-M. Le Clézio). Beaucoup des portraits de La Bruyère sont bâtis sur de telles structures, par exemple celui d'Arfure : «Elle n'arrive à l'église que dans un char ; on lui porte une lourde queue ; l'orateur s'interrompt pendant qu'elle se place ; elle le voit de front, n'en perd pas une seule parole ni le moindre geste.» Très souvent les mises en parallèle sont chez cet auteur, associées à la parataxe asyndétique et l'effet en est amplifié par des redoublements intra-syntagmatiques (*cf.* dernier syntagme).

Les effets produits par ce type de groupement sont à l'évidence fort divers : la séquence énumérative est la structure type du descriptif (Le Clézio), elle peut rendre compte d'un effort de «creusement», sans mise en perspective explicite de l'objet ou de l'être présenté (La Bruyère), mais elle peut aussi faire saillir les contrastes voire les contradictions. Voltaire a tiré grand parti de ce mode de relation : «Candide fut prêché, fessé, absous et béni.» Remarquons qu'ici, les rythmes (disyllabes) servis par la récurrence du son [e] dans les deux premiers termes, concourent à souligner l'effet créé par l'énumération (aspect mécanique d'un mouvement bien réglé dont la signification profonde échappe aux exécutants).

# III. L'ordre des mots : l'organisation interne de la phrase
## (ordre intra-syntagmatique[1])

L'ampleur du sujet nous contraint à en circonscrire étroitement les données.

Il faut partir du principe que la progression naturelle du sens en français s'effectue selon l'ordre dit «logique», c'est-à-dire qui va du déterminé au déterminant[2]. La parlure est dite liée. À partir de cette donnée seront dégagés tous les effets stylistiques[3] afférents à l'ordre des mots à l'intérieur du syntagme verbal ou nominal. On examinera spécialement :

– La structure du syntagme verbal : sujet-verbe, du groupe verbe-complément d'objet, du groupe verbe-adverbe ou complément circonstanciel,

– La structure du noyau verbal : place de la négation, décalage auxiliaire-participe ou auxiliaire-infinitif,

---

1. Voir G. Molinié, *Éléments de stylistique française*, Paris, PUF, 1986, p. 54-58.
2. F. Deloffre, *La Phrase française*, Paris, SEDES, 3ᵉ édition, p. 29 et suivantes. On se reportera avec grand profit au chapitre intitulé «L'ordre des mots» qui fait la part entre contraintes grammaticales (dans le cas de l'interrogation, par exemple) et choix stylistiques.
3. À l'évidence, il n'est pas parlé ici des cas des modifications à l'ordre des mots provoqués par des contraintes grammaticales (interrogations, incises, etc.).

– La structure du syntagme nominal : place de l'adjectif par rapport au nom ou de l'adverbe par rapport à l'adjectif.

# 1. Les cas d'inversion

Un phénomène remarquable est présenté par les cas *d'inversion de l'ordre sujet-verbe* (séquence régressive) : elle favorise le développement du groupe sujet avec élargissement de la description ou amplification de l'analyse. L'approche nuancée de l'état de conscience est ainsi mise en valeur dans ce texte de Proust :

> Aux parois obscures de cette chambre qui s'ouvre sur les rêves, et où *travaille* sans cesse *cet oubli* des chagrins amoureux duquel *est* parfois *interrompue et défaite* par un cauchemar plein de réminiscences *la tâche vite* recommencée, *pendent*, même après qu'on est réveillé, *les souvenirs* des songes, mais si enténébrés […]

Cet ordre peut également correspondre à une volonté de dramatisation par effet d'attente. Dans la phrase qui suit, l'ordre des mots semble «mimer» la chronologie de la perception et de la découverte :

> Seuls, s'élevant du niveau de la plaine, et comme perdus en rase campagne, *montaient* vers le ciel les *deux clochers* de Martinville.

Proust

L'antéposition des syntagmes apposés accentue l'effet de la séquence régressive.

# 2. La phrase morcelée

Un autre phénomène de rupture dans l'ordre canonique procède de la disjonction, créée ou non par la construction segmentée. La phrase est dite *morcelée*.

• Un premier cas est représenté dans l'exemple suivant par la disjonction de l'ordre verbe-COD, amplifiée et donc, marquée stylistiquement, par la reprise du COD (morcellement de la phrase par insertion d'éléments adventices) :

> Je venais *d'apercevoir*, dans ma mémoire, penché sur ma fatigue, *le visage* tendre, préoccupé et déçu de ma grand-mère, telle qu'elle avait été ce premier soir d'arrivée ; *le visage* de ma grand-mère [...]

Proust

• La construction segmentée est le procédé de disjonction le plus fréquent : le terme que l'on veut mettre en valeur est détaché en avant ou en arrière avec reprise ou annonce par un pronom (anaphorique ou cataphorique). Le procédé dit de *topicalisation* permet ainsi la mise en valeur du thème, la suite de l'énoncé constituant le propos ou rhème. On peut observer que cette mise en valeur peut prendre deux formes :

– détachement avant le verbe et reprise :

> Elle ne se demandait pas à quoi l'entraînait qu'il l'aimât [...], si *cet amour*, elle avait le droit de l'encourager, le droit de l'accepter.

Aragon

– Détachement après le verbe et annonce :

> *Il* garda pour moi secrète sa menace, *ce village*, mais toutefois, pas entièrement.

Seul le contexte énonciatif permet d'apprécier la valeur de cette construction. Dans les exemples cités, on reconnaît les marques de l'oralité dans son approche spontanée du réel : celui-ci peut être immédiatement nommé, sans qu'il soit tenu compte de l'ordre logique, l'intégration se fait alors par la reprise ; à l'inverse l'être ou la notion immédiatement approchés peuvent faire l'objet d'une désignation postérieure (phénomène d'annonce).

Mais il peut se faire que la phrase segmentée soit la marque d'une élaboration analytique :

> *L'être* qui venait à mon secours, qui me sauvait de la sécheresse de l'âme, *c'*était lui qui plusieurs années auparavant dans un moment de détresse et de solitude identiques, dans un moment où je n'avais plus rien de moi, était entré [...]

Proust

On observe encore que l'écart sujet-verbe dans la relative (*qui plusieurs années...*), est une marque supplémentaire de la démarche analytique.

• *Focalisation par* c'est

La focalisation ou structure clivée est la mise en valeur du rhème (*cf.* ce que l'on dit du thème). Elle s'effectue par l'élément du présentatif *C'est* qui permet donc d'encadrer le constituant à valeur de rhème. Plusieurs constructions sont possibles :

– *c'est* + rhème = *C'est un grand enfant.*

On observe que *C'* joue un rôle déictique ou anaphorique.

– *C'est* + rhème + qui/que = *C'est un grand enfant que j'ai retrouvé.*

L'élément qui suit *qui* ou *que* est interprété comme déjà connu, l'élément encadré ajoute à ce référent une information nouvelle.

– *C'est* + rhème + élément apposé = *C'est un fin critique, Bernard.*

L'élément apposé est annoncé par *C'* à valeur cataphorique. Il fonctionne comme sujet de la relation prédicative qui peut aussi s'exprimer sous la forme : *Bernard est un fin critique.*

– Élément apposé + *C'est* + rhème = *Bernard, c'est un fin critique.*

La construction permet de mettre en valeur à la fois l'élément apposé fonctionnant ici comme *thème* et l'élément rhématique souligné par *c'est*.

**Cas particulier** : construction pseudo-clivée.

– *Ce qui/que* + thème + *c'est* + rhème.

*Ce qui me frappe c'est son art du compte rendu.*

On observe ici qu'est mise à l'initiale une proposition nominalisée à valeur thématique, *c'est* permettant le développement du rhème ; *c'* anaphorise (i.e. rappelle) la proposition nominalisée *ce qui...*

On note que, dans l'enchaînement des séquences, le rhème d'abord désigné dans une première séquence fonctionne fréquemment comme thème de la séquence suivante, notamment avec le tour *il y a* :

«Il y a *des étudiants qui* m'*ont fait part...*»
        rhème    thème

Doivent donc être repérés et analysés tous les faits de construction qui viennent rompre l'ordre dit naturel par détachement, anticipation ou déplacement. Mais les procédés de mise en relief peuvent tenir de ruptures plus profondes dans la construction de la phrase. Les principales figures qui en résultant peuvent être rappelées ici[1].

---

1. Il ne peut être question de présenter ici toutes les figures de construction. On se reportera aux principaux ouvrages cités dans notre bibliographie.

# IV. Les grandes figures de construction

## 1. Figures qui procèdent par rupture ou déplacement

• *L'anacoluthe*

Elle se définit généralement comme rupture de construction, que celle-ci s'effectue entre deux termes ou entre deux propositions. La phrase s'engage et la construction qui s'élabore est interrompue. Ainsi :

> Et je suis comme la jeune fille à la fenêtre du beau château blanc, dans le clair de lune,
> Qui entend, le cœur bondissant, ce bienheureux sifflement sous les arbres et le bruit de deux chevaux qui s'agitent,
> *Et elle ne regrette point* la maison [...]
>
> P. Claudel, Cinq Grandes Odes.

La figure sert ici d'une façon remarquable l'intention portée par le texte : elle rend compte de la violence du sentiment et du désordre qu'il produit.

– Le zeugma syntaxique apporte une variation à cette figure. Il se définit comme «l'infraction à la règle d'harmonie des termes coordonnés[1]». Ainsi : «Cela ne *l'*avait pas frappé tout d'abord. *Ni que* cette femme lui avait plu, à lui, Aurélien.»

---

1. Voir H. Bonnard, *Procédés annexes d'expression*, Paris, Magnard, p. 129.

(Aragon). Dans cet autre exemple, la figure illustre par sa nature même ce qu'elle décrit :

> [...] comme si les hommes étaient juchés sur de vivantes échasses, *grandissant* sans cesse, parfois *plus hautes* que des clochers, *finissant* par leur rendre la marche difficile et périlleuse, *et d'où tout d'un coup ils tombaient.*

Proust

On parle aussi de zeugma sémantique quand il y a attelage d'éléments sémantiquement peu cohérents :

> Il admirait l'exaltation de son âme et les dentelles de sa jupe.

Flaubert

• *L'hyperbate*

Elle place hors du groupe syntaxique un terme qui venait normalement s'y inscrire, d'où une évidente mise en relief.

> Elle le regardait. Celui qui avait si bien, si joliment tout dévasté. Eux deux. L'amour. La vie.

Aragon

• *L'hypallage*

L'hypallage procède par transfert de caractérisant. Ce dernier ne s'applique pas au terme attendu mais à un autre qui lui est contigu. C'est une des figures qui permet d'estomper les frontières de la perception commune. Elle est privilégiée par les écrivains «impressionnistes» :

> Les fleurs de paulownias, d'un mauve *pluvieux* du ciel parisien.

Colette

Toutes ces figures doivent être relevées comme autant de formes d'expression qui contribuent à la mise en œuvre du projet porté par le texte.

D'autres formes de mise en relief ou de soulignement méritent encore d'être ici analysées. Elles ne procèdent pas de ruptures ou de déplacements dans l'organisation du discours ; la seule disposition ou reprise des mots est évocatrice. On peut analyser les parallélismes et les antithèses puis les figures de répétition.

# 2. Les symétries : parallélismes et oppositions

– La symétrie permet une représentation nette de la pensée puisqu'elle établit en effet des correspondances de terme à terme ou de proposition à proposition :

> Nous haïssons la vérité, on nous la cache, nous voulons être flattés, on nous flatte, nous aimons à être trompés, on nous trompe.

> Pascal

– La symétrie peut se développer en antithèse qui apparaît comme «le procédé le plus commode pour définir la pensée qui se cherche et balance les contraires[1]». Elle permet de présenter les deux manières d'envisager une même réalité et comme tel, d'en suggérer les diverses implications. Des exemples remarquables se trouvent dans les descriptions que Pascal donne de l'homme :

> Juge de toutes choses, imbécile vers de terre ; dépositaire du vrai, cloaque d'incertitude et d'erreur, gloire et rebut de l'univers.

– Quand les éléments antithétiques sont unis par des liens syntaxiques étroits, on a un *oxymore* (ou alliance des contraires). Ainsi :

> [...] Le cerf-volant vibrait comme une peau de tambour [...] fixé dans une *trépidante immobilité* [...]

> M. Tournier

# 3. Les figures de répétition

Le roman moderne en fait un large usage quand il s'agit de restituer le discours intérieur d'un personnage. La répétition des mots essentiels peut en scander la progression. On se bornera à évoquer ici les formes essentielles que peut prendre la répétition :

• *L'anadiplose*

Répétition au début de la phrase du mot qui ferme la phrase précédente :

---

1. R. Lathuillère, «Aspects précieux du style d'Honoré d'Urfé», in *Bulletin de la Diana*, n° spécial 1970, p. 111.

Pour la première fois, *il vient de sentir son absence. Il vient de sentir son absence* dans ses bras.

Aragon

• *L'épanalepse*

Répétition au début de la phrase d'un terme qui ouvrait aussi la phrase précédente :

Je me suis gardé pour Bérénice. Je me suis confusément gardé pour elle.

Aragon

• *L'épanode*

Répétition au commencement et au milieu ou au milieu et à la fin, du même terme ou de la même expression :

Combien de temps, Seigneur, combien de temps encore,
Verrons-nous contre toi les méchants s'élever ?

Racine

• *L'anaphore*

Reprise d'un même terme en tête de la structure métrique. On se souvient de l'exploitation que fait Corneille de la figure dans les imprécations de Camille :

Rome, l'unique objet de mon ressentiment,
Rome, à qui vient ton bras d'immoler mon amant,
Rome qui t'a vu naître […]

• *Le polyptote*

C'est l'utilisation dans une unité syntaxique d'une même forme grammaticale que l'on fait varier (syntagme verbal) ou dont on modifie la détermination (syntagme nominal). Correspond au premier modèle, l'exemple suivant :

Il avait dû profondément savoir qu'un jour Bérénice viendrait... et elle est venue

Aragon

L'expressivité peut aussi être soulignée par le procédé voisin de la dérivation : les mots sont différents mais de base commune. Ainsi :

Enfin pour se donner quelque calme, elle pensa qu'il n'était point encore nécessaire qu'elle se fît la violence de prendre des *résolutions* ; la bienséance lui donnait un temps considérable à se déterminer ; mais elle *résolut* de demeurer ferme à n'avoir aucun commerce avec M. de Nemours.

Madame de La Fayette

À l'inverse, la suppression d'éléments que le lecteur ou l'auditeur saura spontanément replacer est un autre procédé pour donner du relief à l'évocation et accroître sa densité.

# 4. Les figures qui procèdent par suppression

On évoque ici principalement l'ellipse et la brachylogie, la seconde présentant un cas particulier de la première.

• *L'ellipse*

Elle conduit à la suppression d'un ou plusieurs mots qui ne sont pas indispensables pour l'intelligence de la phrase :

Que vouliez-vous qu'il fît contre trois ?
*Qu'il mourût !*

• *La brachylogie*

Elle procède par effacement d'un élément de construction dans un des membres parallèles :

Pouvons-nous étouffer le vieux, le long remords
Qui vit, s'agite et se tortille
Et se nourrit de nous comme *le vers des morts,*
Comme *du chêne la chenille...*

Baudelaire

Au terme de cette présentation sommaire des grandes figures de construction, reste à montrer comment la disposition des groupes en tant que pures masses sonores revêt une importance considérable dans l'effet de mise en relief. L'étude sera élargie à la notation des effets de rythme spécifiques engendrés par la disposition des structures syntaxiques dans l'organisation métrique.

# V. Le rythme

On se bornera ici à rappeler les principes élémentaires auxquels il est fait couramment appel lorsqu'il s'agit de rendre compte du rythme de la phrase.

## 1. Cadence de la phrase

### A. *Protase. Acmé. Apodose*

Il faut d'abord considérer qu'une pause majeure dans la voix intervient au terme du premier groupe syntaxique complet. Dans une phrase de structure simple, cette pause peut séparer le syntagme nominal du syntagme verbal ou détacher un groupe mis en apposition. Dans la phrase de structure complexe, la place de cette pause peut être plus délicate à déterminer (mécanisme de la subordination avec présence éventuelle de structures emboîtées). Mais dans tous les cas, la pause majeure coïncide avec un arrêt momentané du sens.

On observe donc, s'agissant de décrire le rythme de la phrase en prose, que l'organisation rythmique générale répond au schéma suivant :

— montée de la phrase : la séquence ascendante est nommée *protase* ;

— point où culmine la phrase ou *acmé*. Ce point est parfois difficile à déterminer, car il ne correspond pas toujours avec la première structure syntaxique complète (syntagme nominal, verbal ou proposition toute entière), comme on va le voir ;

– descente de la phrase qui arrive à son terme ou *apodose*.

# B. Cadences

– Si la protase et l'apodose s'équilibrent, on parlera de *cadence équilibrée*. L'absence de tension forte entre les deux moments de la phrase est significative. Peut être ainsi suggérée, l'impression d'ordre, de naturel, d'harmonie. Ainsi rythme et effets de sens se combinent-ils dans cette séquence des *Mémoires* de Voltaire :

> Nous ne cherchions qu'à nous instruire dans cette délicieuse retraite // sans nous informer de ce qui se passait dans le reste du monde. [...] Elle (Mme du Châtelet) ne chercha point à parer cette philosophie d'ornements étrangers // ; cette affèterie n'entrait point dans son caractère.

Mais il est vrai aussi que les deux versants de la phrase peuvent rendre compte de perspectives ou d'univers contradictoires. Ainsi :

> Il y avait en Westphalie, dans le château de Monsieur le baron de Thunder-ten-tronck // un jeune garçon à qui la nature avait donné les mœurs les plus douces.

Quand le regard se pose sur le seul personnage dont l'auteur veut signifier la douceur et la transparence, c'est encore la cadence équilibrée qui souligne l'effet de sens :

> Il avait le jugement assez droit, avec l'esprit le plus simple ; // c'est, je crois, pour cette raison qu'on le nommait Candide.

– Si la protase est plus courte que l'apodose, on reconnaîtra la *cadence majeure*. On considère que celle-ci est la plus fréquente en français qui dispose les éléments constitutifs de la phrase par masses croissantes[1]. Elle est apte à rendre compte du prolongement de la sensation ou de l'expansion de l'analyse. Les effets de sens qu'elle souligne sont bien évidemment fort variables. Dans les phrases qui suivent, ils sont remarquables pour rendre compte du caractère subtil de l'exploration.

> Quand par les soirs d'été le ciel harmonieux gronde comme une bête fauve et que chacun boude l'orage // c'est au côté de

---

1. Voir H. Bonnard, *Procédés annexes d'expression*, p. 131.

Méséglise que je dois de rester seul en extase à respirer, à travers le bruit de la pluie qui tombe, l'odeur d'invisibles et persistants lilas.

Proust

Et elle était si particulière, elle avait un charme si individuel et qu'aucun autre n'aurait pu remplacer // que ce fut pour Swann comme s'il eût rencontré dans un salon ami une personne qu'il avait admirée dans la rue et désespérait de jamais retrouver.

Proust

– Si la protase est plus longue que l'apodose, on reconnaît la *cadence mineure*, propre à souligner par la chute abrupte la conclusion inattendue ou rapide du mouvement engagé :

«Je m'épuisai en protestations d'étonnement et de reconnaissance sur les marques liquides des bontés de Sa Majesté, substituées aux solides dont elle m'avait flatté //, et je partageai le quartaud [de vin] avec Camas.

Voltaire

ou le seul effet de surprise ou de découverte :

Or, quelques minutes à peine après que le petit pianiste avait commencé de jouer chez Madame Verdurin, tout d'un coup, après une note haute longuement tenue pendant deux mesures, il vit s'approcher, s'échappant de sous cette sonorité prolongée et tendue comme un rideau sonore pour cacher le mystère de son incubation, il reconnut, secrète, bruissante et divisée // la phrase aérienne et odorante qu'il aimait.

Proust

L'exemple est intéressant à un double titre. Il met en évidence l'effet de sens souligné par la cadence mineure, mais il témoigne aussi des difficultés à situer l'acmé, car si le choix effectué privilégie le long mouvement de tension de la phrase qui mime l'attente de la note, il reste que c'est là une interprétation et que la pause rythmique fondamentale aurait pu intervenir par exemple après *deux mesures* : on aurait alors une cadence majeure avec une apodose en deux temps. L'effet d'approche, l'abord délicat et mystérieux de la phrase musicale serait ainsi souligné[1].

La prudence s'impose donc en plus d'un cas lorsqu'il s'agit de lire rythmiquement la phrase littéraire. Mais c'est aussi le propre de toute œuvre d'art que de suggérer différentes perspectives de lecture et de vision.

---

1. Des remarques identiques sont formulées par M.-H. Prat, *op. cit.*, p. 392.

# 2. Cas particulier : la structure syntaxique dans ses rapports avec la structure métrique

Le mètre – alexandrin, décasyllabe, octosyllabe – impose un cadre dans lequel vient se mouler la structure phrastique. Les effets les plus divers peuvent être marqués par la coïncidence ou au contraire la discordance entre la structure syntaxique et la structure métrique. Ces effets sont clairement analysés dans l'ouvrage fondamental de J. Mazaleyrat : *Éléments de métrique française*. On se bornera à rappeler ici les principaux cas de discordance :

• Cas de débordement de la phrase par rapport au cadre métrique sans effet de mise en relief d'un élément précis (enjambement) :

> Ces bons soirs de septembre où je sentais des *gouttes*
> *De rosée à mon front,* comme un vin de vigueur...

> > Rimbaud

Le phénomène se retrouve à l'intérieur du vers lorsque ne peut être marquée la pause à l'hémistiche ou à la césure :

> [...] l'Été
> [...]
> S'étire par l'ardeur // *blanche* du ciel complice.

> > Verlaine

• Cas de débordement de la phrase par rapport au cadre métrique avec mise en relief d'un élément au début du vers suivant (rejet externe) ou dans le second hémistiche (rejet interne) :

> Petit-Poucet rêveur, j'égrenais dans ma course
> *Des rimes.* Mon auberge était à la Grande-Ourse...

> > Rimbaud

> Ô buffet du vieux temps, tu sais bien des histoires,
> Et tu voudrais conter // *tes contes,* et tu bruis [...]

> > Rimbaud

• Cas d'anticipation de la structure syntaxique sur la structure métrique : le contre-rejet «affecte des segments courts... et

---

1. J. Mazaleyrat, G. Molinié, *Vocabulaire de la stylistique*, Paris, PUF, 1989, p. 83.

(les) met en relief en les détachant par amorce d'une unité de construction grammaticale avant l'articulation métrique qui semblait devoir en marquer le début[1]». Ce phénomène s'observe à la fin du vers (contre-rejet externe) ou au terme du premier hémistiche (contre-rejet interne).

> J'ai vu fermenter les marais énormes // *nasses*
> Où pourrit dans les joncs tout un Léviathan !

Rimbaud

> Ô l'Omega, *rayon* // violet de ses yeux.

Rimbaud

Les effets de sens liés aux variations du rythme sont à l'évidence très étendus. La souplesse des combinaisons favorise l'étroite adéquation de la forme à la vision.

L'étude de la phrase – forme, composition, groupement et place des termes, rythme – constitue donc un des axes essentiels de l'analyse stylistique. C'est souvent le point de départ à l'analyse du style d'auteur.

## LECTURES CONSEILLÉES

H.-D. BECHADE
    *Syntaxe du français moderne et contemporain*, Paris, PUF, 1986.

F. DELOFFRE
    *La Phrase française*, Paris, SEDES, 1969.

J. HELLEGOUARC'H
    *La Phrase dans les Caractères de La Bruyère*, Atelier de reproduction des thèses, Université Lille III, 1975.

J. MOUROT
    *Le Génie d'un style, Chateaubriand : rythme et sonorités dans Les Mémoires d'outre-tombe,* Paris, A. Colin, 1969.

L. SPITZER
    *Études de style*, Gallimard, Paris, coll. «Tel», 1970.

**Versification**

M. AQUIEN
    *La Versification*, Paris, PUF, coll. «Que sais-je ?», 1990.

J. MAZALEYRAT
    *Éléments de métrique française*, Paris, A. Colin, 1974.

**Articles**

M.-H. PRAT
    «Remarques sur l'étude stylistique de la phrase : rythme, sens et mélodie», in *Mélanges Larthomas*, Paris, Collection de l'ENSJF, 1985, p. 387-396.

J. STAROBINSKI
*Le Remède dans le mal,* «Le fusil à deux coups de Voltaire», Paris,
Gallimard, coll. «NRF essais», 1989, p. 123-163.

## APPLICATION

Dans le texte suivant seront étudiés les effets que l'auteur tire de la
construction des phrases.

> Lorsque la maison de Fontenay fut prête et agencée, suivant
> ses désirs et ses plans, par un architecte ; lorsqu'il ne resta plus
> qu'à déterminer l'ordonnance de l'ameublement et du décor, il
> passa de nouveau et longuement en revue la série des couleurs
> et des nuances.
>
> Ce qu'il voulait, c'était des couleurs dont l'expression
> s'affirmât aux lumières factices des lampes ; peu lui importait
> même qu'elles fussent, aux lueurs du jour, insipides ou rêches,
> car il ne vivait guère que la nuit, pensant qu'on était mieux
> chez soi, plus seul, et que l'esprit ne s'excitait et ne crépitait
> réellement qu'au contact voisin de l'ombre : il trouvait aussi
> une jouissance particulière à se tenir dans une chambre large-
> ment éclairée, seule éveillée et debout, au milieu des maisons
> enténébrées et endormies, une sorte de jouissance où il entrait
> peut-être une pointe de vanité, une satisfaction toute singulière,
> que connaissent les travailleurs attardés alors que, soulevant les
> rideaux des fenêtres, ils s'aperçoivent autour d'eux que tout est
> éteint, que tout est muet, que tout est mort.
>
> Huysmans, *À rebours,* coll. «10/18», p. 63-64.

La phrase apparaît ici au service de la définition d'un projet esthétique et, en profondeur, d'un projet de vie. Sa facture complexe, immédiatement perceptible, son mode de progression rendent compte à la
fois du caractère volontariste, déterminée de l'approche et de sa complexité. Un objet, le cadre de vie, méticuleusement défini et construit,
figure plus essentiellement la conception même que l'esthète se fait
de la vie.

# I. L'approche de l'objet :
# la définition du cadre de vie

## 1. Description de la structure phrastique

Elle est éminemment complexe puisque le texte proposé ne comporte que deux phrases, une par paragraphe. Cette disposition même
est révélatrice de l'ordre et de la méthode qui préside à l'organisation
de la vie et d'abord à celle de son cadre.

– La première phrase est bâtie sur une anticipation (subordonnées) mais sans aucune structure d'emboîtement, et elle combine, à l'ouverture, deux structures parallèles (les propositions temporelles). Cette facture définit une période : les différentes séquences se déploient jusqu'à leur terme, chaque élément s'enchaînant à l'élément suivant : «Lorsque... architecte // lorsque... décor // il passa... nuances.» Est ainsi mis en évidence le caractère construit du projet touchant au cadre de vie et la continuité de son approche : aucun élément adventice ou secondaire ne vient couper l'ordonnance des propositions. La détermination du personnage et son aptitude à conduire le projet jusqu'au terme paraît ainsi signifiée. Les constructions parallèles de longueur décroissante sanctionnent la régularité et l'exigence fondamentale de perfection, c'est-à-dire l'achèvement. L'organisation générale de cette première phrase en témoigne encore : les deux subordonnées précèdent la principale. Cette disposition rend compte d'une logique essentielle, les circonstances qui précèdent le procès principal, et en définissent l'existence sont en effet décrites d'abord.

La structure générale de cette première phrase révèle donc la cohérence, la netteté et la détermination du personnage dans sa quête. Son sens de l'exploration et de l'organisation méthodique est encore signifié par la disposition spécifique des groupes nominaux ou verbaux au sein de la phrase ou de la proposition.

## 2. Les groupements remarquables au sein de la phrase

Domine, dans tout le paragraphe, la structure binaire : elle marque le cadre général de la phrase puisque celle-ci s'ouvre par deux propositions subordonnées de même nature. Une ponctuation forte, le point virgule, souligne le groupement binaire, détachant nettement les deux entités. Le caractère ouvert de ce groupement est démenti par la tournure exceptive observée dans le second membre : «lorsqu'il *ne* resta plus *que*». La conjonction de coordination à l'avant du groupe ferait ici redondance. La négation exceptive interdit à tout autre terme de venir s'adjoindre aux précédents, le caractère circonscrit mais complet de l'exploration est ainsi mis en évidence.

Au sein de chaque proposition, c'est bien le binaire fermé qui est constamment utilisé :

1. prête et agencée,
2. ses désirs et ses plans,
3. l'ameublement et (le) décor,
4. de nouveau et longuement,
5. les couleurs et les nuances.

On ne peut manquer d'observer le caractère intrinsèquement complémentaire des termes liés. Aucun n'est le synonyme de l'autre. Le premier appelle le second auquel il apparaît nécessairement lié : *prête* est spécifié par *agencée* qui marque le point dernier de l'achèvement ; de même, *ameublement* appelle *décor*, comme *couleur* appelle *nuances*. Certains groupements soulignent en outre la complémentarité entre l'ordre et le goût et le caractère récurrent de ces structures rend compte du sens exact de la perfection ici manifesté : elle relève d'une organisation et d'un raffinement extrêmes.

## 3. L'ordre des mots

Dans la première phrase, on note la progression logique ou naturelle du sens au sein de toutes les propositions. Le lien entre le sujet et le verbe, comme entre le verbe et son objet, n'est jamais distendu. Dans la proposition principale, il faut considérer que le noyau verbal est constitué par l'expression *passer en revue*, déterminée par les deux adverbes ; comme tel, il n'y a pas là infraction au principe évoqué. Le complément d'objet direct est à la place attendue. Cette disposition correspond bien aux perspectives déjà présentées : méthode et organisation président à la définition de l'objet.

## 4. Les figures de construction

A ce point de l'analyse, s'observe la convergence de traits d'écriture concourant aux mêmes effets. On ne saurait donc s'étonner de l'absence de toute figure remarquable de construction qui relèverait soit d'écarts par rapport aux normes grammaticales, soit d'un principe de répétition. L'une ou l'autre témoignerait d'un certain désordre ou d'une approximation, d'une approche vacillante, inorganisée ou fantaisiste.

Néanmoins, il faut noter le zeugma syntaxique dans la première proposition – dont la présence ne contredit pas cependant les indications données : «[...] La maison de Fontenay fut prête et agencée [...] *par un architecte.*» Le complément d'agent rend à *agencée* son statut de verbe alors qu'une lecture première en faisait une forme adjective. La présence du complément de manière «suivant ses désirs et ses plans» enchâssé entre la séquence verbale et l'agent dissimule l'effet de rupture. Mais celui-ci est indiscutable. Il n'est pas impossible que soit ainsi matérialisé et réduit, l'antagonisme possible de deux êtres et deux forces en présence : l'esthète et l'architecte, au bénéfice du premier : le goût a force de loi, même si les cadres qu'il impose ne sont pas forcément ceux que préconise l'ordre commun. Cette tendance à signifier la distance par rapport à cet ordre va engendrer le même type de figure dans la suite du développement.

## 5. Le rythme de la phrase

Les observations qui vont être faites s'inscrivent dans les perspectives tracées et amorcent un prolongement. En effet, on peut considérer que le rythme donné à la période est celui de la cadence mineure, les deux propositions subordonnées temporelles formant la protase, la proposition principale, l'apodose. L'une et l'autre partie de la phrase développe des séquences binaires parallèles, plus étendues dans la protase qui progresse ainsi par palier. Le rythme souligne ainsi la précision, la minutie d'une approche patiente et la netteté d'un projet conduit à son terme : la coïncidence entre les pauses rythmiques et le patron syntaxique y aide efficacement.

C'est ce projet que définit le paragraphe suivant. La longueur et les détours de la phrase en suggèrent la complexité, la singularité.

# II. Un projet de vie hors du commun

On note une évolution sensible de la structure phrastique dans ce second paragraphe qui définit moins une approche du cadre de vie qu'une conception de la vie elle-même, en même temps qu'est découvert ce qui la fonde.

## 1. Structure phrastique

– Elle présente une seule phrase, nettement découpée en trois parties de longueurs inégales, chacune s'amplifiant par rapport à la précédente. La ponctuation forte, le point virgule, matérialise les différents moments de la phrase qui présente donc une structure ternaire, trois propositions principales engageant respectivement chacun des moments considérés.

– Il faut observer que cette structure ternaire reste ouverte, l'adverbe *aussi* qui détermine le dernier procès principal matérialise non l'achèvement d'un mouvement d'analyse mais l'adjonction d'un élément nouveau qui aide à la définition du regard sur la vie.

– La structure générale de la phrase rend compte de cette exploration qui se veut de plus en plus complète et sûre, ce que marque bien l'ampleur croissante des différentes parties. Il faut sans doute considérer que la pause qui les sépare constitue comme autant d'arrêts dans la réflexion qui permettent de relancer l'examen des goûts profonds.

– On observe que les trois séquences présentent une structure syntaxique liée : la première seule s'ouvre sur une construction segmentée qui ne bouleverse pas cependant l'ordre logique thème-rhème. Le détachement de l'un et l'autre terme au moyen de l'outil *ce que… c'étaient*, conduit à la mise en relief et du thème et du rhème. Est ainsi soulignée la détermination du personnage dans la poursuite de son projet.

Les trois séquences développent en l'amplifiant le même patron syntaxique : la structure principale ouvre chacune d'entre elles et dans la séquence 3, les subordonnées se greffent les unes sur les autres lorsque chacune d'elles est arrivée à son terme. Ainsi :

1. PP : «ce qu'il voulait... des couleurs»
   → PS　　 «dont»
2. PP : «peu lui importait...»
   → PS　　 «qu'elles fussent»
   PP : «car il ne vivait... pensant»
   → PS　　 «qu'on était mieux et que l'esprit»
3. PP : «il trouvait aussi... jouissance»
   → PS　　 «*où* il entrait... satisfaction»
   　　　 → PS «*que* connaissent les travailleurs»
   　　　　　 → PS «*alors que*... ils s'aperçoivent»
   　　　　　　　 → PS　 «*que* tout est éteint»
   　　　　　　　　　 «*que* tout est muet»
   　　　　　　　　　 «*que* tout est mort»

À l'évidence, cette structure fortement liée rend compte du caractère construit de la vision ici définie, l'amplification de la dernière séquence attestant l'acuité de la prise de conscience, la volonté de mener à son terme l'exploration de l'exigence fondamentale : le plaisir inhérent aux choix d'un mode de vie particulier.

L'utilisation de la facture liée apparaît donc ici exemplaire : elle sert à la définition, à l'élaboration d'un projet de vie complexe et hors du commun.

## 2. Rythme général

Chacun de ces moments se déploie sur un rythme de cadence majeure, l'ampleur de l'apodose s'inscrit dans la perspective que l'on vient d'évoquer : elle témoigne de la volonté de définir et de justifier sensation et goût.

– Le premier moment – «Ce qu'il voulait... lampes» – culmine sur *voulait*, l'apodose développant l'objet considéré.

– Le deuxième moment – «peu lui importait... voisin de l'ombre» – culmine sur *nuit*, auquel répond en fin de phrase le mot *ombre*, l'apodose rend compte du choix formulé en protase.

– Le troisième moment – «il trouvait aussi... tout est mort» – culmine à la reprise du mot *jouissance* : la nature de la sensation est longuement analysée dans l'apodose.

Le rythme qu'épouse le mouvement de l'analyse souligne donc l'ampleur croissante de chacun des temps de réflexion. La cadence majeure omniprésente illustre la permanence d'une attitude mentale, celle de l'esthète qui veut aller jusqu'au bout de la sensation ou du goût désignés. La quête dépasse ici le simple objet du monde, elle s'élargit et conduit à l'élaboration d'un projet de vie.

# 3. La disposition des groupes au sein des propositions

Alors que dans le premier paragraphe, la structure binaire fermée rendait compte de l'approche et de l'exploration complète de l'objet du monde, dans ce second paragraphe on observe une plus grande variété des modes de groupement et de disposition.

## A. Les binaires fermés

On note ainsi :

1. insipides ou rêches
2. seule éveillée et debout
3. enténébrées et endormies
4. pensant qu'on était mieux… et que l'esprit ne s'excitait
5. ne s'excitait et ne crépitait.

Les binaires ici explorent des sensations physiques complémentaires et non contradictoires. L'approche du monde par les sens peut prétendre à l'exhaustivité. Il faut cependant souligner ici l'art de la caractérisation. Il est vrai que chacun des caractérisants utilisés dans les séquences 1, 2, 3 réfère à la sensation transmise par le corps, mais chacun d'eux s'applique non à des êtres vivants mais à des êtres matériels – couleurs → 1, maison → 2, maisons → 3. La sensation identifiée par l'esthète est transférée au monde matériel, plus exactement ce monde d'objets s'imprègne de sensations propres au monde des vivants.

Il y a ici osmose entre l'artiste et l'univers dans lequel il vit. L'esthète impressionne les objets du monde et ceux-ci, à leur tour, l'affectent. Le monde extérieur n'est pas neutre, d'où l'importance de l'ameublement et du décor, des couleurs et des nuances.

En revanche la sensation interne, l'impression laissée dans l'esprit par l'objet sensible est peut-être plus délicate à cerner, ce dont rend compte l'inclusion d'un binaire fermé (5) dans un autre binaire fermé (4).

Cette fois, c'est l'impression sensible, *crépitait,* qui rend compte d'une réalité spirituelle, *s'excitait.* L'association fait sans doute sa place à la théorie des correspondances. La réalité spirituelle se laisse appréhender et définir concrètement par l'artiste.

Ainsi les binaires fermées restituent-ils une appréhension éventuellement physique des objets d'univers. Plus difficile se révèle la saisie de l'intériorité pure, de l'écho que laissent en soi ces objets appréhendés. L'impression interne se structure en effet en binaires ou en ternaires ouverts.

## B. Les binaires et ternaires ouverts

1. «on était mieux chez soi, plus seul […]»
2. «chambre largement éclairée, seule éveillée et debout»

3. «une jouissance particulière, une sorte de jouissance»
4. «une pointe de vanité, une satisfaction toute singulière»
5. «ils s'aperçoivent [...] que tout est éteint, que tout est muet, que tout est mort».

Il faut observer que, mis à part le troisième groupement, la progression de chacune de ces séquences s'organise sur le même modèle, à savoir que le second terme précise, aide à la définition du premier mais n'en est pas synonyme : *mieux* est exploré par *plus seul* ; *éclairée* est complété par *éveillée* et il faut noter ici l'hypallage ou le transfert de caractérisant puisqu'*éveillée* ne saurait s'appliquer qu'à des animés. L'association paradoxale de ces deux adjectifs donne en outre un effet de zeugma sémantique. Les substantifs *vanité* et *satisfaction* semblent à l'inverse s'appeler, mais il faut observer que la caractérisation *singulière,* post-posée au second terme, annihile toute tentative de définition commune : l'objet de cette satisfaction est en effet formulé dans la dernière construction en ternaire qui se clôt sur l'adjectif *mort*. Est ici signifiée qu'une jouissance générant cette satisfaction «singulière» peut être tirée de l'aperception de la mort, de son approche par l'individu seul et vivant qui la défie.

Les séquences ouvertes soulignent donc l'intensité avec laquelle est explorée l'exigence fondamentale, celle de cette jouissance singulière autour de laquelle va s'ordonner un projet de vie hors du commun. La complexité de cette élaboration est rendue par une certaine liberté des enchaînements au sein des propositions et le recours à des figures spécifiques.

# 4. L'ordre des mots

Il est constant que dans le second mouvement du texte, l'ordre canonique domine puisqu'il s'agit bien d'appréhender avec le plus de netteté possible les exigences qui vont donner forme au cadre de vie. Ainsi le syntagme verbal est-il toujours placé en tête de chacune des séquences.

– ce qu'il voulait... ;
– peu lui importait... ;
– il trouvait aussi...

L'hypertrophie de la dépendance régulièrement développée témoigne de la complexité de la quête et des nuances de son objet.

On ne peut donc que relever les rares distorsions ou les écarts qui contribueraient à distendre des liens fondamentalement stables.

Il a déjà été dit que le procédé de mise en relief à l'ouverture de ce développement n'affectait pas l'ordre dit logique ou naturel, mais permettait une mise en valeur parallèle du thème et du rhème, le mot *couleurs* se trouvant nettement détaché du verbe qu'il complète et annoncé par le pronom neutre à valeur cataphorique *ce*. Est donc clairement désignée ici l'importance de la notion : sa définition va conduire à déterminer la place et la valeur de la lumière et à signifier l'importance de la nuit.

L'écart entre le verbe (copule) *fussent* et le prédicat *insipides* ou *rêches* appliqué au même mot *couleurs* rend compte des mêmes intentions. En effet, le complément circonstanciel *aux lueurs du jour* distend ce lien essentiel et se présente comme un terme dont on veut marquer, en l'antéposant, le caractère accessoire. Les caractérisants en bout de proposition viennent circonscrire précisément un univers dont l'esthète ne veut pas, c'est-à-dire un univers naturel.

À l'inverse, le complément de temps symétrique *la nuit* est mis en valeur derrière le verbe grâce à l'ampleur de la locution adverbiale de négation qui l'en sépare – *ne... guère que*. On peut faire valoir en outre le fonctionnement de la négation exceptive qui aboutit à privilégier le terme échappant à la tension fermante. On retrouve, amplifiée, la même construction dans la complétive pour mettre en valeur la même notion : «... l'esprit *ne* s'excitait et *ne* crépitait réellement qu'au contact voisin de l'ombre...»

Enfin la reprise du complément d'objet direct *jouissance* loin de sa première désignation et amplement caractérisé par les relatives – où..., *que...* – permet à l'évidence une concentration sur l'objet fondamental de la quête qui justifie l'ordonnance du cadre de vie. La tournure unipersonnelle «*où il entrait* peut-être une pointe de vanité, une satisfaction...», aide au développement du concept puisqu'elle favorise l'expansion du thème postposé.

Les phénomènes d'écart plus que les transpositions favorisent donc l'exposé et l'analyse des composantes essentielles de l'univers esthétique présenté. Il s'inscrit à l'encontre des normes communes : il privilégie la nuit où ne brille qu'une lumière factice, où l'homme, seul créateur de lumière, trouve son plaisir dans le défi jeté à l'ombre.

Les figures contribuent aussi à la définition de cet univers résolument extra-ordinaire.

## 5. Les figures de construction

La tentative pour appréhender les principes qui génèrent le choix d'un mode de vie est conduite avec méthode et subtilité. La rigueur de la quête a imposé de bout en bout une facture liée et on ne saurait s'étonner de ne trouver que de très rares distorsions dans les constructions. Dans le second mouvement de ce texte, il en est une qui traduit ce désir de rendre compte avec justesse la sensation recherchée. La reprise et le développement du mot qui permet de corriger ou nuancer l'expression première définissent l'*épanorthose* : «...il trouvait aussi une *jouissance particulière* à se tenir dans une chambre largement éclairée, seule éveillée et debout... une sorte de jouissance où...». Dans cette même séquence on note encore que l'hypallage déjà décrit – «seule éveillée et debout» – est prolongé par le zeugma syntaxique : à l'adjectif se trouve coordonné un adverbe ; la liberté de la construction reste relative puisque l'un et l'autre terme sont des caractérisants mais elle mérite d'être notée : l'exigence de la quête, la volonté de définir précisément le cadre qui plaît, conduit à des choix qui s'inscrivent contre l'ordre commun, sans peut-être le révolutionner tout à fait. Il est intéressant de souligner que la définition du goût implique parfois que soient transgressées les règles communes de l'expression.

## Conclusion

Le seul regard sur la phrase révèle ici la perfection de l'écriture : l'adéquation est remarquable entre la forme choisie et la signification qu'elle transmet. On peut rappeler brièvement les principaux traits.

— La syntaxe complexe et l'ampleur croissante de la phrase mettent en évidence la volonté d'approfondir l'exigence qui va commander l'élaboration du cadre de vie. La phrase progresse régulièrement, elle est de facture liée : sont ainsi signifiés l'ordre et la rigueur avec lesquels est menée la quête.

L'alternance des binaires fermés et ouverts rend compte du désir d'explorer la totalité des sensations produites par les objets du monde, en même temps qu'est cernée la singularité du goût. Les associations ne s'inscrivent pas dans un ordre commun de perception, elles le transcendent et allient l'inattendu ou le contradictoire de telle sorte que s'impose et se construit un ordre nouveau : l'esthète poursuit méthodiquement son appréhension singulière du monde, non pour le connaître et le voir – la lumière naturelle importe peu – mais pour extraire de la vie un plaisir ultime et résolument paradoxal, celui de se sentir seul et vivant dans la nuit, celui de défier seul la mort, celui de conjurer son angoisse.

# Chapitre 6
# La caractérisation du substantif et du verbe

# Introduction

Nous voudrions pour finir dire quelques mots de la caractérisation, notion dont le champ d'application est transversal et recoupe l'analyse de diverses composantes identifiées auparavant. Nous ne reprendrons pas ici la définition très extensive proposée par G. Molinié, selon laquelle la caractérisation recouvre «tout ce qui n'est pas strictement obligatoire pour la complétude sémantique de l'énoncé [1]». Notre approche est beaucoup plus limitée, puisque nous restreignons la caractérisation à l'expression de qualités ou de propriétés assignées au référent, ce qui nous conduit à étudier la caractérisation du substantif – liée fondamentalement à la classe des adjectifs qualificatifs –, et la caractérisation du verbe – par les adverbes de manière essentiellement. Les caractérisants sont donc souvent des expansions d'une phrase minimale (à l'exception de l'adjectif attribut) :

> [...] *je vis*, grand, mince, le cou dégagé, la tête haute et fièrement portée, *passer un jeune homme* aux yeux pénétrants et dont la peau était aussi blonde et les cheveux aussi dorés que s'ils avaient absorbé tous les rayons du soleil. Vêtu d'une étoffe souple et blanchâtre comme je n'aurais jamais cru qu'un homme eût osé en porter, et dont la minceur n'évoquait pas moins que le frais de la salle à manger, la chaleur et le beau temps au dehors, *il marchait* vite.

---

1. G. Molinié, *Éléments de stylistique française, op. cit.*, p. 37.

Dans la présentation de Saint-Loup que fait Proust, la phrase minimale se réduit aux éléments mis en italiques. Tout le reste (dans l'ordre, épithètes détachées et groupes nominaux apposés, complément de caractérisation, subordonnées relatives, comparaison, adverbe de manière) forme des expansions caractérisantes ; le narrateur traduit ainsi la perception première que le «je» a eue d'un être dont il ne connaît pas encore l'identité et dont il appréhende des caractéristiques parcellaires. Dans les deux phrases, les épithètes détachées et les appositions précèdent d'ailleurs la nomination («un jeune homme», «il»).

Les énoncés les plus riches en caractérisation sont les descriptions et les analyses, où il s'agit moins d'assigner une existence à un référent que d'en montrer la valeur.

Notre étude portera sur les caractérisants (plus que sur la notion même de caractérisation).

# 1. Adjectifs (et adverbes)

L'étude des adverbes de manière, adverbes de constituants très généralement postposés aux verbes, se déduit de celle des adjectifs qualificatifs ; on sait en effet que les adverbes de manière sont dérivés de l'adjectif, par dérivation propre suffixale («il marche lentement»), ou par dérivation impropre («tu parles fort», «tu chantes faux»). Un énoncé comme «tu lis attentivement» peut se transformer en «une lecture attentive». Notre analyse sera donc centrée sur les caractérisants adjectifs.

## A. *Étude lexicale*

En dehors de l'étude des champs lexicaux que l'on mène comme pour n'importe quelle lexie, la distinction la plus pertinente est celle qui oppose les adjectifs en **classifiants** et **non classifiants**.

## 1) Adjectifs classifiants

L'ensemble est constitué des adjectifs qui énoncent une propriété «objective», définissable indépendamment de toute énonciation particulière, comme par exemple ceux dont le sème principal est «apparence physique objectivement reconnaissable» : adjectifs de couleur, de forme, etc. (*roux, pâle, rond, creux, vide*). Le référent caractérisé entre dans une classe – d'où leur nom – objectivement délimitable, quantifiable (on peut définir cette classe en extension, c'est-à-dire établir le nombre d'éléments qu'elle comporte : la classe des éléments roux, ronds, creux, ...) ; un jugement de vérité est possible à leur égard : «la robe est rouge», vrai ou faux.

*NB* – Il faut signaler que l'ensemble des classifiants comprend aussi les adjectifs dits «relationnels», généralement dérivés d'un substantif, qui dénotent, non des propriétés inhérentes au référent (ils n'ont donc pas fonction de caractérisation, ce ne sont pas des qualificatifs), mais une mise en relation de deux référents, ou de deux notions : *lumière lunaire, élection présidentielle, cage thoracique*, ... Ils ont un fonctionnement spécifique, différent des qualificatifs-caractérisants [1]. Une situation d'énonciation spécifique peut toutefois transférer les adjectifs relationnels dans la classe des caractérisants non classifiants, avec un glissement de sens métonymique, du type «conforme à ce qu'on attend de» :

> Elles s'émoustillaient tout en pérorant d'un érotisme curieusement élégant et cynique. Je pressentais là *quelque chose d'élisabéthain.*

> Céline

> [...] Je repassais au retour de ces excursions populistes devant l'inépuisable et double rangée des beautés de *mon vestibule tantalien.*

> Céline

Les deux adjectifs sont dérivés de noms propres et sont en principe des adjectifs de relation («théâtre élisabéthain», relatif au règne d'Élizabeth I/Pélops tantalien, fils de Tantale) mais ici ils se chargent d'une valeur appréciative, dénotant une propriété stéréotypique, culturellement associée à un référent : confor-

---

1. Voir à ce sujet la *Grammaire du français*, de D. Denis et A. Sancier-Chateau, Paris, Livre de poche, 1994, p. 3, ou encore la *Grammaire méthodique du français*, de M. Riegel, J.-C. Pellat et R. Rioul, Paris, PUF, 1994, p. 357.

mément à ce qu'on attend du théâtre élisabéthain, la situation
est marquée par un mélange de raffinement, de perversité, etc.
Tantale, quant à lui, est l'emblème de la tentation à jamais inas-
souvie. De même, un «comportement paternel» est conforme à
ce qu'on attend d'un père (à opposer à «la maison paternelle»).
Les adjectifs ainsi formés passent donc dans la catégorie des
non classifiants.

## 2) *Adjectifs non classifiants*

Ils dénotent une propriété définie subjectivement par un
énonciateur singulier, et ne permettent donc pas la définition en
extension d'une classe stable d'éléments : il n'existe pas de
classes d'éléments beaux, généreux, méprisables, époustou-
flants... Aucun jugement de vérité n'est possible à leur égard.
On distingue :

– les évaluatifs sans jugement de valeur, du moins explicite : adjectifs de «mesure», comme *long, petit, gros*, ... Ils sont
encore assez proches des classifiants : il est en effet possible de
se référer à une norme communément admise, même si un
énonciateur singulier ou une situation d'énonciation singulière
peut la remettre en cause (une grosse souris est plus petite
qu'un petit Saint-Bernard) ;

– les évaluatifs avec jugement de valeur (porteurs d'une
connotation axiologique) : jugement esthétique (*beau, laid*),
moral (*indécent, rusé, honnête*), intellectuel (*attentif, stupide*)
etc. ;

– les adjectifs affectifs (porteurs de cette connotation), au
contenu sémantique flou, qui mettent au premier plan la réaction émotionnelle : *formidable, incroyable, génial, épouvantable, hallucinant*. Le langage de tous les jours est grand pour-
voyeur de ces superlatifs.

Lorsque les adjectifs sont employés comme épithètes, la distinction classifiant/non classifiant est quelque peu parasitée par
la distinction seconde entre la postposition à laquelle on associe
le sème «objectivité» et l'antéposition qui traduit l'imposition
d'une subjectivité. La postposition tend à annuler le sème «subjectivité», l'antéposition le surdétermine.

# B. De la syntaxe au style

## 1) Les fonctions

Si l'on veut faire une typologie rapide des fonctions de l'adjectif qualificatif, on peut dire que l'attribut est la fonction des jugements prédicatifs analytiques :

> Les champs n'étaient point *noirs*, les cieux n'étaient pas
> [mornes
> [...] L'air était *plein d'amour* et les près *de verdure*.
>
> V. Hugo

L'épithète détachée, toujours suppressible, apporte une notation adventice, qui surdétermine souvent le pittoresque descriptif :

> Et la rivière au loin, *riche des pluies printanières*, coulait, *blanche et nue*, *frôlant de ses hanches pleines les lignes des grêles peupliers qui bordaient son lit*, *voluptueuse*, *invincible*, *féconde*, *éternelle*, *vraie déesse*, comme au temps où [...].
>
> A. France

L'épithète (dite parfois liée) a des rôles plus complexes, à cause des variations de place dont elle peut être l'objet.

## 2) La place de l'adjectif épithète

En français moderne, la place non marquée est la postposition, qui est la règle pour les adjectifs classifiants, et qui, quand elle s'applique à des non-classifiants, tend à atténuer la dimension subjective de l'énoncé :

> L'aspect *aimable* de Bouvard charma tout de suite Pécuchet.
> Ses yeux *bleuâtres*, toujours entre-clos, souriaient dans son visage *coloré*.
>
> Flaubert

L'enjeu de cette analyse étant stylistique, nous ne nous intéressons qu'aux variations fondées sur un choix possible (postposition *vs* antéposition). Rappelons seulement que la variation de l'épithète est imposée lorsqu'elle est liée à une différence de sens dénotatif, *un homme grand vs un grand homme, un buveur gros vs un gros buveur, un enfant pauvre vs un pauvre enfant, un ami vieux vs un vieil ami, une catastrophe vraie vs une vraie catastrophe*. Postposée, l'épithète implique une caractérisation du référent : elle définit «la matière d'être de la chose [1]», on peut transformer le groupe nominal en phrase attributive («l'homme est grand», «l'ami est vieux», etc.). Quand elle est antéposée, elle porte, non sur le référent, mais sur le signifié, le contenu notionnel, qu'elle modifie souvent dans le sens de l'intensité : être un grand homme, c'est être grand en tant qu'«homme», réaliser grandement ce que signifie «homme» : il n'empêche que l'individu – le référent – ainsi qualifié peut être de petite taille ! Ainsi, on peut parler de «vrai mensonge», mais pas de «mensonge vrai». C'est dire qu'ici, l'épithète définit «la manière d'être la chose», et que l'adjectif fonctionne comme un adverbe modalisateur : être un gros buveur, c'est être «buveur» de façon intensive, une vraie catastrophe, c'est ce qu'on peut vraiment nommer «catastrophe», etc.

Quand la valeur de vérité de l'énoncé ne change pas quelle que soit la place de l'épithète, et que le choix est donc possible, la place non marquée en français moderne est la postposition : on nomme le référent et on lui assigne une qualité. On a pu parler de constat objectif ou de visée descriptive, ce qui est vrai au moins pour les adjectifs classifiants : *une table ovale, un pelage noir et fauve*. Le choix de l'antéposition correspond à une place marquée par l'ajout de sèmes connotatifs, et donc par la manifestation d'une conscience subjective. Plusieurs cas peuvent se présenter :

– l'épithète de nature : le sujet pose la qualité comme propriété essentielle, inaliénable et définitoire de l'objet ; on rencontre l'épithète de nature avec des noms propres (*douce France, le bouillant Achille* – épithète dite homérique), avec des noms communs (*la blanche neige, l'étroite cellule, la pâle mort*), avec des noms communs traités comme des noms propres, parce que leur référent est personnifié, allégorisé (*le boiteux Ennui, la coquette Espérance, le vieux Destin*, chez Musset) ; les associations ainsi créées forment souvent des clichés, à traiter éventuellement en marques topiques du sublime (qui vise des essences idéales) :

> *La langoureuse Asie* et *la brûlante Afrique*
>
> Baudelaire

---

1. *Cf.* G. Moignet, *Systématique de la langue française*, Paris, Klincksieck. Les analyses de la place de l'épithète proposées par les guillaumiens sont, de façon générale, les plus convaincantes, et on peut toujours les (re)lire avec profit.

> La montagne se cache, et sous *les pâles ondes*,
> Le saule a suspendu *ses chastes reposoirs*.

Lamartine

– l'épithète de nature peut servir à une qualification métonymique : la qualité la plus concrète devient le signe métonymique d'une abstraction et l'objet porteur de cette qualité devient un objet symbolique. Les adjectifs de couleur sont particulièrement aptes à cet enrichissement connotatif : *la blanche colomb, le vert paradis*.

– l'enrichissement connotatif est aussi d'ordre plus individuel : connotations affectives et/ou axiologiques accompagnent souvent l'antéposition, qui devient un marqueur de subjectivité ; que l'on compare *un homme beau* et *un bel homme, un paysage admirable* et *un admirable paysage, une chaleur douce* et *une douce chaleur*. La subjectivité, déjà marquée par le sémantisme des adjectifs non classifiants, est surdéterminée par la place de l'épithète ;

– l'antéposition dite «inversion poétique», qui forme une sorte de synthèse des cas précédents. L'association entre inversion et poésie peut s'expliquer par la référence à des critères implicites de poéticité : la poésie s'oppose à la prose ; la poésie retrouve l'état originel du langage (en ancien français, l'ordre non marqué était l'ordre adjectif-substantif) ; la poésie «essentialise» les objets du monde : elle transforme les qualités accidentelles en propriétés essentielles et l'anecdotique en symbolique/la poésie est un genre où s'exprime la subjectivité (*cf.* lyrisme) :

> Les arbres fleuris des vergers offraient leur tête ronde et blanche ou *leur rose quenouille* au jour clair et palpitant.

A. France

> [...] et par endroits, *le long des vertes îles*
> Comme des troncs pesants flottaient les crocodiles.

Leconte de Lisle

D'autres facteurs interviennent secondairement dans le choix de la place ; le plus important est d'ordre rythmique. En français, la phrase obéit le plus souvent à la loi de cadence majeure, selon laquelle on va de l'élément le plus bref à l'élément le plus long. Cela se retrouve dans le cas de l'adjectif épithète ; sauf volonté d'expressivité, on dira plus volontiers «une tragique fin de promenade» qu'«une fin de promenade tragique», «un sort épouvantable» qu'«un épouvantable sort».

Quand plusieurs épithètes accompagnent le substantif, les possibilités sont multiples :

– construction analytique où les épithètes sont juxtaposées ou coordonnées, et antéposées ou postposées :

> Je vis, spectacle *humiliant et déplorable*, ce caractère *énergique et fier* recevoir de la souffrance physique mille impressions *confuses et incohérentes*.

B. Constant

> [...] insolemment abandonné à l'intérieur de *son imperturbable et hautaine carapace* de réflexes et d'orgueil.

C. Simon

– construction synthétique où les épithètes encadrent le substantif :

> *La longue herbe juteuse.*

Colette

> *Ces épaisses nuits silencieuses.*

Giono

> Sur le rivage paresse *l'éternelle chanson bruissante* du vent dans les feuillages des filaos.

Cendrars

> *De volumineuses orgues tout à fait tendres* comme dans une basilique.

Céline

L'épithète postposée a sa valeur descriptive, l'épithète antéposée apporte une appréciation conçue comme subjective. On voit comment Céline joue à subvertir cet ordre. On peut trouver un ordre différent : «une si jolie petite plage», ou «des cheveux blonds ébouriffés», variations à travers lesquelles s'articule une relation entre constat objectif et appréciation subjective.

# 2. Autres caractérisants

## A. Groupes bi-nominaux

### 1) Compléments caractérisants

Certains groupes nominaux prépositionnels ont une fonction caractérisante identique à celle de l'épithète, que ce soit les compléments de qualité («La chair périphérique, compacte et homogène, *d'un beau rouge de chimie*, est régulièrement épaisse...» A. Robbe-Grillet), de matière («Il y aurait, dans *un plat d'argent*, un bouquet de fleurs, *un chapelet d'ambre*, un poignard et *un coffre de vieil ivoire jaune...*» Flaubert), ou les stricts compléments de caractérisation : ceux-ci sont généralement introduits par la préposition *à* ils comportent au moins deux composantes, et ils dénotent une propriété intrinsèque, inaliénable ; on parle de «caractérisation homérique» sur le modèle de «Achille aux pieds légers».

> Il passait le long de tous ces arbres *aux membres d'athlètes, au dessin héroïque.*
>
> Goncourt

Queneau dans l'*Exercice de style* dit «Noble» parodie ce style sublime : «un autobus *à la puissante stature et aux yeux de vache* de la ligne S *au trajet sinueux*», «la funeste Discorde *aux seins de suie*».

On signalera aussi l'existence de la construction parfois appelée «hébraïque», du type : «Dieu de majesté», «bouches de mensonge», «luminaires d'erreur». L'emploi d'un complément substantif là où un adjectif épithète serait plus prévisible (Dieu majestueux...), outre sa connotation religieuse très marquée (*cf.* texte biblique), implique que la qualité est alors saisie comme essentielle.

## 2) *La caractérisation régressive*

Elle est de forme *A de B*, *A* étant l'élément caractérisant, qui peut être un substantif («cette garce de Musyne et cette petite fiente de Lola», – Céline – «quel amour d'enfant !»), ou un adjectif décatégorisé par dérivation impropre en substantif («des drôles de projets», «une belle de race» – Céline). Dans cette construction, l'élément caractérisant est prédicatif par rapport au second ; on a donc une séquence régressive prédicat-thème. Cet élément fonctionne comme un «nom de qualité», exprimant une appréciation singulière, toujours affective avant même d'être axiologique : les substantifs en particulier sont des injures ou des hypocoristiques («cette canaille de Paul !» peut être une appellation affectueuse dissimulée). La caractérisation régressive est d'un niveau de langue généralement familier.

# B. Groupes nominaux en construction absolue détachée

Ils ne sont pas prépositionnels, ils associent aux moins deux éléments, et ils apportent généralement une focalisation sur une partie du référent qu'ils caractérisent ; les portraits font grand usage de ces constructions, qui de plus sont facilement coordonnées à des adjectifs qualificatifs :

> [...] quand elle se parlait à elle-même, – tantôt joyeuse, ouvrant des yeux naïfs, puis *les paupières à demi-closes, le regard noyé d'ennui, la pensée vagabondant.*

> Flaubert

> Un soldat jeune, *bouche ouverte, tête nue,*
> *Et la nuque baignant dans le frais cresson bleu,*
> Dort ; [...]

> Rimbaud

# C. Infinitifs caractérisants

Ce sont des variantes, souvent métaphoriques et familières, de lexies dénotant l'intensité ; les infinitifs en cet emploi ont une valeur consécutive :

> [il] reçut sur le dos et les fesses flasques une de ces volées de bâton souple *à faire beugler une solide bourrique pendant huit jours.*

> Céline

La construction «une de ces» va aussi dans le sens de l'intensité.

# D. Subordonnées relatives

Ce sont des expansions propositionnelles du groupe nominal qui complètent un antécédent comme pourrait le faire un adjectif qualificatif : on les appelle d'ailleurs parfois des subordonnées adjectives (un homme qui n'éprouve aucune pitié = un homme impitoyable). Les relatives déterminatives (ou restrictives, qui fonctionnent comme un adjectif épithète) ne sont pas à proprement parler caractérisantes ; elles servent, non à définir une qualité du référent-antécédent, mais précisément à identifier ce référent ; on ne peut les supprimer sans changer le sens de l'énoncé et l'extension du référent. Seules les relatives explicatives (dites aussi non restrictives ou appositives) sont à considérer comme pleinement caractérisantes ; précédées généralement d'une virgule comme les appositions ou les épithètes détachées, elles apportent une précision d'ordre descriptif ou explicatif et peuvent être supprimées :

> *Les soleils couchants, qui colorent si richement la salle à manger ou le salon* sont tamisés par de belles étoffes ou par *ces hautes fenêtres ouvragées que le plomb divise en nombreux compartiments.*

Baudelaire

La seconde relative sert d'abord à identifier le référent dont il est question : sans elle, on ne peut savoir qu'il s'agit de vitraux. En revanche, la fonction de la première est d'apporter à ce tableau du pays de Cocagne une touche supplémentaire de pittoresque symbolique, aux connotations laudatives.

# 3. Caractérisation implicite

Si l'on considère qu'il peut y avoir caractérisation implicite, on admet une interférence importante, sinon une analogie, entre caractérisation et connotation. Nous ne signalerons ici que quelques-unes des composantes de cette catégorie aux limites floues. Les déterminants du substantif, qui ne sont pas des caractérisants spécifiques, sont parfois porteurs de connotations axiologiques (ou affectives) :

> Je n'aime point céans tous *vos gens à latin*,
> Et principalement *ce Monsieur Trissotin.*

Molière

De façon plus générale, on peut considère que lorsqu'un emprunt apporte comme valeur ajoutée ces connotations, il y a caractérisation implicite. Les niveaux de langue en particulier peuvent avoir une valeur caractérisante : *marronnasse, la parlote, des godasses*, etc.

On voit mal comment on pourrait alors exclure de la caractérisation les comparaisons et les métaphores. Nous n'irons pas plus loin.

# 4. Un cas particulier :
## la caractérisation non pertinente

Cette catégorie recoupe partiellement l'étude des figures de construction et de certaines métaphores [1] : il y a caractérisation non pertinente quand ne sont pas respectées certaines règles de cohésion sémantique et/ou syntaxique.

## A. *Caractérisant métaphorique*

La caractérisation métaphorique traduit la représentation subjective d'un référent ainsi littérarisé ou poétisé. Les synesthésies, ou associations de sensations, qui expriment la conscience diffuse d'une unité, ont souvent pour fondement linguistique la relation substantif-adjectif.

> Ils [les halos qu'on trouve sur les agates] sont *bleu de mer profonde* ou empruntent *le vert pâle, glacé, glissant* des yeux nyctalopes des félins et des hiboux.

> Caillois

> *L'odeur volumineuse* des plantes aromatiques racle la gorge et suffoque dans *la chaleur énorme*.

> Camus

## B. *Hypallage*

C'est d'un transfert de caractérisants que résulte le «conflit conceptuel» :

> [...] on ne sortait plus de l'envie de roupiller *énorme*.

> Céline

L'adjectif «énorme», ici adverbialisé, est incident à «roupiller». On attendrait plutôt «l'envie énorme de roupiller». L'hypallage est l'une des réalisations stylistiques d'un principe qui est au cœur de la poétique célinienne : sortir les mots de leurs gonds.

---

1. Pour complément d'information sur les figures traitées, consulter *Les Figures de style*, de C. Fromilhague, Paris, Nathan, 1995.

L'hypallage a aussi une forme plus complexe : le caractérisant adjectif devient un groupe nominal déterminé par le groupe nominal qui aurait dû être caractérisé :

> *Sur la moiteur de sa peau*, les diamants, attachés, scintillent.
>
> Huysmans

On attendrait «sur sa peau moite». Fondée sur une restructuration de la perception et sur un écart par rapport à la langue commune, cette hypallage est au centre du projet esthétique de l'écriture artiste et des décadents.

La saisie de la réalité la plus concrète est marquée par l'abstraction :

> Leurs vestons très cintrés, posés comme une sorte de cuirasse ou carapace fragile, protègent *la naïveté de leur corps*.
>
> Genet

## C. Oxymore

Normalement, l'adjectif épithète «sature» l'une des propriétés du référent visé par le substantif. L'oxymore est créé par un conflit : la propriété attribuée est incompatible, ce qui entraîne une apparente contradiction logique, que l'interprétation doit résoudre, tout en en montrant la valeur :

> Mais que ta bouche est belle en *ce muet blasphème !*
>
> Valéry

## D. Zeugma

Il y a zeugma sémantique d'adjectifs lorsque sont coordonnés ou juxtaposés des adjectifs hétérogènes :

> *Vive, guetteuse et somnolente*, un bel œil jaune de gitane sous les cheveux crépus, elle errait.
>
> Colette

> [...] des mouches [...] *importantes et musicales* comme des petits oiseaux.
>
> Céline

La mise sur le même plan fonctionnel de caractérisants de nature différente, fréquente dans les énoncés descriptifs, relève du zeugma dit syntaxique :

Ils passent, *un peu courbés, les yeux vides, les vêtements déjà usés par les nuits à coucher par terre, pareils à des soldats vaincus.*

Le Clézio

Puis, *brusquement, comme quelqu'un qui prend son parti, hardi et se dégourdissant, et avec une agilité d'écureuil, – de clown peut-être* – il tourna le dos à la crique et se mit à monter le long de la falaise.

V. Hugo

Dans la phrase ci-dessus, le déroulement linéaire de la phrase est compromis par l'accumulation de caractérisants, dont en principe certains sont incidents au verbe, d'autres au pronom sujet, mais qui semblent mis sur le même plan. On a parfois donné à cette phrase qui juxtapose des caractérisants multiples, hétéroclites, le nom métaphorique de «phrase en éventail». Il serait plus juste de parler, pour rester dans le registre métaphorique, de «phrase-puzzle», ou même de phrase cubiste : ce type d'expansions caractérisantes, toujours prolongeables, menace en effet la cohésion de la phrase et de l'énoncé. La ligne d'horizon du descriptif n'est plus alors ni d'ordre ornemental – l'*ekphrasis*, description artistique, détachable, d'une œuvre d'art –, ni d'ordre explicatif – la description au service de la narration, «*ancilla narrationis*» [1]. L'objet littéraire que constitue le descriptif change de sens.

## APPLICATION

1    Oh ! Qui pouvait d'un ange ainsi ravir la vue ?
     C'était parmi les fleurs une belle enfant nue,
     Qui, sous l'arbre le soir suprise du sommeil,
     N'avait vu ni baisser ni plonger le soleil,
5    Et qui, seule au départ des tribus des montagnes,
     N'avait pas entendu les cris de ses compagnes.
     […]
     Non loin d'un tronc blanchi de cèdre, où dans les herbes
     L'astre réverbéré rejaillissait en gerbes,
     Un rayon de la lune éclairait son beau corps,

---

1. *Cf.* Genette, *Figures II*, Paris, Seuil, 1969, p. 56 et *sqq.* ; P. Hamon, *Introduction à l'analyse du descriptif*, Paris, Hachette, 1981, chap. 1, p. 8-39.

> 10 D'un bassin d'eau dormant ses pieds touchaient les bords,
> Et quelques lis des eaux, pleins de parfums nocturnes,
> Recourbaient sur son corps leurs joncs verts et leurs urnes ;
> Son bras droit qu'elle avait ouvert pour sommeiller,
> Arrondi sous son cou, lui servait d'oreiller ;
> 15 L'autre, suivant des flancs l'onduleuse courbure,
> Replié de lui-même autour de la ceinture,
> Noyait sa blanche main et ses doigts effilés
> Dans les débris de fleurs de son doux poids foulés,
> Comme si dans un rêve elle froissait encore
> 20 Les débris de ses jeux sur leur tige inodore.
> Ses cheveux qu'entr'ouvrait le léger vent du soir
> Ondoyait sur son bras comme un grand voile noir,
> Laissant briller dehors ou ses épaules blanches,
> Ou la rondeur du sein ou les contours des hanches,
> 25 Et l'ovale arrondi de ce front d'où les yeux
> N'auraient pu s'arracher pour regarder les cieux ! [1]

Lamartine, «La Chute d'un ange», (*Première vision*)

Le poème «La Chute d'un ange» narre en quinze «visions» successives l'histoire de Cédar, l'ange qui prend forme humaine par amour pour Daïdha, la jeune fille dont il est le gardien. Notre passage relate la vision qu'a l'ange de la jeune fille. Nous traiterons la question du «système de la caractérisation» dans le passage spécifiquement descriptif, c'est-à-dire les vers 7 à 26.

Cette description est un portrait physique (ou «prosopographie») qui relève d'une rhétorique démonstrative, puisque c'est un portrait élogieux ; elle a certes un enjeu ornemental («morceau» détachable, pouvant être retenu dans une anthologie), mais dans cette poésie narrative, l'arrêt descriptif a essentiellement un enjeu explicatif, au niveau le plus apparent, d'ordre diégétique/dramatique : ce portrait laudatif explique – en développant l'interrogation rhétorique et suspensive du vers 1 – que l'ange soit séduit et annonce l'histoire.

# I. Marquage stylistique : un texte saturé par les marques du descriptif

## A. *L'élément caractérisé : marques topiques*

### 1) *Le pantonyme*

La description est introduite par l'élément synthétique qui unifie

---

1. Cet extrait de poème a été l'objet d'une question sur «le système de la caractérisation» posée par G. Molinié à l'université de Paris IV à l'issue d'une année d'initiation à la stylistique.

l'ensemble du développement : *une belle enfant nue* (v. 2), introduit par le présentatif *C'était*, qui est comme le signe démarcatif de l'entrée dans la description.

## 2) La nomenclature

Les caractérisants du pantonyme (*belle* et *nue*) annoncent un portrait physique ; le pantonyme est donc relayé au vers 9 par *son beau corps*, avec reprise du même qualificatif *beau*. Le regard se focalise ensuite, par synecdoque narrative, sur certaines parties du corps dans deux mouvements successifs qui correspondent à deux phrases distinctes : les pieds, le bras, le cou, la main (v. 10 à 20) ; puis les cheveux, les bras, les épaules, le sein, les hanches, et le front (v. 20 à 26). Une sorte de blason du corps féminin se construit au fil des vers.

## 3) Une scène topique

Les actants et les circonstants forment l'un des cadres propices à l'arrêt descriptif, surtout en poésie : jeune femme endormie/cadre temporel – la venue de la nuit –/cadre spatial – le rayon de lune et la nature, représentée par le cèdre, les herbes, le bassin, les lis des eaux, le vent, qui sont autant de marqueurs de poésie classique et sublime.

# B. Les caractérisants adjectifs : épithètes liées/épithètes détachées

Il n'y a ici aucun adjectif attribut, donc aucune opération de jugement prédicatif et analytique : cette absence marque le caractère de pur tableau du texte. En revanche, les adjectifs et les participes en position d'épithètes (liées ou détachées) sont très nombreux ; rares sont les éléments qui restent sans caractérisants.

## 1) Les épithètes détachées

Ce sont parfois des participes – *surprises* v. 3, *arrondi* v. 14, *suivant* v. 15, *replié* v. 16, *laissant* v. 23 – parfois des qualificatifs – *seule* v. 5, *pleins* v. 11. La postposition est constante ; la distribution la plus logique est donc adoptée : l'épithète détachée vient apporter une (re)touche tout en s'intégrant à la phrase de la façon la moins lourde, puisqu'aucun outil syntaxique ne l'introduit.

## 2) Les épithètes liées

Elles dominent, avec des oppositions de place :

### a) Postposition

C'est le cas de tous les participes, qu'ils gardent une valeur aspectuelle ou qu'ils soient totalement adjectivés (*blanchi* v. 7, *réverbéré* v. 8, *dormant* v. 10, *effilés* v. 11, *foulés* v. 18, *arrondi* v. 25) ; pour les qualificatifs, citons *nue* (v. 2), *verts* (v. 12), *inodore* (v. 20), *noir* v. 22, *blanches* (v. 23), qui sont des adjectifs classifiants.

### b) Antéposition

Il faut remarquer leur fréquence, dans des syntagmes où le choix de la place était possible – *belle enfant* v. 2, *beau corps* v. 9, *onduleuse courbure* v. 15, *blanche main* v. 17, *doux poids* v. 18, *léger vent* v. 21, *grand voile* v. 22

Même si l'on peut penser que, dans le détail, les raisons de cette place sont variées, on l'expliquera de façon synthétique : par marquage topique de poéticité conventionnellement idéalisante/dans leur sémantisme, ces adjectifs sont généralement des non classifiants et l'antéposition renforce leur dimension subjective et la connotation affective associée à *beau*, *doux* ou *léger* introduit une discrète touche lyrique ; il y a de plus appréhension de traits caractéristiques inaliénables (épithètes de nature), qui peuvent devenir des traits symboliques : dans *ses épaules blanches* (v. 23), la notation de couleur de l'adjectif classifiant est descriptive, dans *sa blanche main* (v. 17), *blanc* ne joue plus son rôle de classifiant dénotativement objectif ; la couleur est saisie comme marqueur connotatif, conventionnel, de beauté féminine et de pureté. L'antéposition est l'un des marqueurs qui permet d'identifier le texte comme blason du corps féminin.

### c) Épithètes de part et d'autre du substantif

*Une belle enfant nue* (v. 2), *un grand voile noire* (v. 22) ; le classifiant est postposé, le non classifiant antéposé.

## C. Un équivalent de l'adjectif : la subordonnée relative

Les relatives sont toutes explicatives ; elles pourraient être effacées sans que le sens soit changé, et comme les épithètes détachées elles apportent une notation adventice à valeur explicative ou pittoresque ; les relatives des vers 3 à 6 situent la description dans un contexte temporel (*cf.* emploi du plus que parfait) ; les relatives des vers 7, 13 et 21 apportent des précisions d'ordre pictural ; la relative des vers 25-26 (explicative si dans *ce front,* le démonstratif est déictique) constitue une clausule hyperbolique qui résume l'ensemble du tableau.

## D. Les caractérisants implicites

### 1) Les déterminants du substantif

Un marqueur fort de caractérisation apparaît à la fin du passage ; dans les 23 premiers vers, le déterminant qui domine est l'adjectif possessif, qui accompagne de façon prévisible la nomination des parties du corps (*son beau corps, ses pieds, son bras, ...*). Il laisse la place dans les trois derniers vers à l'article défini (*la rondeur du sein, les contours des hanches*) et à l'adjectif démonstratif (*ce front*), déterminants dépersonnalisants employés alors que le possessif restait plus fortement attendu. Que caractérise-connote cette variation ? Si le démonstratif est déictique, le mouvement d'ostension qui l'accompagne signale la présence d'un regard qui constitue en tableau la réalité qu'il perçoit : tension vers l'ekphrasis. L'article défini implique quant à lui, sorti d'une description circonstancielle – «une belle enfant nue» –, on tend vers la constitution d'un objet générique à résonance allégorique. On décrit, non plus le sein et les hanches de la belle enfant nue, mais les parties du corps toujours représentées dans les tableaux de celles qui incarnent la féminité.

### 2) *Tropes et comparaisons*

#### a) Les métaphores

On relèvera ici les métaphores substantives in absentia, d'un niveau de langue poétique, caractéristiques des descriptions classiques idéalisantes (*urnes* v. 12, *gerbes* v. 18)/les métaphores verbales nombreuses, dont le trait sémique commun, «dynamisme», est paradoxal dans ce tableau (*baisser et plonger* v. 3, *rejaillissait* v. 8, *recourbaient* v. 12, *noyait* v. 17, *entr'ouvrait* v. 21, *ondoyaient* v. 22).

#### b) Les comparaisons (comparative hypothétique en *comme si* des vers 19-20, comparaison simple du vers 22). Le référent qu'elles évoquent est comme toujours imaginaire, et elles signalent l'irruption de l'irrationnel dont nous verrons plus loin les connotations.

## E. La caractérisation non pertinente : l'hypallage

Il entre en convergence avec le changement de déterminant du substantif, aux vers 24-25. Là où on attendrait «son sein rond ou ses hanches, et son front à l'ovale arrondi», il est question de la rondeur du sein, des contours des hanches, et de l'ovale arrondi de ce front. L'hypallage, en mettant l'accent sur la qualification physique de l'objet, qui devient première, contribue à l'effet de «mise en tableau», de «représentation» déjà identifiées à propos des déterminants.

# II. De la précision à la suggestion : enjeux du texte

## A. Champs lexicaux : le regard descripteur

La description physique s'articule autour d'une représentation essentiellement visuelle, où chaque dominante trouve un contrepoint antithétique. Comme on l'a vu, ces adjectifs descriptifs sont des classifiants.

### 1) La couleur

Le vert (v. 12), le blanc (v. 7-17-23), avec en contrepoint une touche – imaginaire – de noir (v. 22).

### 2) La lumière

Le lumineux (*réverbéré* v. 8, *laissant briller* v. 23), avec en contrepoint une notation antithétique (*nocturnes* v. 11).

### 3) La forme

Champ lexical du rond, surdéterminé par des jeux rhétoriques (répétitions avec dérivation : *arrondi* v. 14 et 25, *rondeur* v. 24/*onduleuse* v. 15, *ondoyaient* v. 22), phoniques (assonances en – on –) et peut-être graphiques (répétition de la lettre circulaire o : mots déjà cités + *courbure* et *ovale*). En contrepoint, on relèvera le participe *effilés* v. 17.

### 4) Le mouvement

Les métaphores verbales qui dénotent un mouvement essentiellement vertical ; en contrepoint, *un bassin d'eau dormant* (v. 10).

### 5) Une notation non visuelle

*Parfums nocturnes* (v. 11) avec en contrepoint l'adjectif *inodore* (v. 20).

## B. L'art de la suggestion : les connotations

### 1) Le choix des caractérisés/des caractérisants

Signalons, dès le pantonyme, l'adjectif *nue*. Les parties du corps, surtout dans la seconde partie de l'extrait, sont des signes métonymiques et topiques de la féminité (flancs, hanches, ceinture, sein) ; le cadre naturel est lui aussi féminisé, conformément à certains archétypes véhiculés en particulier par la poésie classique (l'eau, la lune, les lis). Enfin, la blancheur et la rondeur, champs lexicaux dominants des caractérisants, connotent par convention culturelle la beauté désirable.

### 2) Une union suggérée

Si le contact entre la femme et la nature est explicitement et dénotativement exprimé – voir entre autres les compléments de lieu –, certains caractérisants, en particulier les métaphores verbales, (*rejaillissaient, recourbaient, entr'ouvraient* par exemple) suggèrent par leurs connotations érotiques une union amoureuse entre la nature – cf. champs lexicaux des sujets – et la femme – cf. compléments. La description ne peut plus être traitée comme ornement ou comme explication : le régime descriptif est ici proche de celui que l'hypotypose peut mettre en place. De plus ce déplacement, lui aussi marque topique d'une poésie classique, a une valeur dramatique, puisqu'il annonce l'union amoureuse à venir.

### 3) L'art du contrepoint tonal

La description est encadrée par deux vers qui suggèrent que le moteur de ce long tableau est le regard fasciné ; telle est la portée des deux groupes verbaux hyperboliques qui s'appellent, avec reprise en écho du verbe modal *pouvoir*, et gradation sémantique (*ravir la vue/dont les yeux n'auraient pu s'arracher pour regarder les cieux*). Tout ce tableau portrait vise peut-être à restituer le regard de l'ange sur la femme ; d'où les connotations laudatives des caractérisants, qui se doublent de quelques touches euphoriques (*doux, léger*).

Mais les comparaisons (v. 19 et 22), qui introduisent un référent imaginaire, signent aussi l'intrusion d'une tonalité plus dysphorique : dans la première comparaison, les mots *froisser*, *débris*, *noyer*, créent un climat inquiétant, de même que l'adjectif *noir* dans la seconde. On l'a dit, les principaux champs lexicaux des caractérisants sont structurés sur le mode du contrepoint, on ajoutera que ce contrepoint est aussi tonal (l'effilé, le sombre, l'immobile, l'inodore sont autant de notations ici dysphoriques). Une représentation plus complexe de la belle enfant nue, et de la femme, s'élabore ici.

Ainsi, la description n'est pas pleinement homogène : certes, ce portrait à la rhétorique essentiellement démonstrative prend parfois des allures d'ekphrasis ; de plus, c'est un blason du corps féminin qui se constitue au fil des vers. Mais pour un lecteur actuel, ce sont peut-être les changements d'inflexions tonales qui assurent le mieux la lisibilité d'un texte par ailleurs fortement codifié.

# Conclusion générale

Les postes d'analyses que nous venons de présenter permettent une approche méthodique et précise de la facture du texte, et au-delà, de sa *poétique*. Saisir la manière dont se construit le référent fictif, c'est non pas élucider le mystère de la création, mais caractériser une vision du monde, en dégager les principales composantes et faire surgir la spécificité de ses traits. L'artiste, ici, travaille un matériau qui est la langue pour générer des formes nouvelles de vie.

Ainsi se comprend l'intuition fondamentale du poète :

> Honneur des hommes, saint LANGAGE,
> Discours prophétique et paré.

> Valéry

# Applications
# intégrales

# L'incipit d'un conte
# de Villiers de l'Isle-Adam :
## *Les Demoiselles de Bienfilâtre*

1    Il y a quelques années florissait, orgueil de nos boulevards, certain vaste et lumineux café, situé presque en face d'un de nos théâtres de genre dont le fronton rappelle celui d'un temple païen. Là, se réunissait quotidiennement l'élite de ces jeunes
5    gens qui se sont distingués depuis, soit par leur valeur artistique, soit par leur incapacité, soit par leur attitude dans les jours troubles que nous avons traversés.

Parmi ces derniers, il en est même qui ont tenu les rênes du char de l'État. Comme on le voit, ce n'était pas de la petite
10   bière que l'on trouvait dans ce café des Mille et une nuits. Le bourgeois ne parlait de ce pandémonium qu'en baissant le ton. Souventes fois, le préfet de la ville y jetait négligemment, en manière de carte de visite, une touffe choisie, un bouquet inopiné de sergents de ville ; ceux-ci, de cet air distrait et souriant
15   qui les distingue, y époussetaient alors, en se jouant, du bout de leurs sorties-de-bal, les têtes espiègles et mutines. C'était une attention qui, pour être délicate, n'en était pas moins sensible. Le lendemain, il n'y paraissait plus.

Sur la terrasse, entre la rangée de fiacres et le vitrage, une
20   pelouse de femmes, une floraison de chignons échappés du crayon de Guys, attifées de toilettes invraisemblables, se prélassaient sur les chaises, auprès des guéridons de fer battu peints en vert espérance. Sur ces guéridons étaient délivrés des breuvages. Les yeux tenaient de l'émerillon et de la volaille. Les
25   unes conservaient sur leurs genoux un gros bouquet, les autres un petit chien, les autres rien. Vous eussiez dit qu'elles attendaient quelqu'un.

Parmi ces jeunes femmes, deux se faisaient remarquer par leur assiduité ; les habitués de la salle célèbre les nommaient,
30   tout court, Olympe et Henriette. Celles-là venaient dès le crépuscule, s'installaient dans une anfractuosité bien éclairée, réclamaient, plutôt par contenance que par besoin réel, un petit verre de vespetro ou un «mazagran», puis surveillaient le passant d'un œil méticuleux.

35   Et c'étaient les demoiselles de Bienfilâtre !

*Contes cruels*, Classiques Garnier, p. 5-6.

Commençons par quelques réflexions d'ordre synthétique qui guideront l'analyse stylistique de détail :

– Importance de la place de l'extrait[1] : nous sommes ici en présence de l'incipit romanesque du conte ; il a été précédé par deux pages de réflexions générales sur les notions de Bien et de Mal. Puis, sans transition aucune, l'auteur délègue sa parole au narrateur. Nous étudions donc spécifiquement le lieu où s'engage la fiction, et où la notion de« possible narratif» (que va-t-il se passer ?) a sa plus grande extension. Dans notre texte, une attente narrative est créée par le titre (qui sont ces demoiselles ? La suite du texte nous apprendra que ce sont des prostituées. Que va-t-il leur arriver ?). Si l'on se place maintenant, non plus du côté du destinataire (le lecteur) mais de celui du destinateur (le narrateur), on observe que les stratégies de déroulement et de retardement de l'information ont dans ce lieu du texte une efficacité particulière. Il convient donc d'étudier par quels procédés le narrateur répond à l'attente du lecteur (on peut rapprocher l'incipit romanesque de la scène d'exposition dans le théâtre).

– Importance des connotations : le lecteur peut «recevoir» le premier paragraphe comme un paragraphe de facture traditionnelle et sérieuse (sérieux caractéristique de l'énoncé réaliste) ; mais il ne peut manquer d'être frappé par l'accumulation des ruptures dans la suite du texte : elles lui montrent d'une part que le narrateur vise à le faire (sou)rire (à provoquer sa participation émotionnelle), d'autre part qu'il porte un regard distant et critique sur le référent : ensemble des connotations affectives et axiologiques.

– Importance du genre et de l'époque : les marques génériques du conte et les marques de l'idiolecte (ou du sociolecte) symboliste et même décadent, doivent être identifiées.

Comment est traité l'incipit. Comment le texte acquiert une tonalité marquée. Les analyses de ces points doivent permettre au lecteur de se faire une idée du projet esthétique et philosophique de l'auteur.

# I. L'incipit : choix d'un modèle réaliste

## 1. Ensemble de topoi réalistes : un incipit balzacien

### A. *Présentation du cadre spatio-temporel*

*Il y a quelques années* (l. 1), *café... presque en face de...* (l. 2). Point de départ le plus prévisible du récit réaliste, fréquent chez Balzac.

---

1. Pour une autre étude de l'incipit, voir E. Ravoux Rallo, *L'explication de textes à l'oral*, «L'incipit romanesque - *Le Diable au corps*», Paris, Nathan, 1990, p.32-38.

# B. Récit et discours

**1.** *Le texte* : on note la présence d'une instance énonciative repérable qui vient authentifier l'énoncé, le marquer du sceau de la vérité ; l'énoncé devient vraisemblable (marque du réalisme).

– Marques personnelles et intrusions du narrateur : *nos* (l. 1, 3) de complicité narrateur-lecteur[1], relayé par *on* (l. 9), puis par *vous* (l. 28) d'adresse au lecteur. La présence d'une instance énonciative s'accompagne parfois d'une inclusion du particulier dans le général, qui est aussi un stéréotype du récit réaliste (Balzac, Flaubert, ...) : *un de nos théâtres...* (l. 3), *l'élite de ces jeunes gens qui...* (l. 5) ; celui-ci trouve là une dimension didactique.

– Marques temporelles : présent et passé composé (temps du discours, l. 8 à 9). La notation *Il y a quelques années* relie temps de l'énoncé et temps de l'énonciation (par opposition à une notation de date, par exemple).

**2.** *Le hors-texte* : le référent de l'univers mis en place peut être identifié par tout lecteur qui possède les connaissances nécessaires (*café* : café de Madrid, *jours troubles* = Commune, etc.). La fiction est enracinée dans le réel et authentifiée par l'énonciateur. Les marques du discours sont nettes, facilement identifiables, récit et discours s'entrelacent mais ne se confondent jamais, et le récit prend, à son départ, une allure de «chronique».

# 2. Présentation des personnages : stratégies narratives

## A. Les principes de l'exposition

Tout récit obéit à deux contraintes divergentes (*cf.* études de grammaire textuelle) : cohésion et unité/progression et variations.

### 1) Cohésion du récit

– *Présence appuyée de l'anaphore :*

• reprise lexicale (*café*, l. 2 et 10, *guéridon*, l. 24 et 25) ou périphrase synonymique (*café → pandémonium*, l. 11).

• adjectifs/pronoms/adverbes anaphoriques : les démonstratifs sont très nombreux : *ce café, ce pandémonium, ces jeunes femmes...* ; parfois, un pronom personnel suffirait (*ceux-ci*, l. 15) ; les adverbes *là* et *y* sont eux aussi fréquents (l. 4, 12, 15, 19).

– *Forte unité thématique :* récit dit «à thème constant» (le café) : *café, terrasse* (l. 20), *guéridons* (l. 24)...

Dans les trois premiers paragraphes, le thème reste le même.

---

1. On préfère parfois parler de «narrataire» pour mettre en évidence le caractère virtuel de l'instance à laquelle s'adresse le narrateur.

## 2) *Progression du récit*

Le rétrécissement de l'espace (*café* → *terrasse*, l. 20 → *anfractuosité*, l. 32) doit être mis en relation avec l'apparition progressive, fondée sur un mouvement de rapprochement, des actants humains (*hommes* paragraphes 1 et 2, *femmes* paragraphe 3, puis apparition des deux héroïnes **éponymes**[1], d'abord désignées par leur prénom (l. 31) à ce moment du récit, encore mystérieux. Il faut attendre le cinquième paragraphe et la ligne 36 pour qu'elles soient présentées, – et pour que toutes les notations précédentes prennent leur sens.

# B. La stratégie du retardement

## 1) *À l'intérieur des phrases*

Un effet d'attente dans la présentation des actants est créé par l'ordre des mots dans le premier paragraphe (ordre verbe-sujet et retardement du sujet *café* par insertion d'éléments adventices), ou dans le quatrième paragraphe, où la désignation des héroïnes se fait en fin de phrase.

## 2) *Dans l'énoncé*

Nous avons affaire à ce que G. Genette appelle, à propos de Balzac, un «introït [= une entrée en matière] énigmatique» (*Figures III*, p. 207-208), puisque, malgré le titre, l'énoncé s'oriente vers la description d'un café. Le récit s'arrête et se transforme, dans les paragraphes 2 et 3, en tableaux de genre, les sergents puis les femmes. La chronique se fait ici récit de mœurs ; cet axe de lecture est stylistiquement marqué par la référence emblématique au peintre Constantin Guys (l. 22) «le peintre de la vie moderne» si apprécié de Baudelaire :

– Le tableau de la ville fait alterner inanimés et évocation de la modernité (*fiacres, vitrage, guéridons de fer, mazagran*), animés et peinture de la foule (*jeunes gens, sergents de ville, ...*). On est proche des «tableaux parisiens».

– Le «croquis de mœurs» (Baudelaire) : les phrases des l. 24 à 28 sont brèves, en relation asyndétique, sans connexion sémantique explicite. Elles relèvent du «style coupé», et la description procède par touches presque cubistes. Une recherche de précision se manifeste dans un groupe nominal marqué par un effet de réel (*guéridons de fer battu peints en vert espérance*, l. 24 : petit détail vrai), et dans la multiplication des verbes dynamiques. Celle-ci transforme de plus la fin du quatrième paragraphe en saynète amusante. Cet apparent style de notations est marqué par une connotation dévalorisante, liée au mode même de formation du mot : *vespetro* (l. 34), ou à ses sèmes : *attifées* (l. 22). Le croquis devient une caricature ; le récit s'oriente vers le portrait moral d'une société.

---

1. Le personnage **éponyme** est celui dont le nom donne son titre à l'ouvrage.

## 3. Un mode de présentation indirect (et balzacien) : les indices connotatifs

Les actants (animés ou inanimés) qui apparaissent dans les trois premiers paragraphes ne jouent aucun rôle dans la trame narrative : ils disparaissent rapidement (*jeunes gens, sergents de ville, femmes*, et aussi le *café* dont il ne sera plus question). Leur rôle est d'informer indirectement, et de façon anticipée, sur les actants principaux du récit ; c'est la technique proprement balzacienne de la description dite, en narratologie, métonymique (puisqu'il y a déplacement par contiguïté de l'actant au cadre qui est le sien). On peut parler de connotation puisque l'objet décrit se charge de «valeurs ajoutées» ; on parle aussi d'indices (R. Barthes).

### A. Choix du thème du café

C'est un lieu public, un lieu de rencontres (culturelles et politiques dans le premier paragraphe, galantes ensuite) : le thème de la prostitution s'actualise peu à peu.

### B. Connotations négatives

La première phrase est bâtie sur des expansions apparemment informatives du mot *café* : *situé presque en face... temple païen* (l. 2 à 4) ; dans une énigme, ces précisions seraient là pour permettre l'identification du référent. Dans notre texte, à la dimension référentielle, s'ajoute une dimension «qualitative», qui marque dès le début – mais d'une façon voilée – le texte négativement. L'utilisation d'une longue périphrase, au lieu de la simple dénomination *café de Madrid*, peut être ainsi justifiée.

Quels sèmes extraire des mots de ce passage ? Nous retiendrons les sèmes de «populaire» (*théâtre de genre*), de «fausse respectabilité» (*fronton du théâtre* et *temple païen*), liée à l'opposition entre la réalité (*théâtre*) et l'apparence (*temple*), et de «non-chrétien» (*temple païen*). Ce lieu n'est peut-être pas aussi respectable qu'on pourrait le penser à la lecture de mots comme *orgueil* ou *élite*.

### C. Exploitation du motif théâtral

**a)** *Un lieu spectaculaire* : lieu où l'on vient pour être vu : *entre la rangée de fiacres et le vitrage* (l. 20), *anfractuosité bien éclairée* (l. 32), et pour voir (l. 25 et 35) ; on peut noter la gradation de *yeux* à *surveiller d'un œil méticuleux*.

**b)** *Un monde d'artifices* : présentation des actants humains. Ils sont les éléments de tableaux décoratifs artificiellement composés (rôle de la métaphore filée du végétal, et surtout du floral, ou sont présentés comme des acteurs. L'apparition des deux héroïnes est ainsi théâtralisée par la multiplication de verbes dynamiques à l'imparfait itératif, en relation de juxtaposition, sans sujet répété qui prennent l'allure de didascalies).

En faisant du café un lieu théâtral, Villiers suggère au lecteur un monde d'apparences, et lui fait attendre le dévoilement d'une réalité dissimulée à dessein.

[*NB* - Remarque méthodologique : nous avons regroupé l'étude de marques morphologiques, lexicales et syntaxiques autour de grandes isotopies ; nous aurions pu aussi partir de l'étude de ces marques, mais cette approche, «atomisant» le sens, aurait rendu la démarche interprétative beaucoup plus aléatoire.]

## D. Charge connotative des noms propres : de l'arbitraire à la motivation

Comme dans beaucoup de romans réalistes et de comédies de genre, le nom propre choisi doit donner au lecteur des indications sur le personnage. Un seul exemple sera étudié ici : le choix d'*Olympe*. On peut mettre ce nom en relation avec le paganisme (séjour des dieux antiques, *cf. temple païen*) et avec la prostitution (allusion à l'*Olympia* (1865) de Manet) : le nom induit la visée morale du texte.

En conclusion, nous avons vu dans cette partie comment le texte s'inspire des modèles fournis par le roman du XIXᵉ siècle, en particulier le roman balzacien. On nous propose un «pacte de lecture» réaliste : chronique, roman de mœurs, portrait d'une société (ce que confirme la page de réflexions sur le Bien et le Mal qui précède l'incipit romanesque). Mais une réflexion montrera le présence d'un autre pacte de lecture : le lecteur, dans la page qui suit, découvre le «métier» des héroïnes – le plus vieux métier du monde. Or, dans l'incipit étudié, aucune information explicite ne lui est donnée ; le texte est même parfois cryptique (*cf. Olympe*), et doit être soumis à des réinterprétations. Le nombre élevé et le caractère bien plus détourné que chez Balzac des marques connotatives sont les signes d'une «rhétorique du détournement» (C. Kerbrat-Orecchioni, *L'Ironie*) qui anime l'ensemble de l'énoncé, et qui lui donne son ton.

# II. Détournement du modèle réaliste : la dérision

## 1. La fantaisie verbale : énonciation ludique

### A. *Le jeu de mots*

– *Syllepses fréquentes* : elles peuvent être de pure fantaisie (la métaphore de la *petite bière* (l. 10) est fortement motivée dans l'évocation d'un café !), ou elles peuvent donner indirectement des informations référentielles : un *breuvage* (l. 25) est une boisson ou un philtre d'amour, une *demoiselle* (l. 36) peut être de la noblesse… ou de petite vertu.

– *L'allusion scabreuse* :*Mille et une nuits* évoque l' univers de la fantaisie érotique. De façon plus subtile, les détails pittoresques donnent au lecteur avisé une indication sur la vie cachée du café : *vert espérance*, et espérance... d'un client, *fer battu* qui sous-entend «il faut battre le fer pendant qu'il est chaud». L'allusion prend parfois la forme d'un topos argumentatif : appeler les deux héroïnes par leur prénom (l. 31) implique une familiarité peut-être suspecte (effet renforcé par *tout court* qui suggère que cette appellation n'est pas ordinaire).

## B. La pratique du «télescopage»

– *de signifiants* : dans le contexte, des termes «bas» comme *petite bière* ou *attifées* sont motivés par le caractère prosaïque du lieu décrit. En revanche, la présence de marques d'un langage littéraire de convention donne à l'expression une emphase comique, que ce soit les archaïsmes (*souventes fois* (l. 12) et *en manière de* (l. 13) ou les clichés métaphoriques : *florissait...* (l. 1), *tenir les rênes du char de l'État* (l. 9).

– *de signifiés* : du sens métaphorique au sens propre, le texte développe tout un réseau associatif autour du sème «fleur» : métaphore lexicalisée (*florissait*, l. 1), puis vivante (*touffe, bouquet, floraison*), métaphore filée interrompue par l'irruption comique du non-métaphorique *bouquet* (l. 14).

– *d'univers de référence éloignés* : entre *émerillon* et *volaille* (l. 26), il y a la distance qui sépare un mot rare et un mot courant et celle qui sépare un mot connotant la noblesse (*émerillon* = petit faucon)et un mot connotant la trivialité. De la même façon, la succession dans l'énoncé de *petite bière*, d'une part, et de *Mille et une nuits* et *pandémonium*, de l'autre, appelle quelques remarques : *petite bière* s'oppose à *pandémonium* par le niveau de langue ; les univers de référence sont aussi très éloignés : univers populaire pour le premier mot, monde littéraire pour les autres (rappelons que *pandémonium* a été créé par l'écrivain anglais Milton).

Nous voilà loin du texte réaliste, sérieux et monosémique. L'auteur demande au lecteur de décoder un message cryptique, où l'explicite s'efface généralement au profit de l'implicite. La figure illustrant le plus exemplairement la distance entre le dire et le dit, à savoir l'ironie, est bien sûr utilisée par l'auteur avec toute sa force polémique. Le désir de faire rire est inséparable de la volonté de dénoncer.

## 2. L'ironie, ou antiphrase

«L, en énonçant A, veut faire entendre non-A» (C. Kerbrat-Orecchioni, *op. cit.*).Pour résumer notre propos, nous dirons que si l'appréciation subjective que fait le narrateur de la situation, semble être euphorique et valorisante, une réinterprétation du texte montre que l'auteur a du monde décrit une vision opposée.

## A. *Connotations affectives : euphorique/dysphorique*

Un des faits de style dominants de la page est la pratique de l'euphémisme, grâce auquel une réalité désagréable est convertie en réalité neutre ou, comme ici, agréable. L'épisode des sergents fait converger plusieurs procédés : usage d'un lexique où dominent les sèmes «plaisir» et/ou «jeu» (*souriant, se jouer, espiègles* et *mutines*, etc.), usage de métaphores par lesquelles une descente de police est métamorphosée en scène mondaine (*carte de visite, bouquet*, etc.) surtout grâce à la métaphore in absentia *sorties-de-bal* ; le narrateur évite ici toute mention du comparé «pèlerines», et efface du texte la référence au monde de la loi et de la répression.

## B. *Connotations axiologiques : valorisant-dévalorisant*

Dans le premier paragraphe du texte, le lecteur remarque la présence de deux termes fortement laudatifs : *orgueil* (l. 1), et *élite* (l. 4). Il s'attend à une description élogieuse. Or l'association d'*orgueil* et de *café*, d'*élite* et d'*incapacité*, montre que les termes sont en réalité pseudo-laudatifs et que l'intention de l'auteur est satirique.

Dans l'usage de l'ironie et de la fantaisie verbale, le lecteur découvre le regard distancié de l'auteur ; la distance permanente entre le dire et le dit est à relier à une volonté de dérision qui éloigne Villiers du modèle balzacien.

## C. *Ironie et polyphonie*

Notre étude de l'ironie repose sur la définition de celle-ci comme antiphrase. La linguistique de l'énonciation a proposé de l'ironie des principes d'analyse qui reposent sur la notion de «polyphonie énonciative[1]». Dans l'énoncé ironique, en effet, deux voix distinctes se font entendre : dans notre texte, celle qui dit *incapacité* (1) et celle qui dit *élite* (2) ; elles représentent, l'une (1) la voix de l'auteur, l'autre (2) la voix du narrateur auquel il délègue l'énonciation, en termes linguistiques le «locuteur» (1) et l'énonciateur (2) : «Parler de façon ironique, cela revient, pour un locuteur L, à présenter l'énonciation comme exprimant la position d'un énonciateur E, position dont on sait par ailleurs que le locuteur L n'en prend pas la responsabilité et, bien plus, qu'il la tient pour absurde[2].» Cette définition de l'ironie permet de poser de façon explicite la question des voix et, bien plus, celle de «la pensée de l'auteur» (ses valeurs de référence, son idéologie). Ce qui ne veut pas dire que la réponse soit facile ! En effet, comme le note C. Kerbrat-Orecchioni, le décodage du caractère ironique d'un énoncé reste aléatoire (elle prend l'exemple du sketch où G. Bedos et S.

---

1. O. Ducrot, *Le Dire et le Dit*, repris dans D. Maingueneau, *op. cit.*
2. *Ibid.*, p. 211.

Daumier incarnaient des touristes qui racontaient leurs vacances au Maroc en français conscients de leurs supériorité ; il y avait toujours des spectateurs pour applaudir aux passages les plus manifestement racistes, croyant donc que la voix des touristes était celle des interprètes. O. Ducrot dirait qu'ils confondaient énonciateur et locuteur – si bien que ceux-ci ont été amenés à abandonner le sketch).

Dans notre texte, la visée ironique de l'auteur est explicite, mais il tourne en dérision à la fois l'ordre moral du bourgeois, et la décadence des mœurs. L'énoncé est donc animé par une tension intérieure entre réalisme et dérision. Nous pourrions arrêter là notre commentaire, en rattachant cette dominante à une «esthétique de la cruauté», d'ailleurs suggérée par le titre de l'œuvre.

Il est toutefois un certain nombre de points que nous avons éludés dans l'étude des voix comme de définir la voix qu'incarne le narrateur. Dans une conclusion élargie, nous nous proposons d'intégrer l'analyse des faits que nous avons repérés à la reconnaissance d'une polyphonie énonciative qui anime l'ensemble de l'énoncé. Nous empruntons ce mode d'approche de l'énoncé à M. Bakhtine (*Esthétique et théorie du roman*[1]), qui utilise les termes de «plurilinguisme»/«plurivocalisme»/«principe dialogique», dans son analyse d'une notion dont il veut démontrer qu'elle est centrale pour la description du genre romanesque : «le roman contient non pas un seul langage mais plusieurs qui rassemblés forment une unité purement stylistique et nullement linguistique» (*op. cit.*, p. 227).

# III. La polyphonie énonciative

## 1. La voix du romancier réaliste

Nous avons vu dans la première partie comment l'auteur délègue son énonciation à un narrateur réaliste, de type balzacien, qu'il est difficile d'assimiler à l'auteur, puisque celui-ci prend de la distance vis-à-vis de cette voix. Un point nous permettra de préciser ce rapport. Les mots *orgueil* et *élite*, nous l'avons dit, ne sont pas pris en charge par l'auteur ; ce sont des clichés d'un certain type de prose romanesque ; le narrateur «parle» ici comme le romancier de type réaliste et pratique l'hyperbole de convention : la distance auteur-narrateur marque l'énoncé d'une touche parodique.

## 2. La voix du conteur

### A. L'intertextualité

L'ouvrage porte un titre qui rappelle les *Contes drolatiques* de Balzac, ouvrage qui lui-même s'inspirait de la verve leste des vieux

---

1. Gallimard, 1978, éd. originale, 1975.

conteurs français. Le contrepoint qu'apporte l'adjectif *cruel* à l'adjectif *drolatique* oriente le lecteur vers la découverte d'une tonalité et d'une esthétique différentes. Le conte a une visée philosophique, appelant le lecteur à une réflexion sur le Bien et le Mal.

## B. La fonction de communication

Un dialogue est établi avec le lecteur par l'intrusion du discours dans le récit. L'auteur délègue la parole à un (ra)conteur et mime la tradition orale, propre au conte.

## C. Mise en place d'un univers de fantaisie

L'effet d'estompage de la réalité est créé par la convergence de l'archaïsme, de la métaphore (épisode des sergents surtout), et de la référence à un univers imaginaire (*Mille et une nuits, pandémonium,* ou capitale des Enfers dans Milton). La stylisation qui en résulte éloigne l'énoncé de l'énoncé réaliste.

## 3. La voix du Décadent

Un certain nombre d'éléments sont les signes d'une volonté de s'éloigner de la langue commune (*cf.* les «impollués vocables» des Décadents) : archaïsmes, mots rares et longs (*pandémonium, émerillon, anfractuosité*), suffixes à la mode chez les symbolistes (*-aison* de *floraison*). On peut rappeler ici l'admiration mutuelle que se portaient Villiers et Mallarmé.

## Conclusion

Le commentaire stylistique permet de saisir divers enjeux du texte et d'interpréter aussi le titre de l'ouvrage : l'énoncé est certes marqué par la *cruauté*, comme l'indique le nombre de marques, dénotatives et connotatives, du caractère vil de la réalité décrite et de la portée caricaturale et satirique de l'énoncé ; le projet didactique de l'auteur est indéniable. Mais l'étude de l'énonciation révèle aussi la volonté de *détruire* l'illusion d'une parole où se ferait entendre d'emblée de façon claire la voix de l'auteur, illusion dite «monologique» par Bakhtine. La démultiplication des voix est le signe d'une volonté de distance, marquée au coin de la dérision, vis-à-vis du langage : on peut parler ici de «style délétère», pour user d'une expression qui sera appliquée à Huysmans dont le héros, Des Esseintes, affirme d'ailleurs dans *A rebours*, son admiration pour la prose de Villiers. En cette fin du xixe siècle, les modèles traditionnels subsistent mais ils sont montrés du doigt et cette exhibition de la distance entre le dit et le dire, où est remise en cause la portée du langage, est l'une des premières traces de la modernité.

# Un poème en prose de P. Claudel : «La Pluie» (1897)

1    Par les deux fenêtres qui sont en face de moi, les deux fenêtres qui sont à ma gauche et les deux fenêtres qui sont à ma droite, je vois, j'entends d'une oreille et de l'autre tomber immensément la pluie. Je pense qu'il est un quart d'heure après
5    midi : autour de moi, tout est lumière et eau. Je porte ma plume à l'encrier, et jouissant de la sécurité de mon emprisonnement, intérieur, aquatique, tel qu'un insecte dans le milieu d'une bulle d'air, j'écris ce poëme.

Ce n'est point de la bruine qui tombe, ce n'est point une
10   pluie languissante et douteuse. La nue attrape de près la terre et descend sur elle serré et bourru, d'une attaque puissante et profonde. Qu'il fait frais, grenouilles, à oublier, dans l'épaisseur de l'herbe mouillée, la mare ! Il n'est point à craindre que la pluie cesse ; cela est copieux, cela est satisfaisant. Altéré, mes frères,
15   à qui cette très merveilleuse rasade ne suffirait pas. La terre a disparu, la maison baigne, les arbres submergés ruissellent, le fleuve lui-même qui termine mon horizon comme une mer paraît noyé. Le temps ne me dure pas et, tendant l'ouïe, non pas au déclenchement d'aucune heure, je médite le ton innombrable
20   et neutre du psaume.

Cependant la pluie vers la fin du jour s'interrompt, et tandis que la nue accumulée prépare un plus sombre assaut, telle qu'Iris du sommet du ciel fondait tout droit au cœur des batailles, une noire araignée s'arrête, la tête en bas et suspendue
25   par le derrière au milieu de la fenêtre que j'ai ouverte sur les feuillages et le Nord couleur de brou. Il ne fait plus clair, voici qu'il faut allumer. Je fais aux tempêtes la libation de cette goutte d'encre.

*Connaissance de l'Est,*
*Œuvre poétique*, Éd. Pléiade, p. 63.

Pour aborder l'étude de ce texte, l'un des premiers qu'ait écrit Claudel, nous partirons de la forme choisie : le poème en prose. C'est une forme qui réalise «l'union des contraires», selon la formule de S. Bernard[1] ; de fait, la lecture du texte permet l'identification de deux grands axes stylistiques :

– *un axe descriptif* : dès la découverte du titre, le lecteur attend une description, un peu à la manière d'une leçon de choses. On peut remarquer que, une trentaine d'années plus tard, F. Ponge ouvre *Le Parti-pris des choses* avec un poème intitulé «Pluie».

– *un axe poétique* : le traitement qu'on peut dire polysémique du motif-titre (*la pluie*) est un des éléments qui nous permettront de caractériser la dimension poétique de la description et la portée du poème.

Notre commentaire n'est pas directement orienté vers une étude de style d'auteur. Si certains éléments de la poétique de Claudel sous-tendent implicitement nos analyses, nous nous contenterons dans le cadre de cet ouvrage de quelques allusions à la conception de la poésie qui est celle de Claudel.

# I. Choix d'une forme : le poème en prose

## 1. La forme de «l'union des contraires»

### A. *Poétisation*

*1) Choix d'un niveau de langue élevé*

**a)** Orthographe de *poëme*, mot où le tréma permet de «distinguer» le signe, et donc le référent évoqué.

**b)** Lexique traditionnellement littéraire : *nue* (l. 10), *ouïe* (l. 19), *point* (l. 9) *vs* «pas».

**c)** Usage d'archaïsmes : faits de morpho-syntaxe (emploi de l'adjectif *aucune* (l. 20)), faits de syntaxe (les constructions *Altéré, mes frères, à qui...* (L. 15) ou *Qu'il fait frais, grenouilles, à oublier* (l. 12), où la souplesse de la construction consécutive est un fait de syntaxe classique).

**d)** Syntaxe poétique : fréquente antéposition de l'adjectif (l. 15, 23, 25).

**e)** Emprunts à l'idiolecte de Mallarmé : plus difficile à repérer, l'intertextualité est cependant manifeste : lexique (*nue, libation*[2]), mor-

---

1. S.Bernard, *Le Poème en prose de Baudelaire à nos jours*, Paris, Nizet, 1959.
2. *Cf.* «Elle, défunte, *nue* en le miroir» ; «Salut de la démence et *libation* blême».

pho-syntaxe: emploi du démonstratif indéfini *tel* [1] (l. 7, 24), emploi d'un adverbe à la place de l'adjectif attendu *immensément* [2] (l. 4), morcellement du déroulement linéaire de la phrase par insertion d'éléments adventices : *Qu'il fait frais, grenouilles, à oublier, dans l'épaisseur...* (l. 12), *La pluie vers la fin du jour s'interrompt* (l. 22), etc.[3]

## 2) *Présence de «topoi» de la poésie épique*

**a)** *Le merveilleux* : référence à *Iris* (l. 24), usage de l'adjectif générique *merveilleux* (l. 15), qui, même s'il prend par son antéposition, un sens affaibli, garde une trace de son sens premier.

**b)** *Les comparaisons épiques/homériques*, introduites par le marqueur traditionnel du genre : *tel* (l. 7, 24) ; comparaisons animales ou mythologiques comme dans la poésie d'Homère.

**c)** *La prédominance de l'action* : isotopie phonique et sémantique du combat *(attrape,* l. 10, *attaque* l. 11, *assaut* l. 23, *bataille* l. 25) ; les adjectifs sont plusieurs fois remplacés par des adverbes, qui modalisent des verbes, et qui apportent aux procès une nuance d'intensité : *immensément* (l 4), *serré et bourru* (l. 11), adjectifs adverbialisés par dérivation impropre.

Claudel emprunte là les marques les plus frappantes du style sublime. Mais un certain nombre d'éléments s'inscrivent en opposition à ce niveau, et donnent à l'énoncé une dimension prosaïque.

# B. *Prosaïsation*

## 1) *Marques lexicales*

Claudel mentionne un bestiaire familier qui est aussi celui des fables, des comptines : *insecte* (l. 8), *grenouilles* (l. 12), *araignée* (l. 25).

## 2) *Pratique du «télescopage» humoristique*

Le texte associe constamment le poétique au familier ou au prosaïque.

Marquée au coin de l'humour, la double apostrophe (l. 12 et 15) met sur le même plan l'adresse aux grenouilles et l'adresse aux frères humains ; le texte présente aussi plusieurs fois une «gradation descendante», dans des ensembles d'extension variable, que ce soit le passage du poétique *nue* (l 10) au familier *serré et bourru* (l. 11) puis à *grenouilles* (l. 12), ou encore l'association de *merveilleux* (antéposition poétique) et de *rasade* (prosaïque), ou encore l'association de *noire araignée* (l. 25) – où le substantif est poétisé par l'adjectif antéposé – et du trivial *derrière* (l. 26).

---

1. «*Tel* qu'en lui-même enfin l'éternité le change.»
2. «[...] belle *indolemment* comme les fleurs.»
3. «Telle *jeune* elle alla respirer son trésor.»

C'est dans la trame même du poème, dans l'enchaînement des mots ou des syntagmes que se marque le plus fortement la double tension du poème. Une construction illustre de façon exemplaire notre propos.

## C. Poétisation ? Rupture humoristique ?

Dans la comparaison *telle qu'Iris du sommet du ciel fondait ...* (l. 24), quel est le comparé de ce comparant ? Deux lectures sont possibles : *la nue... telle qu'Iris...* (sème commun : l'attaque verticale), ou *telle qu'Iris..., une noire araignée...* (mise en parallèle de *fondait + au cœur des batailles* et de *s'arrête + au milieu de la fenêtre*). On voit la différence de portée ! Dans la première lecture, on a un effet d'agrandissement épique, dans la seconde, un effet d'héroï-comique (qui en anglais porte le nom évocateur de «mock-epic»). La construction double, qui porte le nom de syllepse comparative concentre les deux orientations du poème, et cette comparaison, dont nous avons par quelques remarques montré les diverses fonctions, est le lieu d'un fort marquage stylistique, qui lui donne une résonance accrue.

## 2. Caractères métriques du poème en prose

Il substitue à la rime et au mètre des recherches rythmiques et phoniques.

## A. Élaboration rythmique

Présence d'alexandrins (= «vers blancs») : *Ce n'est point une pluie languissante et douteuse* (3/3//3/3) ou encore *Cela est copieux, cela est satisfaisant* (5//7) ; ces deux alexandrins superposent relation lexicale d'antonymie entre les deux couples d'adjectifs, relation syntaxique d'opposition (*Ce n'est point/cela est*) et marquage métrique, convergence lexique-syntaxe-métrique qui est aussi un signe de «poéticité».

De façon moins visible, l'incipit est lui aussi mis en rythme : 13/10/11//10/8, avec un effet de rétrécissement, lié à la fois à la cadence mineure (protase plus longue qu'apodose), et à la chute de la phrase sur un membre de 8 syllabes.

On peut aussi noter le rythme heurté de la phrase : *Qu'il fait frais, grenouilles, à oublier, dans l'épaisseur de l'herbe mouillée, la mare !* où les mots *grenouilles* et *mare* appartiennent à la même isotopie et forment un membre rythmique de deux syllabes, en rupture avec les autres membres.

## B. La phrase

On relève un nombre remarquable de phrases de structure binaire à cadence nettement majeure : *Je porte ma plume... // et jouissant... j'écris...* (l. 6 à 8), *le temps ne me dure pas // et, tendant l'ouïe... je médite...* (l. 19 à 21), *Cependant la pluie... s'interrompt, // et tandis que..., une noire araignée...* (l. 22 à 25). L'effet d'amplification de l'apodose est dans chaque occurrence renforcé par l'insertion en tête d'apodose d'un syntagme (participial ou propositionnel) qui, interrompant le déroulement linéaire de la phrase, provoque un effet d'attente. Claudel crée un «moule» syntaxique et rythmique qui insuffle un rythme à l'ensemble de son poème.

## C. Présence de clausules strophiques

Chacun des trois «paragraphes» s'achève par une focalisation sur l'acte poétique : *j'écris ce poème* (l. 8), *je médite le ton... du psaume* (l. 20), *je fais... la libation de cette goutte d'encre* (l. 29) ; même présence du *je*, correspondances lexicales entre les trois mots sur lesquels s'achèvent les phrases. Un «moule» rythmique apparaît ici aussi, à une place identique et privilégiée : la fin de ces phrases peut être assimilée à une clausule, le paragraphe prend des allures de strophe.

## D. Correspondances phoniques

Deux exemples marqués = le parallélisme [uj] de *grenouilles, oublier, mouillée* (l. 12, 13), la relation subtile et complexe entre *jouissant + emprisonnement* et *tendant l'ouïe + déclenchement* (l. 19), où convergent des traits morpho-syntaxiques (formes en -*ant* + substantifs cod en -*ment*) et des traits phoniques.

## E. Graphèmes et phonèmes

De nombreuses occurrences de géminées (*attrape, terre, serré, bourru, attaque, puissante*, (l. 10 à 12) appellent à une prononciation expressive, dans une phrase fondée sur l'isotopie de l'attaque. Cette gémination visuelle est peut-être de plus une métaphore (sorte d'idéogramme), de la force de la pluie dont on dit communément qu'elle «redouble». L'exploitation systématique de tous les pouvoirs du mot (graphèmes, phonèmes, sémèmes) est caractéristique d'une certaine poésie du xxᵉ siècle et semble, là encore, préfigurer les recherches de F. Ponge[1].

---

1. Nous pourrions explorer le symbolisme des sonorités et des jeux graphiques propres à Claudel, mais ce n'est pas ici notre propos.

# II. Un poème descriptif

## 1. Motifs descriptifs

### A. *Topos descriptif : le cadre spatial*

Conformément à un topos descriptif bien connu, la fenêtre trace dans la première phrase le cadre et les limites de la description qu'elle annonce. Ce qui est remarquable dans le poème, c'est l'hypertrophie des marques du cadre : le nombre des précisions topographiques du début du poème, référentiellement inutiles, connote la double tension du poème : précision descriptive de la «leçon de choses» tendant vers l'hyper-réalisme, valeur poétique de la répétition, sorte de «modulation autour d'une formule fixe», selon l'expression de J. Molino et J. Gardes-Tamine[1], qui identifient là un des modes de construction fréquents de l'énoncé poétique.

### B. *Isotopies descriptives : souci d'exhaustivité*

#### *1) La rencontre des contraires = les antonymes*

Des sèmes antonymiques peuvent être extraits des éléments associés dans le poème : le grand et le petit *(la nue* vs *la goutte)*, l'élémentaire et le familier (alliance de mots généraux, d'extension large désignant des éléments, comme *pluie, eau, terre, ciel*, ..., et de mots précis qui font référence à un univers familier : *plume, encrier, grenouilles*, ...) ; des coordonnées spatiales antinomiques sont elles aussi corrélées (le haut et le bas – *nue* vs *terre* – le vertical et l'horizontal – *descend* vs *termine mon horizon*, l'intérieur et l'extérieur – reliés par la fenêtre, etc.).

#### *2) L'eau dans tous ses états*

##### *(hypéronyme-hyponyme-pantonyme)*

Le texte ne compte pas moins de 22 lexies se rattachant à ce champ lexical – le pantonyme *pluie* (*cf.* le titre) est présent dans chaque première phrase des trois «strophes» (sorte d'anaphore lexicale), mais il est relayé par des termes plus précis : *bruine, nue, tempêtes*. La description est de plus enrichie par l'emploi du terme générique *eau* (*tout est lumière et eau*, l. 5), hyperonyme qui génère un certain nombre d'hyponymes : *mare* (l. 13), eau où se baigner), *rasade* (l. 16, eau à boire), *fleuve* (l. 17, eau qui coule) ou encore *brou* (l. 27) et *goutte d'encre* (l. 29), dernier mot du poème dont nous verrons plus loin la charge poétique.

---

1. J. Molino et J. Gardes-Tamine, *op. cit.*, p. 122.

Ce mode d'approche de la réalité décrite peut être mis en relation avec un désir d'appréhender le monde sensible dans sa totalité structurée, dans ses manifestations les plus opposées. Une étude du style de l'auteur rattacherait cette appropriation progressive de l'univers au désir de «com-prendre» de «co-naître», termes fondateurs de la poétique de Claudel, mais nous ne faisons ici que l'évoquer. Le titre du recueil : *Connaissance de l'Est* est lui aussi révélateur.

# 2. Caractères de la phrase descriptive

## A. *Relation entre les phrases*

Les phrases sont constamment juxtaposées les unes aux autres (usage de la parataxe asyndétique) ; un seul lien coordinatif, l'adverbe *cependant* (l. 22), à valeur de lien chronologique et logique, vient rompre une structure uniforme. Cette absence de liaison fait de chaque phrase une notation particulière, une touche descriptive supplémentaire. Par cet usage du «style coupé», Claudel se rapproche d'un des écrivains dont il admire le style : Jules Renard.

## B. *Dominantes dans la structure des phrases*

### 1) *Récurrence de structures binaires*

Nous avons déjà parlé des nombreuses phrases bâties sur une structure binaire, avec conjonction de coordination *et* ; à l'intérieur des syntagmes propositionnels, le même procédé de dédoublement est souvent utilisé, surtout pour les caractérisants : *languissante et douteuse* (l. 10), *serré et bourru* (l. 11), *puissante et profonde* (l. 12), etc. Cette formulation dédoublée, qui produit un effet de «creusement» de la réalité décrite, connote un souci de précision ; on retrouve le modèle principal de la phrase descriptive, la phrase à éléments parallèles.

### 2) *Énumération et gradation*

Nous avons isolé la phrase *La terre a disparu... paraît noyé* (l. 16 à 18) ; quatre propositions indépendantes (phrases simples) sont mises en parallèle sans lien coordinatif. Elles sont en relation de gradation, gradation syntaxique et rythmique surtout (deux membres brefs comportant une phrase-noyau = sujet-verbe, un membre plus long comportant une expansion adjective, le dernier membre, beaucoup plus long s'enrichissant d'une relative et d'une comparaison). Le dernier membre fait fonction d'**acmé**, par la présence d'une comparaison hyperbolique *comme une mer*, et d'une formulation proche d'une aporie (comment un fleuve peut-il être noyé ?). Claudel recherche là une expressivité simple, la gradation de la phrase mimant métaphoriquement la représentation de la montée des eaux.

## C. *Phrase didactique*

La double phrase négative (*Ce n'est point..., ce n'est point*) qui précède le tableau de la pluie semble être une réponse à la question qui fonctionne comme son présupposé : «Comment définir cette pluie ?» La description prend la forme d'une leçon de choses rigoureusement conduite.

Le recueil a pour titre *Connaissance de l'Est*, et dans la plupart des autres poèmes, la référence à la terre d'Asie est présente. Or ici, aucun élément de couleur locale, aucune touche de pittoresque. La connaissance est certes liée à l'appréhension du monde sensible, mais elle est aussi compréhension poétique. Ce sont les formes et les enjeux de cette poésie que nous allons étudier.

# III. Une description poétique

## 1. Isotopie de l'eau : un motif surdéterminé

La richesse symbolique du motif de l'eau est bien connue (qu'on songe aux études de G. Bachelard) ; elle en fait un des «topoi» privilégiés de la rêverie poétique (sans parler du rôle que joue ce motif dans l'imaginaire et dans la poétique de Claudel).

### A. *Du descriptif au poétique : quelques figures*

À deux moments du texte, la pluie est désignée de façon métonymique (et approximative) par le terme poétique de *nue* (l. 10 et 23). Dans ses deux occurrences, le terme génère des développements métaphoriques convergents : un même mouvement d'animisme assimile la nue à une puissance guerrière. Les deux ensembles peuvent être assimilés à des **hypotyposes**, tableaux saisissants dont la résonance est en partie liée à la grandeur épique dont ils marquent l'énoncé. De même, l'insertion d'une double apostrophe (*grenouilles, mes frères*) dans l'évocation des divers états de l'eau, donne à l'énoncé une puissance figurative qui repose sur la présence d'une double **prosopopée** : la seconde apostrophe convoque des êtres purement imaginaires.

### B. *Richesse connotative de l'eau*

Plusieurs isotopies connotatives doivent être rattachées au motif descriptif initial ; elles forment un réseau dont l'unité donne son sens au poème.

#### 1) *La force érotique*

Dans les deux hypotyposes relevées, il y a convergence de l'attraction homonymique du mot *nue*, «nuage» et «femme dévêtue» (syllepse empruntée à Mallarmé, *cf.* «Elle défunte *nue...*»), et d'un «topos» métaphorique : les images de l'attaque, de l'assaut... font traditionnellement partie du discours amoureux. L'image guerrière et l'image érotique se superposent dans un énoncé polysémique où le lecteur imagine l'union amoureuse du ciel-eau et de la terre ; le tableau change soudain de dimension, et une fois encore, les figures mythiques – et mythologiques – affleurent dans le poème.

## 2) Du matériel au spirituel : allusions bibliques

L'eau, figure traditionnelle de la Grâce, est la manifestation des dons bienfaisants de Dieu : le texte fait allusion à la manne céleste (*Cela est copieux* (l. 14), aux ruisseaux de miel de la terre de Canaan (*les arbres submergés ruissellent* (l. 17). Tout un ensemble de références bibliques est intégré au poème, dont il forme de façon sous-jacente la matière poétique ; le texte du Déluge est en particulier sollicité dans l'image des eaux qui croissent et décroissent et dans la référence à l'alliance de Dieu et des êtres vivants, – *cf.* «je place mon arc dans la nuée et ce sera le signe de l'alliance entre moi et la terre», (*Genèse*, 9-15) ; les motifs de la nue, de l'union entre le ciel et la terre, et de l'arc-en-ciel (symbolisé par *Iris*, représentée dans la mythologie avec l'écharpe d'arc-en-ciel), se combinent dans l'énoncé. De même, la phrase «Cela est copieux» rappelle la phrase biblique : «Dieu vit que cela était bon.» Mais il est important de noter que les références bibliques ne s'inscrivent dans le poème que de façon voilée, allusive ; le lecteur peut comprendre le poème sans les identifier.

## 3) Du spirituel au poétique

L'image de l'union amoureuse du Ciel-Eau et de la Terre, et les références à la Genèse, montrent que l'eau est envisagée aussi dans sa force matricielle et fécondante, qu'elle est un principe de création ; l'image de cette Création est métonymiquement illustrée par la mention de la *goutte d'encre* (le dernier mot du poème) ; le trajet poétique que suit l'isotopie de l'eau la mène à cette dernière forme, emblème de la création.

Les réseaux connotatifs du motif nous invitent à voir dans l'image complexe que le texte propose de l'eau une figuration de l'Éros, dans toute sa richesse : puissance amoureuse, puissance spirituelle, puissance créatrice. Les principales marques de cette puissance vont être maintenant identifiées

## 4) L'isotopie de la puissance

– *Marques lexicales* : 10 lexies ont pour sème commun «abondance» (*immensément, serré, bourru, épaisseur, copieux, ruissellent, submergées, noyé, innombrables, accumulée*), termes que nous avons relevés pour que le lecteur soit frappé par le nombre de géminées ; 7 lexies sont reliées par les sèmes «force» + «agressive» (*attrape, descend, attaque, puissante, assaut, fondant, batailles*) qui comptent aussi de nombreuses géminées.

– Marques morphologiques : des adverbes modalisateurs d'intensité ponctuent le texte : très (l. 15), plus (l. 23), adverbe exclamatif que (l. 12).

## 2. Du monde au poème

## A. *Une création en acte*

### *1) La figure du poète*

Nous n'avons rien dit pour l'instant de l'instance énonciative *je*. Représentée dans toutes les phrases de la strophe 1, elle n'apparaît ensuite que dans la dernière partie des deux autres strophes, l'énonciateur s'effaçant d'abord derrière l'objet appréhendé. Bien sûr, ce *je* ne doit pas être identifié à l'auteur Claudel ; il est l'incarnation de ce que J. Cohen appelle «le poète essentiel et absolu[1]». Nous retrouvons la distinction locuteur (Claudel)-énonciateur (le *je* poétique) déjà analysée. Par la position qu'il prend dans l'énoncé, le *je* a ici sa force pleine de *je* poétique : *je porte ma plume..., j'écris*, etc.

– Le poète est l'intercesseur entre le monde et le poème : il est le médiateur entre l'intérieur et l'extérieur, d'abord enfermé (*emprisonnement, intérieur, bulle d'air,* première strophe) et hors du temps (*le temps ne me dure pas,* deuxième strophe), relié au monde et séparé de lui par la fenêtre, puis pour finir, en prise directe sur le monde (*la fenêtre que j'ai ouverte sur les feuillages,* troisième strophe). Il est aussi celui qui relie la pluie et l'encre : ce sont d'abord deux entités séparées (*...tout est lumière et eau. Je porte ma plume à l'encrier,* première strophe), encore que pluie soit anagrammatiquement contenu dans *plume + encrier* ; à la fin du poème, le poète unit par des liens syntaxiques les *tempêtes* et la *goutte d'encre,* cette relation figurant métaphoriquement la convergence du monde créé et du poème réalisé.

– Le poète est un être religieux : *je médite le ton... du psaume* (l. 20), *je fais aux tempêtes la libation...* (l. 29) ; d'abord simple «clerc» qui médite, il se transforme en officiant, figure incarnée de la re-ligion qui re-lie des univers différents. L'apostrophe caractéristique de l'éloquence religieuse, *mes frères* (l. 15) lui donne un rôle de médiateur entre l'humain et le divin.

### *2) Un poème en train de se faire*

Le poète se met en scène dans son activité de créateur : dire (le poème), c'est faire (le poème), selon la formule définitoire de l'énonciation **performative**. Le poème s'auto-désigne, comme le montre l'emploi des démonstratifs à valeur de déictiques : *ce poème, cette goutte d'encre.* Cela pose la question de son «sujet», de son «thème» : est-ce la pluie ? est-ce le poème en train de s'écrire ? n'est-ce pas plutôt la relation entre les deux ?

_____

1. J. Cohen, *Structure du langage poétique.*

# B. Une célébration lyrique

Nous avons vu le nombre et la résonance des motifs religieux. La figure du poète-officiant, qu'on trouve dans la dernière phrase, nous invite à lire le poème comme une célébration.

## 1) Connotations évaluatives

Tous les caractérisants, dans la deuxième strophe par exemple, contiennent le sème «mélioratif».

## 2) Connotations affectives

L'ensemble de l'énoncé est marqué par une tonalité «euphorique» : marques lexicales (*satisfaisant, merveilleux*), marques syntaxiques (modalité exclamative de la l. 13), marques rhétoriques : les éléments qui pourraient affecter l'énoncé d'une tonalité plus sombre sont dans un entourage qui réoriente leur valence affective. On est parfois proche de l'**oxymore** : *jouissant de la sécurité de mon emprisonnement sombre assaut* humoristiquement associé à *noire araignée*.

De la même façon la dimension ludique du jeu de mots est un facteur d'humour : nous avons analysé *nue*, nous pourrions citer *ouïe* (l. 19) – audition/partie du corps du poisson, dont le double sens est rendu vraisemblable par l'adjectif *aquatique* (l. 7) et par la corrélation explicitement établie par Claudel entre les deux homonymes dans un autre texte du recueil. La joie et le rire, si importants dans la création claudélienne, font tendre l'énoncé vers le lyrisme.

[*NB* - Comme le montre la dernière observation, une même forme peut avoir diverses fonctions. Alors que nous avons associé la dimension ludique à une volonté de dérision chez Villiers, ici elle est une des marques du désir de célébration. Une fois encore, le cotexte (l'entourage) et le contexte (les conditions d'énonciation) sont déterminants. Leur prise en compte interdit les interprétations «sauvages» et la dérive infinie des sens.]

Si en conclusion, nous tentons de repérer la dominante poétique du texte, nous mettrons en évidence la «sorcellerie évocatoire» du mot, dont toutes les possibilités sont exploitées ; graphèmes, phonèmes, sèmes dénotatifs, réseaux connotatifs, aucune des virtualités signifiantes du mot n'est négligée par le créateur. Claudel se situe ici dans la lignée de Rimbaud, pour qui il éprouve tant d'admiration et d'affection, et des grands symbolistes. La richesse lexicale a aussi partie liée avec la syntaxe, la rhétorique et le rythme : jeux associatifs, reprises, variations, gradations... La fonction de ces marques est poétique en un double sens : l'attention du lecteur est attirée par «la forme même du message», pour reprendre la définition connue que Jakobson donne de la fonction poétique, mais cette focalisation est inséparable d'une démarche interprétative complexe : c'est le repérage de la convergence de marques aussi diverses qui mène le lecteur à la vision synthétique d'un «sens».

Dans ce poème, tous les niveaux de lecture ne sont pas actualisés de la même façon : le poème est d'abord lu comme la description d'un univers familier. Mais, comme le montre l'étude du trajet qui conduit à la vision d'une création en acte, un sème reste commun à l'ensemble des connotations, celui de «création». Tout nous invite à lire ce poème comme une mise en scène allégorique de la Création, création du monde (*cf.* Genèse), création littéraire, que le poète célèbre. L'allégorie et son double caractère – imposition d'une structure, proposition d'un sens abstrait – marquent le texte d'une tension entre le concret et l'abstrait. Que ce soit par cette tension ou par l'intégration au sein du poème d'une poétique implicite (réflexion sur l'acte créateur, accompagnée de la désignation de cet acte), Claudel s'inspire des recherches de Mallarmé, même si pour notre poète, la dimension concrète, charnelle, a une place et une importance beaucoup plus marquées. Il annonce aussi une conception de la poésie – et de la littérature – que de nombreux courants esthétiques du XX$^e$ siècle ont très largement exploitée.

# Un poème d'Apollinaire : «Marie»

**Strophe 1**

Vous y dansiez petite fille
Y danserez-vous mère-grand
C'est la maclotte qui sautille
Toutes les cloches sonneront
Quand donc reviendrez-vous Marie

**Strophe 2**

Les masques sont silencieux
Et la musique est si lointaine
Qu'elle semble venir des cieux
Oui je veux vous aimer mais vous aimer à peine
Et mon mal est délicieux

**Strophe 3**

Les brebis s'en vont dans la neige
Flocons de laine et ceux d'argent
Des soldats passent et que n'ai-je
Un cœur à moi ce cœur changeant
Changeant et puis encor que sais-je

**Strophe 4**

Sais-je où s'en iront tes cheveux
Crépus comme mer qui moutonne
Sais-je où s'en iront tes cheveux
Et tes mains feuilles de l'automne
Que jonchent aussi nos aveux

**Strophe 5**

Je passais au bord de la Seine
Un livre ancien sous le bras
Le fleuve est pareil à ma peine
Il s'écoule et ne tarit pas
Quand donc finira la semaine

*Alcools*

Une première approche met en évidence le caractère à la fois simple et familier de l'écriture. Le poème s'inscrit dans la tradition lyrique illustrée notamment au XVIe siècle par Ronsard (*Continuation des Amours*).

Mais pour fluide qu'elle soit, la facture n'en est pas absolument transparente : le choix et le jeu des constructions et des images, la combinaison des rythmes et des sonorités révèlent la parfaite maîtrise d'un art subtil et très complexe.

# I. Une expression qui relève du lyrisme familier : la simplicité d'un style

## 1. Le lexique

Mis à part le substantif *maclotte* qui réfère à une tradition folklorique particulière, tous les mots utilisés appartiennent au français le plus courant. La valeur dénotative ne pose aucun problème[1].

On observe l'absence évidente de mots rares relevant d'une culture spécifique (mythologique, scientifique ou technique) comme l'absence de mots abstraits : substantifs et verbes renvoient à un univers sensible immédiatement perçu.

On constate encore l'adéquation étroite du signifiant avec la seule réalité qu'il note sans ambiguïté ni polysémie : le mot *masque* pourrait faire problème, encore que l'acception «personne qui porte le masque» attestant l'évolution du sens par métonymie soit largement connue.

Quelques répétitions de signifiants structurent l'énoncé : *danser* (strophe 1), *aimer* (strophe 2), *cœur* (strophe 3). Dans la strophe 4, le vers 3 reproduit le vers 1. On pressent qu'ici les répétitions de mots – fréquentes en langue familière – relèvent d'un désir d'insistance, dont témoigne leur disposition, et non d'un quelconque laxisme. Ils scandent à l'évidence les grands thèmes de la poésie lyrique. On peut en effet faire observer que le lexique s'organise en champs lexicaux assez nettement différenciés et structurés, fort représentatifs de ce genre spécifique : la danse et son hyponyme, *la maclotte*, la musique, l'amour et sa souffrance, le corps de l'aimée, le fleuve et l'écoulement du temps. Il sera reparlé de la notation isolée des soldats.

Certaines valeurs de connotation se laissent en une première approche aisément appréhender. Le prénom *Marie* qui donne son titre au poème a sans doute d'abord une connotation de familiarité et de simplicité dans la mesure où c'est le prénom féminin le plus usuel qui soit, notamment dans la campagne française. Le mot *maclotte* prolonge cette représentation puisqu'il désigne une danse populaire et villa-

---

1. Les difficultés de sens naissent du jeu des constructions (strophe 3).

geoise du nord de la France et de la Belgique. Les mots *petite fille* et *mère-grand* font intervenir des connotations stylistiques de valeur différente : ils rappellent l'univers des contes pour enfants et prolongent la représentation d'un univers simple voire naïf.

Mais au fur et à mesure que se déroule le poème, d'autres valeurs de connotation se superposent et élargissent l'univers de représentation engagé dans la première strophe. Le jeu de l'actualisation rend compte de la même démarche.

# 2. L'actualisation

Les trois premières strophes semblent référer à un univers immédiat, dont le poète rendrait compte avec simplicité et naturel. Les réalités dénotées, *maclotte, cloches, masques, musique, cieux, brebis, neige*, sont actualisées par l'article défini. Il a ici valeur de notoriété et inscrit donc dans l'espace des réalités supposées connues. Le lecteur se trouve immédiatement, sans complication ni détour, au sein de cet univers familier. L'indéfini pluriel *des* rend compte d'une perception simple et commune d'une troupe de soldats dont on ne saurait connaître l'identité ni le nombre. L'espace immédiat est donc seul appréhendé par la conscience du poète et du lecteur.

Ajoutons que lorsque les réalités sensibles sont évoquées à titre de comparant, qu'elles ne s'inscrivent donc pas concrètement dans l'univers de référence, elles sont présentées sans article : «tes cheveux/crépus comme *mer*», «...tes mains/*feuilles* de l'automne».

Tout se passe comme si le poète avait voulu présenter un espace clos et cohérent précisément défini.

Le jeu des temps semble révéler le même souci. La vision de l'immédiat s'organise dans le présent qui paraît bien contemporain de l'énonciation. La fiction se crée d'un poème qui surgit appelé par le réel immédiat.

> C'est la maclotte qui sautille
> [...]
> Les masques sont silencieux
> Et la musique est si lointaine [...]

Jusqu'à la strophe 5 persiste cette illusion, renforcée par la cohérence de la représentation générale du temps à partir de ce présent : *dansiez* présente un passé qui n'est ni défini, ni borné si ce n'est par la détermination petite fille qui renvoie au temps flou de l'enfance. L'échelle du temps est parcourue dans son entier, toujours à partir du présent vrai, *danserez* évoque un avenir aussi flou, l'emploi de l'antonyme *mère-grand* mis en parallèle souligne cette représentation claire et construite du temps. Les futurs *sonneront* et *reviendrez* s'inscrivent dans un avenir plus proche mais non déterminé. Échappent seuls à cette vision actualisatrice les deux verbes *moutonnent* et *s'en iront*. Ils s'inscrivent dans un a-temporel, le premier est au présent de caractérisation et le second a valeur prophétique.

Cette représentation du temps doit sa cohérence à ce qu'elle s'organise, comme il a été dit, autour du moment de l'énonciation. C'est dire que ce poème est un discours direct à l'être aimé, ce que souligne le jeu des personnes.

Il a été montré que le *je* ne suffit pas à définir une structure de discours. Outre le présent d'énonciation déjà analysé, il faut ici relever toutes les marques de l'interlocution, propres au discours direct et le jeu des déictiques.

Le poème s'engage sur un *vous* qui renvoie à une seconde personne du singulier marquée par *petite fille*. Cet emploi du *vous* suscite la présence, réelle ou fictive, d'un interlocuteur à qui s'adresse la première personne. Celle-ci reste implicite dans la première strophe : les modalités interrogatives (v. 2, v. 5) la rendent cependant sensible. La première personne se manifeste explicitement dans une phrase de modalité fortement assertive : le *oui* adverbe d'énonciation sanctionne la prise de parole. La récurrence des formules interrogatives (strophes 3 et 4) prolonge l'illusion du discours direct, le *tu* accréditant le rapprochement, l'intimité nouvelle.

Il faut ici observer que l'expression pronominale et ses variations paraissent caractéristiques de la tonalité lyrique et familière sensible à travers le poème : le *vous* d'abord qui implique le *je* (strophe 2, v. 4) évolue vers un *tu* et fusionne enfin dans le *nous* (strophe 4, v. 5).

Le poème se présente d'abord comme une adresse, un discours direct à l'aimée ; les marques de la présence concrète du poète devraient donc se retrouver dans sa parole, puisque c'est à partir de son corps que se structurent l'espace et le temps présentés. Or, il est remarquable que le poème ne comporte dans ses quatre premières strophes aucun déictique spatial ni temporel. Le verbe *passer* suggère un mouvement de gauche à droite ou à l'inverse, mais il a valeur absolue puisqu'aucune détermination spatiale ne l'accompagne. On perçoit donc que l'apparente simplicité du discours dissimule une réalité beaucoup plus complexe, la seule indication déictique étant sans doute apportée par le dernier mot du poème.

La structure phrastique contribue aussi à prolonger l'illusion de la simplicité et du naturel du discours.

## 3. La phrase

Dans ce poème prédomine le modèle de la phrase simple : la fréquente adéquation entre la structure métrique et la structure syntaxique souligne encore le caractère volontairement simple du discours.

La première strophe est à cet égard révélatrice. Il est aisé d'y observer la régularité des structures simples et de leur disposition dans le mètre. La seconde strophe s'engage de même et si l'on note aux vers 2 et 3, l'intervention d'une structure complexe, on remarque que la principale, placée en tête, occupe tout un vers, et un seul, comme aussi la subordonnée qui la suit. Les deux derniers vers sont constitués par une phrase simple de facture liée à éléments coordonnés, chaque proposition indépendante occupant un vers.

Les écarts à ce schéma apparaissent en strophes 3 et 4, quoique le premier vers de l'une (strophe 3) et le dernier de l'autre (strophe 4) correspondent à une seule et entière proposition.

La strophe 5 rend compte de la même régularité. On n'y observe aucune structure complexe et dans les trois derniers vers, on retrouve l'adéquation parfaite entre la structure phrastique et la structure métrique.

L'ordre des mots sert le même parti de simplicité et de naturel. La prédominance de l'ordre canonique (déterminé → déterminant) en structure assertive est manifeste sauf à la strophe 4. On peut noter encore le parallélisme de certains groupements ou constructions : aux vers 1 et 2, les deux antonymes figurent en fin de vers, aux vers 6 et 7 (strophe 2), les structures attributives sont construites sur le même modèle ; on a déjà mentionné la répétition du vers 16 au centre de la strophe 4. Ajoutons que le vers 5 et le vers 25 sont construits sur le même patron syntaxique (phrase interrogative introduite par les mêmes outils).

Il faut ici faire remarquer que le choix de l'octosyllabe tout au long du poème – mis à part le vers 9 – répond aux mêmes intentions de netteté et de simplicité. Selon H. Bonnard «il est le plus long vers simple, c'est-à-dire sans césure, donc le vers le moins contraignant[1]».

# 4. Le jeu des images verbales

On ne peut ici soutenir le parti jusqu'à présent évoqué. Le jeu des images est résolument complexe par l'enchevêtrement des significations qu'il suggère. Mais deux séries d'observation peuvent être faites.

– Les transferts de signification portant sur le seul mot nous paraissent limités à une seule occurrence, le verbe *joncher* : sa valeur métaphorique indiscutable, puisqu'il reçoit comme sujet et agent le mot *aveux*, est appelé par la métaphore in praesentia «tes mains/feuilles de l'automne».

– Les images se développent dans une forme parfaitement explicite – comparaison ou métaphore in praesentia – à une exception près (strophe 3, v. 2-3). On observe en effet que le lien comparé/comparant est précisément et simplement formulé dans le cadre de la comparaison : «Tes cheveux/crépus *comme* mer qui moutonne», «le fleuve *est pareil* à ma peine». Lorsque l'image s'inscrit dans le cadre de la métaphore *inpraesentia*, le comparé précède le comparant : «Les brebis.../flocons de laine», «tes mains/feuilles de l'automne».

# 5. La forme poétique

Elle frappe par sa régularité et son harmonie. Le poème est composé de 5 strophes isométriques (ostosyllabe) mis à part la strophe 2.

---

1.H. Bonnard, *Procédés annexes d'expression,* Paris, Magnard, 1981, p.172. J. Mazaleyrat (*op. cit.*, p.143) est d'un avis différent.

Chacune comporte 5 vers. La disposition des rimes est la même pour toutes les strophes : rimes croisées sur quatre vers, reprise de la rime du premier vers dans le cinquième. L'alternance masculine/féminine est respectée dans les cinq strophes. Le principe esthétique de la strophe se trouve donc vérifié. Rappelons ici la définition qu'en donne J. Mazaleyrat : «La strophe s'établit sur un système ordonnant l'agencement des mètres ou des homophonies de fin de vers en un ensemble cohérent.» La régularité de ce schéma est rompue dans la première strophe, les vers 2 et 4 présentant à la rime deux sons différents : le a et le o nasalisés. Mais la nasalisation des phonèmes réduit la divergence. Par ailleurs au vers 5, le phonème *i* pur, rime avec une semi-voyelle dont le point d'appui est *i* mais les sons produits restent différents : *i // ij.*

Si l'on examine les rimes pour juger de leur régularité du point de vue de la métrique traditionnelle, on notera la rime du même au même (sur *cheveux*) due à la reprise intégrale du vers 1 (strophe 4). Ça et là, comme pour laisser à l'approche naïve l'illusion d'une simplicité qui confine à la facilité ou à une fantaisiste désinvolture, le poète brise la régularité du schéma, sans que pourtant le poème perde sa fluidité.

Ainsi donc par sa facture, le poème à Marie vient s'inscrire dans ce courant du lyrisme familier mis à l'honneur au XVIe siècle... dans les *Amours de Marie.* Faut-il croire que les poètes se soient rejoints dans le même élan ? Ronsard nous invitait à croire à la métamorphose :

> Marie tout ainsi que vous m'avez tourné
> Mon sang et ma raison par votre voix subtile
> Ainsi m'avez-vous tourné mon grave premier style
> Qui pour chanter si bas n'était point destiné.

L'illusion de la facilité inspirée a été en son temps dénoncée par Verlaine dans son «Art poétique» et par Valéry dans les pages célèbres «Au sujet d'Adonis». Un regard plus averti révèle le travail de l'artiste, la maîtrise de la langue et la conscience de son art.

# II. Un poème qui s'inscrit dans la haute tradition lyrique par la subtilité de son écriture

## 1. Le lexique

Il est vérifié que la valeur dénotative est immédiatement perçue et que l'univers de référence s'organise en champs lexicaux différenciés mais cohérents ; on peut faire valoir cependant que le mot *soldat* introduit des sèmes de violence et de mort que le poème, d'ailleurs, ne développera pas. Mais il faut noter qu'il a été écrit avant la guerre de 1914 et que sa réception est aujourd'hui nécessairement différente.

Il n'est pas impossible que le mot s'inscrive dans la réalité de la vie provinciale et soit en son temps faiblement connoté.

Il reste que le lexique s'enrichit principalement par le jeu des connotations.

Le prénom *Marie,* pour commun qu'il soit, réfère à une tradition culturelle qui vient d'être rappelée. La double occurrence du verbe *aimer* au v. 9 lève le souvenir d'un autre chant :

> Marie qui voudrait votre beau nom tourner
> Il trouverait aimer, aimez-moi donc Marie…

La subtilité du jeu de rappel ne peut procéder de l'élan naïf.

Le prénom encore est porteur d'une connotation religieuse que développent le pluriel *les cieux,* et les mots qui portent le sème de la blancheur à la strophe 3 (*brebis, neige, flocons, argent*). Les mots qui dénotent les sons *cloches, musique,* s'inscrivent dans le même univers : le rêve des noëls anciens enrichit la vision première portée par les connotations stylistiques des mots *petite fille, mère-grand.* On peut faire observer qu'il y a non point rupture entre les deux imaginaires ainsi évoqués mais fusion subtile de l'un dans l'autre.

Les ruptures sont introduites lorsque s'implique l'énonciateur. Le jeu des connotations affectives révèle au sein de l'univers dénoté une perception contradictoire : le mot *mal* qui s'inscrit dans le champ notionnel de l'amour est caractérisé par *délicieux* qui marque l'appréciation paradoxale (on a ici un oxymore), révélateur des tensions intimes. Le mot *changeant* relève aussi de l'appréciation subjective. Dans le champ notionnel considéré, il est défavorablement connoté.

Si donc l'univers dans lequel s'inscrit le *vous* s'enrichit de connotations favorables qui lui donnent densité et cohérence, celui dans lequel évolue l'énonciateur est perçu comme divisé, contradictoire. Le jeu des connotations restitue en fait une transparence brisée. La modalité interrogative rend compte de cette impuissance à réduire la division. Elle l'accentue au contraire : loin d'être un appel vers l'autre, les questions traduisent le mouvement de la conscience de l'énonciateur sur elle-même et formulent le constat de solitude. C'est le cas particulièrement de l'interro-négative «Que n'ai-je // Un cœur à moi ?»

Du même coup la nécessité s'impose de s'interroger sur les formes du discours qu'une approche immédiate perçoit comme une adresse directe à l'aimée.

## 2. Le discours et les cadres d'actualisation    qu'il définit

Le présent, les modes de l'interpellation créent l'illusion d'un discours direct spontané que restituerait immédiatement le poème. Le jeu des connotations, la valeur des interrogations invitent à une autre lecture.

Il a déjà été relevé l'absence de déictiques dans ce discours et force est de constater que la réalité évoquée s'inscrit dans un espace-temps mal défini quoique posé comme immédiat.

Aucun nom propre, aucune date, aucun adverbe ne permet de cadrer l'espace-temps dans les quatre premières strophes. Les verbes *venir de* (strophe 2) *s'en aller* et *passer* (strophe 3) transcrivent la structure commune de l'espace (verticalité, horizontalité), le jeu des futurs et l'emploi de l'imparfait dans la strophe 1 restituent le même type de vision (temps exploré du passé indéfini au futur indéterminé). La présence de l'observateur-locuteur n'est sensible que par l'indice de première personne. Ni l'espace ni le temps ne se structurent par rapport à son corps.

Les présents dans les trois premières strophes apparaissent bien au fil de la lecture comme des présents contemporains de l'énonciation : mais si l'on conserve cette perspective, comment rendre compte de l'imparfait qui ouvre la cinquième strophe ?Il donne, semble-t-il, la clef d'une autre interprétation. Le poème s'inscrit dans une structure de discours dédoublé, mis en abyme ; les quatre premières strophes relatent un discours intérieur passé. L'imparfait *je passais* a valeur de commentaire et de transition (strophe 5). L'illusion se dissipe d'un discours, premier à l'être aimé, la parole est celle d'un monologue intérieur qui restitue un *tu* fictif. La cinquième strophe dément l'illusion d'une présence : le livre, *un* livre auquel la caractérisation *ancien* donne peut-être un certain prestige, est le seul compagnon, comme le poème reste le seul témoin de la présence et de son illusion.

Dans la dernière strophe, le discours qui s'ouvre d'ailleurs sur une série de présents de caractérisation (*est pareil, s'écoule, ne tarit pas*) et comme tel, fort peu actualisés, est donné comme seul discours vrai, contemporain de l'énonciation : l'indication de temps *la semaine* a valeur déictique ; le futur envisage l'avenir vu du présent de l'écriture.

L'espace-temps où évolue la présence de l'être aimé est donc un lieu de rêve, comme le jeu des connotations nous l'avait fait pressentir. Le monologue intérieur a restitué un interlocuteur fictif : à travers ses variations, le *je* s'unifie dans le mal d'amour et l'absence.

La complexité des formes et des procédés de l'actualisation nous invite donc à dépasser l'illusion d'une poésie naïve et familière. Le choix de certaines tournures et constructions ne relève pas davantage de cette facture.

## 3. Les choix morpho-syntaxiques

La structure interrogative est récurrente dans le poème (strophes 1, 3, 4, 5). On y observe l'inversion constante du sujet en interrogation totale (v. 2, 16, 18), indice d'une langue soutenue, la seule mélodie interrogative intervenant le plus souvent en langue familière. Le choix de l'inversion est d'autant plus remarquable en strophe 4 que le sujet est à la première personne. En interrogation partielle l'inversion est attendue, compte tenu que seul l'outil *est-ce que*, dont la lourdeur est évidente, pourrait la réduire. Mais c'est le choix de l'outil interrogatif au vers 13 qu'on remarque. Le tour *que +ne*, qui équivaut en français moderne à *pourquoi + ne... pas*, a valeur archaïsante : il est fréquent en langue classique et sanctionne donc ici une langue littéraire. Le choix de la formule *que sais-je* rappelle les formes de l'interrogation sceptique et cette connotation s'inscrit précisément dans la cohérence interne du texte (thématique du «cœur changeant»).

La lecture naïve, on le perçoit, n'est plus de mise : les difficultés de certaines constructions interdisent d'ailleurs au lecteur de s'y abandonner.

# 4. Les constructions syntaxiques

La strophe 3 est en effet de construction complexe : le jeu de la représentation pronominale et de la détermination ajoute à la difficulté. Comment comprendre : «ceux d'argent // des soldats passent» ? Les contraintes grammaticales donnent le mot *flocons* comme antécédent logique de *ceux*. Il faut donc compléter le syntagme nominal par son complément déterminatif «des soldats» au vers suivant et percevoir que la réalité métaphoriquement dénotée par l'expression «ceux d'argent // des soldats» est le casque. Le syntagme tout entier fonctionne comme sujet de *passent*. L'absence de ponctuation, constatée tout au long du poème, prive ici le lecteur de repère précieux pour la détermination logique du sens. Mais une autre lecture est possible ; la coordination *et* dans le groupe *flocons de laine et ceux d'argent*, placerait les deux syntagmes sur le même plan syntaxique. On serait en présence d'un zeugma syntaxique, une nouvelle caractérisation – celle de blanc brillant – rendant compte d'une vision plus nuancée : le mot *brebis* appelle le premier syntagme, le mot *neige* le second. Du même coup, le vers 3 est d'une lecture simplifiée : deux propositions indépendantes s'y déploient.

Le choix est véritable, nous semble-t-il, entre les deux interprétations, selon qu'est privilégiée une lecture grammaticale ou une lecture fondée sur les correspondances sémiques. La construction du vers 4 de la même strophe est plus simple, mais le sens est plus délicat à cerner. Le démonstratif *ce* (cœur) reprend l'entité précédente *un cœur*, le second terme étant apposé au premier. La répétition, on le verra, permet ici de retoucher et préciser la notion. Mais faut-il comprendre qu'il s'agit du cœur du poète, comme certaines interprétations l'ont donné à croire[1], ou du cœur de l'être aimé ? Dans le premier cas, le *je* déplorerait sa propre inconstance, dans le second celle de l'être aimé, insaisissable et fuyant ? Le vers 5, qui trouve son écho dans le dernier vers du poème nous invite à cette lecture. Mais l'incertitude demeure.

# 5. L'ordre des mots

Si certaines constructions font problème, il a été dit que l'ordre des mots favorisait une saisie immédiate du sens puisque le plus souvent il correspond à l'ordre courant, dit logique, du déterminé au détermi-

---

1. Voir le commentaire proposé par R. Lefèvre dans *Alcools*, Paris, Larousse, coll. «Petits Classiques», 1971, p. 66.

nant. Mais il faut noter à la strophe 4 les deux exceptions remarquables : aux vers 16/18 et au vers 20, le sujet est post-posé au verbe
sans que s'exerce aucune contrainte grammaticale (dans le premier
cas, on est en interrogation indirecte et dans le second en structure
relative). Il y a donc choix d'un ordre qui correspond à celui d'une
langue littéraire dont les accents, comme la thématique, ne sont pas
sans rappeler la «ballade des dames du temps jadis», de F. Villon. La
répétition du vers 16 au vers 18 est peut-être un bref écho à l'esthétique du genre. Les reprises ou répétitions donnent l'illusion d'une
poésie naïve et spontanée, mais elles participent d'un art très
conscient dont la rhétorique peut aider l'approche. Les quatre premières strophes en effet, d'allure le plus souvent fort simple, abondent
en figures spécifiques à valeur expressive.

## 6. Les figures de constructions

Épanalepse et polyptote se combinent à l'ouverture du poème avec
la répétition au début de chacune des phrases d'une même séquence
sur le même thème verbal. L'effet de danse et peut-être plus spécifiquement de ronde est ainsi créé.

L'antithèse au vers 9 accuse le dédoublement du moi et la douloureuse contradiction à vouloir le même et l'autre. L'épanode, répétition
du mot *cœur*, au commencement et au milieu du vers 14, rend compte, sans doute, de l'impossible saisie et du mouvement de fuite, encore souligné par l'anadiplose au vers 15 et au vers 16. Reprises et
répétitions qui culminent avec la reprise intégrale du vers 16 au vers
18, figurent à la fois la quête et la fuite, emblématique du sentiment
amoureux.

Ajoutons que l'effet d'hyperbate au vers 19, accentué par la décou-
pe métrique, loin de briser le rêve de présence, autorise au contraire
son prolongement.

A l'évidence les formes de rupture ou de reprise ne procèdent pas
d'une liberté de l'écriture mais d'une recherche très consciente des
effets de soulignement : la forme fait chatoyer le sens.

L'étude du jeu des images montre encore la sinuosité et la subtilité
d'une l'élaboration très concertée.

## 7. Les images : expansion et réseau

Si la forme choisie – comparaison et métaphore in praesentia
témoigne d'un parti de clarté, le réseau de significations développé
par les images est remarquablement cohérent et complexe[1]. Il est
spécialement dense à partir de la strophe 3.

---

1. *Cf.* analyse de «La construction par enchaînement de métaphores» dans le
poème «Marie» *in* J. Molino, J. Gardes-Tamine, *op. cit.*, p. 149-150.

La difficulté de la construction des vers 2 et 3 de cette strophe a déjà été notée. Elle développe la seule métaphore in absentia du texte. Le comparant «*ceux d'argent des soldats*» est seul noté, l'élément comparé «casque» est sous-entendu.

Une première exploration de l'image permet de la justifier, d'en montrer la cohérence en soulignant les sémes communs qui unissent Cé et Ca : la forme ronde, le sème de blancheur. Mais le rapprochement des deux Cé n'en est pas moins paradoxal : *brebis* et *soldats* réfèrent à des réalités de connotations opposées. Le monde de blancheur et de paix se fissure.

Un autre réseau se développe dans la strophe 4, qui ne prolonge apparemment pas la vision générée d'abord. Il n'y a donc pas, semble-t-il, isotopie. La comparaison des cheveux avec la mer rend compte du mouvement et sans doute de l'ampleur de la chevelure. Mais le mot *moutonne* dont l'emploi correspond à la lexicalisation d'une image (métaphore usée portant sur un mot), prend ici une autre valeur. Il rappelle le Cé. *brebis* de la strophe précédente et prolonge donc l'isotopie, dans la mesure où le mot «laineux» s'emploie pour évoquer les cheveux crépus et frisés.

La métaphore suivante : «*tes mains // feuilles*» semble rompre nettement avec le premier réseau. Une apparence de forme semblable, la grâce et la légèreté probables du Cé favorisent la correspondance et justifient le rapprochement. La détermination *de l'automne* développe un autre réseau de significations et autorise la métaphore filée «*que jonchent aussi nos aveux*». Le déclin, l'abandon, la chute sont des sèmes nouveaux, le verbe «joncher» conduit l'évocation à son terme, le jeu des pluriels amplifie encore la vision des formes et des discours désormais caduques. Mais le lien peut être établi entre cette strophe et la précédente dans la mesure où entre *automne* et *neige* se tisse une correspondance, qui brouille cependant les perspectives temporelles communes ; celle-ci engage la représentation d'un temps cyclique, toujours recommencé et qui, comme tel, ne passe pas ; la strophe 5 prolongera l'isotopie.

L'importance des mots chaînons qui mettent en relation des termes dont le rapprochement cesse aussitôt d'être arbitraire[1] ne peut être perçue que si le récepteur ne se laisse pas prendre à la fluidité des contours, s'il tente d'entrer plus avant dans le mécanisme du rêve.

Si, dans la dernière strophe, une comparaison paraît ouvrir un autre réseau de significations, on peut faire observer encore que le mot *peine* (Ca) s'inscrit dans le prolongement sémantique du réseau précédent. Le mot est attendu non parce que des sèmes communs l'unissent intrinsèquement au fleuve – les deux référents appartiennent à des univers de perception distincts – mais parce que la vision de l'automne génère à l'évidence nostalgie et regret. C'est donc un climat unique qui unit la strophe 4 à la strophe 5. Celle-ci peut alors développer à la fois l'image de la peine toujours renouvelée, à l'instar du cours des saisons et celui du fleuve, et le paradoxe sous-jacent d'un temps

---

1. Voir analyses de J. Molino et J. Gardes-Tamine dans *Introduction à l'analyse de la poésie*, Paris, PUF, coll. «Linguistique nouvelle», 1988, p. 150.

qui ne passe pas, parce que toujours recommencé. Le temps cyclique, déjà figuré dans la strophe précédente, ne peut être libérateur. Le mot «automne» venait bien annoncer l'image du fleuve/temps inlassable et renouveler au cœur du poète le mal de l'absence et le mal d'amour. Le rapprochement serait facile avec «Le pont Mirabeau» ou «Automne malade» ou bien certaines strophes de «La Chanson du Mal-Aimé». Il révélerait des constantes de l'imaginaire et de la sensibilité du poète.

> [...] toutes leurs larmes en automne feuille à feuille
> Les feuilles
> Qu'on foule
> Un train
> Qui roule
> La vie
> Qui coule

Les visions surgies du développement des images se fondent donc dans un imaginaire cohérent et complexe, d'où naît l'impression d'harmonie profonde. L'étude de la forme versifiée montre encore la subtilité de tous les enchaînements qui à leur tour y contribuent.

## 8. Les effets particuliers des combinaisons de rimes

Il a été noté la régularité du schéma versifié tout au long du poème, réserve faite pour le vers 9 – (5 strophes isométriques de 5 vers chacune). La combinaison des rimes prolonge l'harmonie de ce schéma – on a cependant relevé quelques anomalies au regard des règles classiques.

Une analyse plus précise des rimes est révélatrice de la maîtrise du poète. On sait qu'à l'alternance obligatoire masculine/féminine (ici parfaitement respectée), Apollinaire a souvent superposé une alternance plus savante : les rimes masculines peuvent être régulièrement vocaliques (terminées par un son voyelle) les rimes féminines consonantiques (terminées par un son consonne). Ce schéma est constamment répété tout au long du poème et se complique d'une autre forme d'alternance : si la strophe s'engage sur une rime féminine consonantique, la strophe suivante s'engage sur une rime masculine vocalique. On a donc :

| *Strophe 1* | fille | | → semi-consonne → fém. |
| | grand | → ... | → voc. → masc. |
| | sautille | → ... | → semi-consonne → fém. |
| | sonneront | → ... | → voc. → masc. |
| | * Marie | → ... | → voc. → fém. |

* Seule exception, sauf à prononcer *Marij* (parler populaire et familier) : on retrouverait alors une correspondance phonique avec le premier vers.

| | | | | |
|---|---|---|---|---|
| *Strophe 2* | silencieux | → | → voc. | → masc. |
| | lointaine | → | → cons. | → fém. |
| | cieux | → | → voc. | → masc. |
| | peine | → | → cons. | → fém. |
| | délicieux | → | → voy. | → masc. |
| *Strophe 3* | neige | → | → cons | → fém. |
| *Strophe 4* | cheveux | → | → voc. | → masc. |
| *Strophe 5* | Seine | → | → cons. | → fém. |

La régularité absolue du schéma confère au poème une mélodie dont on a dit l'harmonie et la légèreté mais dont il fallait plus précisément rendre compte. Ajoutons que la cinquième strophe restitue le schéma mélodique de la première et donc que les parallélismes syntaxiques au dernier vers de chacune d'elles sont renforcés par les combinaisons sonores.

Le poème se clôt donc sur lui-même, à l'image peut-être du temps et de la peine dont il porte la vision.

# Conclusion

Ce poème met donc en évidence d'une façon remarquable la pluralité de réception d'un texte littéraire liée à la complexité de son écriture, inscrite, en un mot, dans son style.

La fluidité procède de la simplicité réelle des choix lexicaux, de l'harmonie de la facture poétique. Un univers naïf, celui des comptines et des chansons villageoises, se déploie tout d'abord, servi par un rythme alerte.

La densité et la profondeur tiennent aux réseaux complexes des significations portées par des formes dont l'intelligence ne peut être immédiate. Elles sollicitent un environnement culturel et une lecture sans cesse renouvelée.

La musique enfin, celle qui vient «avant toute chose» et qui est partie intégrante et constitutive du lyrisme, tient à cet enchevêtrement de sons, à ces échos réguliers si savamment calculés qu'on ne perçoit d'abord que ces échos là, sans même voir les combinaisons qui le créent. L'harmonie n'est pas au cœur du monde, mais au cœur de la poésie.

# Index[1]

---

1. Emplois significatifs.

261474 – (I) – OSB 80°– BTT
Dépôt légal : juillet 2016
Dépôt légal de la 1ʳᵉ édition : 1991

Achevé d'imprimer par Dupli-Print
N° d'impression : 2016061108
www.dupli-print.fr

*Imprimé en France*